# 유머로 배우는 한국어

Монгол хэл(몽골어)

орчуулагдсан хувилбар(번역판)

- 유머 (нэр Үг) : хошин шог, алиа хошин, наргиан
  инээдтэй Үйл хөдлөл, Үг хэллэг.

- 로 : -аар (-ээр, -оор, -өөр)
  ямар нэгэн Үйл хэргийн арга барилыг илэрхийлж буй нөхцөл.

- 배우다 (Үйл Үг) : сурах, сурч авах
  шинэ мэдлэг олж авах.

- -는 : Тохирох Үг хэллэг байхгҮй байна
  өмнөх Үгийг тодотгол гишҮҮний ҮҮрэгтэй болгож, хэрэг явдал буюу Үйлдэл нь одоо өрнөж байгааг илэрхийлдэг нөхцөл.

- 한국어 (нэр Үг) : солонгос хэл
  солонгост хэрэглэдэг хэл.

※ 이 책의 폰트는 '함초롬 바탕체'를 사용하였습니다.

# < 저자(зохиогч) >

㈜한글2119연구소

· 연구개발전담부서

· ISO 9001 : 품질경영시스템 인증

· ISO 14001 : 환경경영시스템 인증

· 이메일(и-мэйл) : gjh0675@naver.com

# < 동영상(дүрс бичлэг) 자료(түүхий эд) >

HANPUK_монгол хэл(орчуулга)
https://www.youtube.com/@HANPUK_Mongolian

HANPUK

제 2024153361 호

# 연구개발전담부서 인정서

1. 전담부서명: 연구개발전담부서

   [소속기업명: (주)한글2119연구소]

2. 소  재  지: 인천광역시 부평구 마장로264번길 33
   상가동 제지하층 제2호 (산곡동, 뉴서울아파트)

3. 신고 연월일: 2024년 05월 02일

## 과학기술정보통신부

「기초연구진흥 및 기술개발지원에 관한 법률」 제14조의
2제1항 및 같은 법 시행령 제27조제1항에 따라 위와 같이
기업의 연구개발전담부서로 인정합니다.

2024년 5월 13일

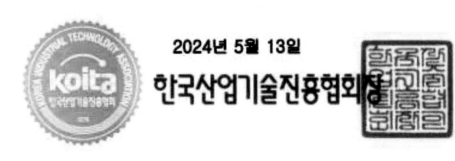

한국산업기술진흥협회장

# < 목차(гарчиг) >

## ● 부록(хавсралт)

# < 1 단원(бүлэг хичээл) >

제목 : 깜짝 놀라서 티브이(TV) 전원을 꺼 버렸지.

## ● 본문 (эх бичиг)

할머니께서 드라마를 보시다가 갑자기 티브이(TV) 전원을 꺼 버렸습니다.

그리고 며칠 후 초등학교 동창회에 참석하셨습니다.

거기서 할머니는 가장 친한 친구에게 티브이(TV)를 갑자기 끈 이유를 말했습니다.


할머니 : 갑자기 배우 한 명이 기침을 하잖아.

　　　　깜짝 놀라서 티브이(TV) 전원을 꺼 버렸지.

할머니 친구 : 바보야, 티브이(TV)를 왜 꺼.

　　　　　　얼른 마스크를 쓰면 되지.

할머니 : 맞네.

　　　　그런 기막힌 방법이 있었네.

# ● 발음 (дуудлага)

할머니께서 드라마를 보시다가 갑자기 티브이(TV) 전원을 꺼 버렸습니다.
할머니께서 드라마를 보시다가 갑짜기 티브이(TV) 저눠늘 꺼 버련씀니다.
halmeonikkeseo deuramareul bosidaga gapjagi tibeui(TV) jeonwoneul kkeo beoryeotseumnida.

그리고 며칠 후 초등학교 동창회에 참석하셨습니다.
그리고 며칠 후 초등학꾜 동창회에 참서카셨씀니다.
geurigo myeochil hu chodeunghaggyo dongchanghoee chamseokasyeotseumnida.

거기서 할머니는 가장 친한 친구에게 티브이(TV)를 갑자기 끈 이유를 말했습니다.
거시서 할머니는 가장 친한 친구에게 티브이(TV)를 갑자기 끈 이유를 말핻씀니다.
geogiseo halmeonineun gajang chinhan chinguege tibeui(TV)reul gapjagi kkeun iyureul malhaetseumnida.

할머니 : 갑자기 배우 한 명이 기침을 하잖아.
할머니 : 갑짜기 배우 한 명이 기치믈 하자나.
halmeoni : gapjagi baeu han myeongi gichimeul hajana.

　　　　깜짝 놀라서 티브이(TV) 전원을 꺼 버렸지.
　　　　깜짝 놀라서 티브이(TV) 저눠늘 꺼 버련찌.
kkamjjak nollaseo tibeui(TV) jeonwoneul kkeo beoryeotji.

할머니 친구 : 바보야, 티브이(TV)를 왜 꺼.
할머니 친구 : 바보야, 티브이(TV)를 왜 꺼.
halmeoni chingu : baboya, tibeui(TV)reul wae kkeo.

　　　　얼른 마스크를 쓰면 되지.
　　　　얼른 마스크를 쓰면 되지.
eolleun maseukeureul sseumyeon doeji.

할머니 : 맞네.
할머니 : 만네.
halmeoni : manne.

　　　　그런 기막힌 방법이 있었네.
　　　　그런 기마킨 방버비 이썬네.
geureon gimakin bangbeobi isseonne.

# ● 어휘 (Үгс) / 문법 (хэлзҮй)

할머니+께서 드라마+를 보+시+다가 갑자기 티브이(TV) 전원+을 끄(ㄲ)+어 버리+었+습니다.

그리고 며칠 후 초등학교 동창회+에 참석하+시+었+습니다.

거기+서 할머니+는 가장 친하+ㄴ 친구+에게 티브이(TV)+를 갑자기 끄+ㄴ 이유+를 말하+였+습니다.


**할머니** : 갑자기 배우 한 명+이 기침+을 하+잖아.

   깜짝 놀라+(아)서 티브이(TV) 전원+을 끄(ㄲ)+어 버리+었+지.

**할머니 친구** : 바보+야, 티브이(TV)+를 왜 끄(ㄲ)+어.

   얼른 마스크+를 쓰+면 되+지.

**할머니** : 맞+네.

   그런 기막히+ㄴ 방법+이 있+었+네.

> 할머니+께서 드라마+를 보+시+다가 갑자기 티브이(TV) 전원+을 <u>끄(ㄲ)</u>+[어 버리]+었+습니다.
> **꺼 버렸습니다**

- **할머니 (Нэр Үг)** : 아버지의 어머니, 또는 어머니의 어머니를 이르거나 부르는 말.

  **эмээ, эмэг эх**

  аавын ээж. мөн ээжийн ээж,

- **께서** : (높임말로) 가. 이. 어떤 동작의 주체가 높여야 할 대상임을 나타내는 조사.

  **Тохирох Үг хэллэг байхгҮй байна**

  (ХҮндэтгэлт Үг) Үйлийн эзнийг хҮндэтгэж буйг илэрхийлдэг нөхцөл.

- **드라마 (Нэр Үг)** : 극장에서 공연되거나 텔레비전 등에서 방송되는 극.

  **драм, цуврал кино, ший жҮжиг**

  кино театрт тоглогдох юм уу телевиз зэргээр гардаг жҮжиг.

- **를** : 동작이 직접적으로 영향을 미치는 대상을 나타내는 조사.

  **-ыг/-ийг/-г**

  Үйл хөдлөл шууд нөлөөлж буй тусагдахууныг илэрхийлэх нөхцөл.

- **보다 (Үйл Үг)** : 눈으로 대상을 즐기거나 감상하다.

  **Үзэж харах, Үзэн танилцах, авч Үзэх, харах, мэдрэх, харж мэдрэх**

  нҮдээрээ юмыг харж таашаах буюу Үзэж сонирхох.

- **-시-** : 어떤 동작이나 상태의 주체를 높이는 뜻을 나타내는 어미.

  **Тохирох Үг хэллэг байхгҮй байна**

  ямар нэгэн Үйлдэл буюу байдлын эзэн биеийг хҮндэтгэх утгыг илэрхийлдэг нөхцөл.

- **-다가** : 어떤 행동이나 상태 등이 중단되고 다른 행동이나 상태로 바뀜을 나타내는 연결 어미.

  **Тохирох Үг хэллэг байхгҮй байна**

  ямар нэгэн Үйлдэл буюу байдал зэрэг зогсон, өөр Үйлдэл, байдлаар өөрчлөгдөж байгааг илэрхийлдэг холбох нөхцөл.

- **갑자기 (Дайвар Үг)** : 미처 생각할 틈도 없이 빨리.

  **гэнэт**

  бодох ч сэхээгҮй тҮргэн.

- **티브이(TV) (Нэр Үг)** : 방송국에서 전파로 보내오는 영상과 소리를 받아서 보여 주는 기계.

  **зурагт, телевизор**

  нэвтрҮҮлгийн газраас долгионоор дамжин ирдэг дҮрс бичлэг, дуу авиаг хҮлээн авч ҮзҮҮлдэг төхөөрөмж.

- **전원 (Нэр Үг)** : 전기 콘센트 등과 같이 기계 등에 전류가 오는 원천.

  **цахилгааны эх ҮҮсвэр**

  цахилгаан зэлгуур зэрэг тоног хэрэгсэлд цахилгааны урсгал ирэх эх ҮҮсвэр.

• 을 : 동작이 직접적으로 영향을 미치는 대상을 나타내는 조사.

  -ыг/-ийг/-г

  Үйл хөдлөл шууд нөлөөлж буй тусагдахууныг илэрхийлэх нөхцөл.

• 끄다 (Үйл Үг) : 전기나 기계를 움직이는 힘이 통하는 길을 끊어 전기 제품 등을 작동하지 않게 하다.

  таслах, унтраах

  цахилгаан, техникийг хөдөлгөдөг хүчдэл дамждаг замыг таслан цахилгаан хэрэгсэл зэргийг ажиллахгүй болгох.

• -어 버리다 : 앞의 말이 나타내는 행동이 완전히 끝났음을 나타내는 표현.

  **Тохирох Үг хэллэг байхгүй байна**

  өмнөх Үгийн илэрхийлж буй Үйлдэл бүр мөсөн дууссан болохыг илэрхийлдэг Үг хэллэг.

• -었- : 어떤 사건이 과거에 완료되었거나 그 사건의 결과가 현재까지 지속되는 상황을 나타내는 어미.

  **Тохирох Үг хэллэг байхгүй байна**

  ямар нэгэн хэрэг явдал өнгөрсөн Үед болж өнгөрсөн буюу тухайн Үйлийн Үр дүн өнөөг хүртэл Үргэлжилж буй нөхцөл байдлыг илэрхийлдэг нөхцөл.

• -습니다 : (아주높임으로) 현재의 동작이나 상태, 사실을 정중하게 설명함을 나타내는 종결 어미.

  **Тохирох Үг хэллэг байхгүй байна**

  (Дээдлэн хүндэтгэх Үг хэллэг) одоогийн Үйлдэл буюу байдлыг ёсорхог байдлаар тайлбарлах явдлыг илэрхийлдэг төгсгөх нөхцөл.

---

그리고 며칠 후 초등학교 동창회+에 <u>참석하+시+었+습니다</u>.

**참석하셨습니다**

---

• 그리고 (Дайвар Үг) : 앞의 내용에 이어 뒤의 내용을 단순히 나열할 때 쓰는 말.

  тэгээд

  өмнөх агуулгыг Үргэлжлүүлэн дараагийн агуулгыг зэрэгцүүлэн залгах Үед хэрэглэдэг Үг.

• 며칠 (Нэр Үг) : 몇 날.

  хэдэн

  хэдний өдөр.

• 후 (Нэр Үг) : 얼마만큼 시간이 지나간 다음.

  дараа, хойно

  нэлээд цаг хугацаа өнгөрсний дараа.

- **초등학교 (Нэр Үг)** : 학교 교육의 첫 번째 단계로 만 여섯 살에 입학하여 육 년 동안 기본 교육을 받는 학교.

    бага сургууль

    ерөнхий боловсролын эхний Үе шат бөгөөд 6 настай сурагч элсэн ороод, 6 жилийн турш ерөнхий боловсрол эзэмших сургууль.

- **동창회 (Нэр Үг)** : 같은 학교를 졸업한 사람들의 모임.

    нэг төгсөлтийнхний цугларалт

    нэг сургууль төгссөн хҮмҮҮсийн цугларалт.

- **에** : 앞말이 어떤 장소나 자리임을 나타내는 조사.

    -д/-т

    өмнөх Үг ямар нэгэн газар буюу байр болохыг илэрхийлж буй нөхцөл.

- **참석하다 (Үйл Үг)** : 회의나 모임 등의 자리에 가서 함께하다.

    оролцох, суух

    хурал, цуглаан мэтэд очиж хамт байх.

- **-시-** : 어떤 동작이나 상태의 주체를 높이는 뜻을 나타내는 어미.

    Тохирох Үг хэллэг байхгҮй байна

    ямар нэгэн Үйлдэл буюу байдлын эзэн биеийг хҮндэтгэх утгыг илэрхийлдэг нөхцөл.

- **-었-** : 어떤 사건이 과거에 완료되었거나 그 사건의 결과가 현재까지 지속되는 상황을 나타내는 어미.

    Тохирох Үг хэллэг байхгҮй байна

    ямар нэгэн хэрэг явдал өнгөрсөн Үед болж өнгөрсөн буюу тухайн Үйлийн Үр дҮн өнөөг хҮртэл Үргэлжилж буй нөхцөл байдлыг илэрхийлдэг нөхцөл.

- **-습니다** : (아주높임으로) 현재의 동작이나 상태, 사실을 정중하게 설명함을 나타내는 종결 어미.

    Тохирох Үг хэллэг байхгҮй байна

    (Дээдлэн хҮндэтгэх Үг хэллэг) одоогийн Үйлдэл буюу байдлыг ёсорхог байдлаар тайлбарлах явдлыг илэрхийлдэг төгсгөх нөхцөл.

---

거기+서 할머니+는 가장 <u>친하</u>+ㄴ 친구+에게 티브이(TV)+를 갑자기 <u>끄</u>+ㄴ 이유+를 <u>말하</u>+였+습니다.

친한        끈      말했습니다

---

- **거기 (Төлөөний Үг)** : 앞에서 이미 이야기한 곳을 가리키는 말.

    тэнд

    өмнө нь хэлсэн газар байрыг зааж нэрлэх Үг хэллэг.

- **서** : 앞말이 행동이 이루어지고 있는 장소임을 나타내는 조사.

    дээр, -д/-т

    Үйл хөдлөл болж байгаа орон байрыг илэрхийлдэг нөхцөл.

• **할머니 (Нэр Үг)** : 아버지의 어머니, 또는 어머니의 어머니를 이르거나 부르는 말.

    **эмээ, эмэг эх**

    аавын ээж. мөн ээжийн ээж.

• **는** : 문장 속에서 어떤 대상이 화제임을 나타내는 조사.

    **Тохирох Үг хэллэг байхгүй байна**

    өгүүлбэрт ярианы сэдэв болж буйг илэрхийлдэг нөхцөл.

• **가장 (Дайвар Үг)** : 여럿 가운데에서 제일로.

    **хамгийн**

    олон дундаас тэргүүнд. нэгдүгээрт. хамгаас

• **친하다 (Тэмдэг нэр)** : 가까이 사귀어 서로 잘 알고 정이 두텁다.

    **дотночлох**

    ойр нөхөрлөж, биесээ сайтар мэддэг халуун сэтгэлтэй байх.

• **-ㄴ** : 앞의 말이 관형어의 기능을 하게 만들고 현재의 상태를 나타내는 어미.

    **Тохирох Үг хэллэг байхгүй байна**

    өмнөх үгийг тодотгол гишүүний үүрэгтэй болгож, одоогийн байдлыг илэрхийлдэг нөхцөл.

• **친구 (Нэр Үг)** : 사이가 가까워 서로 친하게 지내는 사람.

    **найз, анд нөхөр**

    харилцаа ойртой хоорондоо дотно нөхөрлөдөг хүн.

• **에게** : 어떤 행동이 미치는 대상임을 나타내는 조사.

    **-д, -т**

    ямар нэгэн үйлдлийн нөлөөг авч буй зүйлийг илэрхийлдэг нөхцөл.

• **티브이(TV) (Нэр Үг)** : 방송국에서 전파로 보내오는 영상과 소리를 받아서 보여 주는 기계.

    **зурагт, телевизор**

    нэвтрүүлгийн газраас долгионоор дамжин ирдэг дүрс бичлэг, дуу авиаг хүлээн авч үзүүлдэг төхөөрөмж.

• **를** : 동작이 직접적으로 영향을 미치는 대상을 나타내는 조사.

    **-ыг/-ийг/-г**

    үйл хөдлөл шууд нөлөөлж буй тусагдахууныг илэрхийлэх нөхцөл.

• **갑자기 (Дайвар Үг)** : 미처 생각할 틈도 없이 빨리.

    **гэнэт**

    бодох ч сэхээгүй түргэн.

- **끄다 (Үйл Үг)** : 전기나 기계를 움직이는 힘이 통하는 길을 끊어 전기 제품 등을 작동하지 않게 하다.
  **таслах, унтраах**
  цахилгаан, техникийг хөдөлгөдөг хүчдэл дамждаг замыг таслан цахилгаан хэрэгсэл зэргийг ажиллахгүй болгох.

- **-ㄴ** : 앞의 말이 관형어의 기능을 하게 만들고 사건이나 동작이 과거에 일어났음을 나타내는 어미.
  **Тохирох Үг хэллэг байхгүй байна**
  өмнөх үгийг тодотгол гишүүний үүрэгтэй болгож, хэрэг явдал буюу үйлдэл нь өнгөрсөн үед өрнөсөн болохыг илэрхийлдэг нөхцөл.

- **이유 (Нэр Үг)** : 어떠한 결과가 생기게 된 까닭이나 근거.
  **шалтгаан, учир, үндэслэл**
  ямар нэгэн үр дүн гарах болсон учир шалтгаан болон үндэслэл.

- **를** : 동작이 직접적으로 영향을 미치는 대상을 나타내는 조사.
  **-ыг/-ийг/-г**
  үйл хөдлөл шууд нөлөөлж буй тусагдахууныг илэрхийлэх нөхцөл.

- **말하다 (Үйл Үг)** : 어떤 사실이나 자신의 생각 또는 느낌을 말로 나타내다.
  **ярих, өгүүлэх, хэлэх, өчих**
  ямар нэгэн бодит зүйлийн талаар болон өөрийн бодол санаа, мэдрэмжийг үгээр илэрхийлэх.

- **-였-** : 어떤 사건이 과거에 완료되었거나 그 사건의 결과가 현재까지 지속되는 상황을 나타내는 어미.
  **Тохирох Үг хэллэг байхгүй байна**
  ямар нэгэн хэрэг явдал өнгөрсөн үед болж өнгөрсөн буюу тухайн үйлийн үр дүн өнөөг хүртэл үргэлжилж буй нөхцөл байдлыг илэрхийлдэг нөхцөл.

- **-습니다** : (아주높임으로) 현재의 동작이나 상태, 사실을 정중하게 설명함을 나타내는 종결 어미.
  **Тохирох Үг хэллэг байхгүй байна**
  (Дээдлэн хүндэтгэх үг хэллэг) одоогийн үйлдэл буюу байдлыг ёсорхог байдлаар тайлбарлах явдлыг илэрхийлдэг төгсгөх нөхцөл.

---

> **할머니** : 갑자기 배우 한 명+이 기침+을 하+잖아.

---

- **갑자기 (Дайвар Үг)** : 미처 생각할 틈도 없이 빨리.
  **гэнэт**
  бодох ч сэхээгүй түргэн.

- **배우 (Нэр Үг)** : 영화나 연극, 드라마 등에 나오는 인물의 역할을 맡아서 연기하는 사람.
  **жүжигчин**
  кино жүжиг, драмд гарч буй дүрийг амилуулж буй хүн.

- **한 (Тодотгол Үг)** : 하나의.
  **нэг**
  нэгэн.

- **명 (Нэр Үг)** : 사람의 수를 세는 단위.
  **хүн**
  хүний тоог тоолдог нэгж.

- **이** : 어떤 상태나 상황의 대상이나 동작의 주체를 나타내는 조사.
  **Тохирох Үг хэллэг байхгүй байна**
  ямар нэгэн төлөв, байдлын субьект, мөн үйл хөдлөлийн эзэн болохыг илэрхийлэх нөхцөл.

- **기침 (Нэр Үг)** : 폐에서 목구멍을 통해 공기가 거친 소리를 내며 갑자기 터져 나오는 일.
  **ханиад**
  уушигнаас хоолойгоор дамжиж амьсгал хатуу ширүүн дуугаар гэнэт ханиалгах явдал.

- **을** : 동작이 직접적으로 영향을 미치는 대상을 나타내는 조사.
  **-ыг/-ийг/-г**
  үйл хөдлөл шууд нөлөөлж буй тусагдахууныг илэрхийлэх нөхцөл.

- **하다 (Үйл Үг)** : 어떤 행동이나 동작, 활동 등을 행하다.
  **Үйлдэх, хийх, гүйцэтгэх**
  аливаа үйл хөдлөл, хөдөлгөөн, ажиллагаа зэргийг гүйцэтгэх.

- **-잖아** : (두루낮춤으로) 어떤 상황에 대해 말하는 사람이 상대방에게 확인하거나 정정해 주듯이 말함을 나타내는 표현.
  **Тохирох Үг хэллэг байхгүй байна**
  (Хүндэтгэлийн бус энгийн үг хэллэг) ямар нэг нөхцөл байдлын талаар өгүүлэгч эсрэг этгээдээс лавлах буюу залруулах мэтээр хэлж байгааг илэрхийлдэг үг хэллэг.

| 할머니 : 깜짝 놀라+(아)서 티브이(TV) 전원+을 끄(ㄲ)+[어 버리]+었+지. |
|---|
| 놀라서                                    꺼 버렸지 |

- **깜짝 (Дайвар Үг)** : 갑자기 놀라는 모양.
  **гэнэт цочих**
  гэнэт цочих байдал.

- **놀라다 (Үйл Үг)** : 뜻밖의 일을 당하거나 무서워서 순간적으로 긴장하거나 가슴이 뛰다.
  **айх, цочих**
  гэнэтийн явдал тохиолдсонд айж цочин, хоромхон зуур сандран зүрх хурдан цохилох.

• -아서 : 이유나 근거를 나타내는 연결 어미.
 **Тохирох Үг хэллэг байхгүй байна**
 учир шалтгаан буюу үндэслэлийг илэрхийлдэг холбох нөхцөл.

• 티브이(TV) (Нэр Үг) : 방송국에서 전파로 보내오는 영상과 소리를 받아서 보여 주는 기계.
 **зурагт, телевизор**
 нэвтрүүлгийн газраас долгионоор дамжин ирдэг дүрс бичлэг, дуу авиаг хүлээн авч үзүүлдэг төхөөрөмж.

• 전원 (Нэр Үг) : 전기 콘센트 등과 같이 기계 등에 전류가 오는 원천.
 **цахилгааны эх үүсвэр**
 цахилгаан зэлгуур зэрэг тоног хэрэгсэлд цахилгааны урсгал ирэх эх үүсвэр.

• 을 : 동작이 직접적으로 영향을 미치는 대상을 나타내는 조사.
 **-ыг/-ийг/-г**
 Үйл хөдлөл шууд нөлөөлж буй тусагдахууныг илэрхийлэх нөхцөл.

• 끄다 (Үйл Үг) : 전기나 기계를 움직이는 힘이 통하는 길을 끊어 전기 제품 등을 작동하지 않게 하다.
 **таслах, унтраах**
 цахилгаан, техникийг хөдөлгөдөг хүчдэл дамждаг замыг таслан цахилгаан хэрэгсэл зэргийг ажиллахгүй болгох.

• -어 버리다 : 앞의 말이 나타내는 행동이 완전히 끝났음을 나타내는 표현.
 **Тохирох Үг хэллэг байхгүй байна**
 өмнөх үгийн илэрхийлж буй үйлдэл бүр мөсөн дууссан болохыг илэрхийлдэг үг хэллэг.

• -었- : 어떤 사건이 과거에 완료되었거나 그 사건의 결과가 현재까지 지속되는 상황을 나타내는 어미.
 **Тохирох Үг хэллэг байхгүй байна**
 ямар нэгэн хэрэг явдал өнгөрсөн үед болж өнгөрсөн буюу тухайн үйлийн үр дүн өнөөг хүртэл үргэлжилж буй нөхцөл байдлыг илэрхийлдэг нөхцөл.

• -지 : (두루낮춤으로) 말하는 사람이 자신에 대한 이야기나 자신의 생각을 친근하게 말할 때 쓰는 종결 어미.
 **Тохирох Үг хэллэг байхгүй байна**
 (Хүндэтгэлийн бус энгийн үг хэллэг) өгүүлэгч өөрийнхөө тухай ярих буюу өөрийн бодлыг дотроор хэлэхэд хэрэглэхэд төгсгөх нөхцөл.

---

할머니 친구 : 바보+야, 티브이(TV)+를 왜 <u>끄(ㄲ)+어</u>.
 　　　　　　　　　　　　　　　　　　　　　　　**꺼**

- **바보 (Нэр Үг)** : (욕하는 말로) 어리석고 멍청하거나 못난 사람.
  **эргүү, мулгуу**
  (Хараалын Үг) эргүү тэнэг хүн.

- **야** : 친구나 아랫사람, 동물 등을 부를 때 쓰는 조사.
  **-аа (-ээ, -оо, -өө), хөөе**
  найз, өөрөөсөө дүү хүн, амьтан дуудахад хэрэглэдэг нөхцөл.

- **티브이(TV) (Нэр Үг)** : 방송국에서 전파로 보내오는 영상과 소리를 받아서 보여 주는 기계.
  **зурагт, телевизор**
  нэвтрүүлгийн газраас долгионоор дамжин ирдэг дүрс бичлэг, дуу авиаг хүлээн авч үзүүлдэг төхөөрөмж.

- **를** : 동작이 직접적으로 영향을 미치는 대상을 나타내는 조사.
  **-ыг/-ийг/-г**
  Үйл хөдлөл шууд нөлөөлж буй тусагдахууныг илэрхийлэх нөхцөл.

- **왜 (Дайвар Үг)** : 무슨 이유로. 또는 어째서.
  **яагаад, ямар учраас**
  ямар шалтгаанаар. мөн яагаад.

- **끄다 (Үйл Үг)** : 전기나 기계를 움직이는 힘이 통하는 길을 끊어 전기 제품 등을 작동하지 않게 하다.
  **таслах, унтраах**
  цахилгаан, техникийг хөдөлгөдөг хүчдэл дамждаг замыг таслан цахилгаан хэрэгсэл зэргийг ажиллахгүй болгох.

- **-어** : (두루낮춤으로) 어떤 사실을 서술하거나 물음, 명령, 권유를 나타내는 종결 어미.
  **Тохирох Үг хэллэг байхгүй байна**
  (Хүндэтгэлийн бус энгийн Үг хэллэг) ямар нэгэн зүйлийг дүрслэх буюу асуулт, тушаал, зөвлөмж зэргийг илэрхийлдэг төгсгөх нөхцөл.

---

| |
|---|
| **할머니 친구 : 얼른 마스크+를 쓰+[면 되]+지.** |

- **얼른 (Дайвар Үг)** : 시간을 오래 끌지 않고 바로.
  **хурдан, түргэн, үтэр**
  цагийг удаан сунжруулахгүй шууд.

- **마스크 (Нэр Үг)** : 병균이나 먼지, 찬 공기 등을 막기 위하여 입과 코를 가리는 물건.
  **амны хаалт, маск**
  нян болон тоос шороо, хүйтэн агаар зэргийг хаахын тулд ам хамрыг халхлан зүүдэг зүйл.

- 를 : 동작이 직접적으로 영향을 미치는 대상을 나타내는 조사.

  **-ыг/-ийг/-г**

  Үйл хөдлөл шууд нөлөөлж буй тусагдахууныг илэрхийлэх нөхцөл.

- 쓰다 (**Үйл Үг**) : 얼굴에 어떤 물건을 걸거나 덮어쓰다.

  **зүүх, хэрэглэх**

  нүүрэндээ ямар нэг зүйлийг зүүх юм уу бүрхүүлэн зүүх.

- -면 되다 : 조건이 되는 어떤 행동을 하거나 어떤 상태만 갖추어지면 문제가 없거나 충분함을 나타내는 표현.

  **Тохирох Үг хэллэг байхгүй байна**

  болзол шаардлага нь болж буй зүйлийг хийх болон ямар нэг нөхцөл байдал бүрдвэл асуудалгүй буюу хангалттай болохыг илэрхийлдэг үг хэллэг.

- -지 : (두루낮춤으로) 말하는 사람이 자신에 대한 이야기나 자신의 생각을 친근하게 말할 때 쓰는 종결 어미.

  **Тохирох Үг хэллэг байхгүй байна**

  (Хүндэтгэлийн бус энгийн үг хэллэг) өгүүлэгч өөрийнхөө тухай ярих буюу өөрийн бодлыг дотроор хэлэхэд хэрэглэхэд төгсгөх нөхцөл.

---

**할머니** : 맞+네.

　　　그런 <u>기막히+ㄴ</u> 방법+이 있+었+네.
　　　　　**기막힌**

---

- 맞다 (**Үйл Үг**) : 그렇거나 옳다.

  **зөв, тийм**

  тийм, зөв байх.

- -네 : (아주낮춤으로) 지금 깨달은 일에 대하여 말함을 나타내는 종결 어미.

  **Тохирох Үг хэллэг байхгүй байна**

  (Огт хүндэтгэлгүй үг хэллэг) одоо ойлгож ухаарсан зүйлийнхээ талаар ярьж байгааг илэрхийлдэг төгсгөх нөхцөл.

- 그런 (**Тодотгол Үг**) : 상태, 모양, 성질 등이 그러한.

  **тийм**

  байдал, хэлбэр, шинж чанар зэрэг тийм.

- 기막히다 (**Тэмдэг нэр**) : 정도나 상태가 어떻다고 말할 수 없을 만큼 좋다.

  **өгүүлэшгүй, хэлэлтгүй, ярилтгүй**

  хэмжээ, байдал тийм ийм гэж хэлэхээргүй сайн байх.

- 14 -

- -ㄴ : 앞의 말이 관형어의 기능을 하게 만들고 현재의 상태를 나타내는 어미.
  **Тохирох Үг хэллэг байхгүй байна**
  өмнөх Үгийг тодотгол гишүүний Үүрэгтэй болгож, одоогийн байдлыг илэрхийлдэг нөхцөл.

- **방법 (Нэр Үг)** : 어떤 일을 해 나가기 위한 수단이나 방식.
  **арга, арга зам, арга барил**
  ямар нэгэн зүйлийг хийж дуусгахын төлөөх арга зам буюу арга хэлбэр.

- 이 : 어떤 상태나 상황의 대상이나 동작의 주체를 나타내는 조사.
  **Тохирох Үг хэллэг байхгүй байна**
  ямар нэгэн төлөв, байдлын субьект, мөн Үйл хөдлөлийн эзэн болохыг илэрхийлэх нөхцөл.

- **있다 (Тэмдэг нэр)** : 사실이나 현상이 존재하다.
  **байх**
  бодит Үнэн буюу Үзэгдэл орших.

- -었- : 어떤 사건이 과거에 완료되었거나 그 사건의 결과가 현재까지 지속되는 상황을 나타내는 어미.
  **Тохирох Үг хэллэг байхгүй байна**
  ямар нэгэн хэрэг явдал өнгөрсөн Үед болж өнгөрсөн буюу тухайн Үйлийн Үр дүн өнөөг хүртэл Үргэлжилж буй нөхцөл байдлыг илэрхийлдэг нөхцөл.

- -네 : (아주낮춤으로) 지금 깨달은 일에 대하여 말함을 나타내는 종결 어미.
  **Тохирох Үг хэллэг байхгүй байна**
  (Огт хүндэтгэлгүй Үг хэллэг) одоо ойлгож ухаарсан зүйлийнхээ талаар ярьж байгааг илэрхийлдэг төгсгөх нөхцөл.

# < 2 단원(6Үлэг хичээл) >

제목 : 쫓아오던 게 강아지였나?

# ● 본문 (эх бичиг)

고양이 한 마리가 쥐를 열심히 쫓고 있었습니다.

쥐가 고양이에게 거의 잡힐 것 같았습니다.

하지만 아슬아슬한 찰나에 쥐가 쥐구멍으로 들어가 버렸습니다.

쥐구멍 앞에 서성이던 고양이가 쪼그려 앉았습니다.

그러더니 갑자기 고양이가 **"멍멍!"**하고 짖어 댔습니다.

이 소리를 듣고 쥐는 어리둥절했습니다.

**쥐 : 뭐지?**

　　**쫓아오던 게 강아지였나?**

쥐는 너무 궁금해서 머리를 살며시 구멍 밖으로 내밀었습니다.

이때 쥐가 고양이에게 잡히고 말았습니다.

의기양양하게 쥐를 물고 가면서 고양이가 이렇게 말했습니다.

**고양이 : 요즘은 먹고살려면 적어도 이 개 국어는 해야 돼.**

# ● 발음 (дуудлага)

고양이 한 마리가 쥐를 열심히 쫓고 있었습니다.
고양이 한 마리가 쥐를 열씸히 쫃꼬 이썯씀니다.
goyangi han mariga jwireul yeolsimhi jjotgo isseotseumnida.

쥐가 고양이에게 거의 잡힐 것 같았습니다.
쥐가 고양이에게 거의 자필 껃 가탇씀니다.
jwiga goyangiege geoui japil geot gatatseumnida.

하지만 아슬아슬한 찰나에 쥐가 쥐구멍으로 들어가 버렸습니다.
하지만 아슬아슬한 찰라에 쥐가 쥐구멍으로 드러가 버럳씀니다.
hajiman aseuraseulhan challae jwiga jwigumeongeuro deureoga beoryeotseumnida.

쥐구멍 앞에 서성이던 고양이가 쪼그려 앉았습니다.
쥐구멍 아페 서성이던 고양이가 쪼그려 안잗씀니다.
jwigumeong ape seoseongideon goyangiga jjogeuryeo anjatseumnida.

그러더니 갑자기 고양이가 "멍멍!"하고 짖어 댔습니다.
그러더니 갑짜기 고양이가 "**멍멍!**"하고 지저 댇씀니다.
geureodeoni gapjagi goyangiga "meongmeong!"hago jijeo daetseumnida.

이 소리를 듣고 쥐는 어리둥절했습니다.
이 소리를 듣꼬 쥐는 어리둥절핻씀니다.
i sorireul deutgo jwineun eoridungjeolhaetseumnida.


**쥐 : 뭐지?**
쥐 : 뭐지?
jwi : mwoji?

    **쫓아오던 게 강아지였나?**
    쪼차오던 게 강아지연나?
    jjochaodeon ge gangajiyeonna?

쥐는 너무 궁금해서 머리를 살며시 구멍 밖으로 내밀었습니다.
쥐는 너무 궁금해서 머리를 살며시 구멍 바끄로 내미럳씀니다.
jwineun neomu gunggeumhaeseo meorireul salmyeosi gumeong bakkeuro naemireotseumnida.

이때 쥐가 고양이에게 잡히고 말았습니다.
이때 쥐가 고양이에게 자피고 마랃씀니다.
ittae jwiga goyangiege japigo maratseumnida.

의기양양하게 쥐를 물고 가면서 고양이가 이렇게 말했습니다.
의기양양하게 쥐를 물고 가면서 고양이가 이러케 말핻씀니다.
uigiyangyanghage jwireul mulgo gamyeonseo goyangiga ireoke malhaetseumnida.


**고양이 : 요즘은 먹고살려면 적어도 이 개 국어는 해야 돼.**
고양이 : 요즈믄 먹꼬살려면 저거도 이 개 구거는 해야 돼.
goyangi : yojeumeun meokgosallyeomyeon jeogeodo i gae gugeoneun haeya dwae.

# ● 어휘 (Үгс) / 문법 (хэлзүй)

고양이 한 마리+가 쥐+를 열심히 쫓+고 있+었+습니다.

쥐+가 고양이+에게 거의 잡히+ㄹ 것 같+았+습니다.

하지만 아슬아슬하+ㄴ 찰나+에 쥐+가 쥐구멍+으로 들어가+(아) 버리+었+습니다.

쥐구멍 앞+에 서성이+던 고양이+가 쪼그리+어 앉+았+습니다.

그러+더니 갑자기 고양이+가 **"멍멍!"** 하+고 짖+어 대+었+습니다.

이 소리+를 듣+고 쥐+는 어리둥절하+였+습니다.

**쥐 : "뭐+(이)+지?"**

　　**"쫓아오+던 것(거)+이 강아지+이+었+나?"**

쥐+는 너무 궁금하+여서 머리+를 살며시 구멍 밖+으로 내밀+었+습니다.

이때 쥐+가 고양이+에게 잡히+고 말+았+습니다.

의기양양하+게 쥐+를 물+고 가+면서 고양이+가 이렇+게 말하+였+습니다.

**고양이 : 요즘+은 먹고살+려면 적어도 이 개 국어+는 하+여야 되+어.**

> 고양이 한 마리+가 쥐+를 열심히 쫓+[고 있]+었+습니다.

- **고양이 (Нэр Үг)** : 어두운 곳에서도 사물을 잘 보고 쥐를 잘 잡으며 집 안에서 기르기도 하는 자그마한 동물.

  **муур**

  харанхуйд ч сайн хардаг, хулгана барьдаг бөгөөд гэрт тэжээдэг жижигхэн амьтан.

- **한 (Тодотгол Үг)** : 하나의.

  **нэг**

  нэгэн.

- **마리 (Нэр Үг)** : 짐승이나 물고기, 벌레 등을 세는 단위.

  **ширхэг**

  ширхэглэн тоолж болохуйц юмыг тооцоолох нэгж.

- **가** : 어떤 상태나 상황에 놓인 대상이나 동작의 주체를 나타내는 조사.

  **Тохирох Үг хэллэг байхгҮй байна**

  ямар нэгэн төлөв, байдлын субьект, мөн Үйл хөдлөлийн эзэн болохыг илэрхийлэх нөхцөл.

- **쥐 (Нэр Үг)** : 사람의 집 근처 어두운 곳에서 살며 몸은 진한 회색에 긴 꼬리를 가지고 있는 작은 동물.

  **хулгана**

  гэрийн ойролцоо харанхуй газар амьдрах бөгөөд бҮдэг саарал өнгөтэй, урт сҮҮлтэй жижигхэн амьтан.

- **를** : 동작이 직접적으로 영향을 미치는 대상을 나타내는 조사.

  **-ыг/-ийг/-г**

  Үйл хөдлөл шууд нөлөөлж буй тусагдахууныг илэрхийлэх нөхцөл.

- **열심히 (Дайвар Үг)** : 어떤 일에 온 정성을 다하여.

  **хичээнгҮй, хичээнгҮйлэн, чармайн, шаргуу,**

  аливаа зҮйлд бҮх зҮрх сэтгэлээ зориулан.

- **쫓다 (Үйл Үг)** : 앞선 것을 잡으려고 서둘러 뒤를 따르거나 자취를 따라가다.

  **дагах, хөөх, мөрдөх, мөшгих**

  өмнөө байгаа зҮйлийг барих гэж араас нь дагаж явах буюу мөрөөр нь мөшгих.

- **-고 있다** : 앞의 말이 나타내는 행동이 계속 진행됨을 나타내는 표현.

  **Тохирох Үг хэллэг байхгҮй байна**

  өмнөх Үгийн илэрхийлж буй Үйлдэл Үргэлжилж буйг илэрхийлдэг Үг хэллэг.

- -었- : 사건이 과거에 일어났음을 나타내는 어미.

  **Тохирох Үг хэллэг байхгүй байна**

  Үйл явдал өнгөрсөн үед болсныг илэрхийлдэг төгсгөх нөхцөл.

- -습니다 : (아주높임으로) 현재의 동작이나 상태, 사실을 정중하게 설명함을 나타내는 종결 어미.

  **Тохирох Үг хэллэг байхгүй байна**

  (Дээдлэн хүндэтгэх үг хэллэг) одоогийн үйлдэл буюу байдлыг ёсорхог байдлаар тайлбарлах явдлыг илэрхийлдэг төгсгөх нөхцөл.

---

> 쥐+가 고양이+에게 거의 <u>잡히</u>+[ㄹ 것 같]+았+<u>습니다</u>.
> ### 잡힐 것 같았습니다

---

- **쥐 (Нэр Үг)** : 사람의 집 근처 어두운 곳에서 살며 몸은 진한 회색에 긴 꼬리를 가지고 있는 작은 동물.

  **хулгана**

  гэрийн ойролцоо харанхуй газар амьдрах бөгөөд бүдэг саарал өнгөтэй, урт сүүлтэй жижигхэн амьтан.

- **가** : 어떤 상태나 상황에 놓인 대상이나 동작의 주체를 나타내는 조사.

  **Тохирох Үг хэллэг байхгүй байна**

  ямар нэгэн төлөв, байдлын субьект, мөн үйл хөдлөлийн эзэн болохыг илэрхийлэх нөхцөл.

- **고양이 (Нэр Үг)** : 어두운 곳에서도 사물을 잘 보고 쥐를 잘 잡으며 집 안에서 기르기도 하는 자그마한 동물.

  **муур**

  харанхуйд ч сайн хардаг, хулгана барьдаг бөгөөд гэрт тэжээдэг жижигхэн амьтан.

- **에게** : 어떤 행동의 주체이거나 비롯되는 대상임을 나타내는 조사.

  **-д, -т**

  ямар нэгэн үйлдлийг үүсгэдэг зүйл болохыг илэрхийлдэг нөхцөл.

- **거의 (Дайвар Үг)** : 어떤 상태나 한도에 매우 가깝게.

  **бараг**

  ямар нэг байдал, хязгаарт туйлын ойрхон.

- **잡히다 (Үйл Үг)** : 도망가지 못하게 붙들리다.

  **баригдах, олзлогдох**

  зугтаж чадахгүйгээр баригдах.

- **-ㄹ 것 같다** : 추측을 나타내는 표현.

  **Тохирох Үг хэллэг байхгүй байна**

  таамаглалыг илэрхийлдэг үг хэллэг.

• -았- : 사건이 과거에 일어났음을 나타내는 어미.
  **Тохирох Үг хэллэг байхгүй байна**
  Үйл явдал өнгөрсөн үед болсныг илэрхийлдэг төгсгөх нөхцөл.

• -습니다 : (아주높임으로) 현재의 동작이나 상태, 사실을 정중하게 설명함을 나타내는 종결 어미.
  **Тохирох Үг хэллэг байхгүй байна**
  (Дээдлэн хүндэтгэх үг хэллэг) одоогийн үйлдэл буюу байдлыг ёсорхог байдлаар тайлбарлах явдлыг илэрхийлдэг төгсгөх нөхцөл.

---

| 하지만 아슬아슬하+ㄴ 찰나+에 쥐+가 쥐구멍+으로 들어가+[(아) 버리]+었+습니다. |
|---|
| 아슬아슬한                          들어가 버렸습니다 |

---

• **하지만 (Дайвар үг)** : 내용이 서로 반대인 두 개의 문장을 이어 줄 때 쓰는 말.
  **гэвч, харин**
  агуулга нь эсрэг хоёр өгүүлбэрийг холбоход хэрэглэдэг үг.

• **아슬아슬하다 (Тэмдэг нэр)** : 일이 잘 안 될까 봐 무서워서 소름이 돋을 정도로 마음이 조마조마하다.
  **эгзэгтэй, арайхийн, арай чүү**
  ажил хэрэг сайн бүтэхгүй болов уу гэж айснаас бие зарайн сэтгэл түгших.

• **-ㄴ** : 앞의 말이 관형어의 기능을 하게 만들고 현재의 상태를 나타내는 어미.
  **Тохирох үг хэллэг байхгүй байна**
  өмнөх үгийг тодотгол гишүүний үүрэгтэй болгож, одоогийн байдлыг илэрхийлдэг нөхцөл.

• **찰나 (Нэр үг)** : 어떤 일이나 현상이 일어나는 바로 그때.
  **хором зуур**
  ямар нэгэн үйл ба үзэгдэл болсон яг тэр мөчид. мөн тэрхүү богинохон хугацаа.

• **에** : 앞말이 시간이나 때임을 나타내는 조사.
  **-д/-т**
  өмнөх үг цаг хугацаа болохыг илэрхийлж буй нөхцөл.

• **쥐 (Нэр үг)** : 사람의 집 근처 어두운 곳에서 살며 몸은 진한 회색에 긴 꼬리를 가지고 있는 작은 동물.
  **хулгана**
  гэрийн ойролцоо харанхуй газар амьдрах бөгөөд бүдэг саарал өнгөтэй, урт сүүлтэй жижигхэн амьтан.

• **가** : 어떤 상태나 상황에 놓인 대상이나 동작의 주체를 나타내는 조사.
  **Тохирох үг хэллэг байхгүй байна**
  ямар нэгэн төлөв, байдлын субьект, мөн үйл хөдлөлийн эзэн болохыг илэрхийлэх нөхцөл.

- 쥐구멍 (Нэр Үг) : 쥐가 들어가고 나오는 구멍.

  **хулганы нҮх**

  хулгана орж гардаг нҮх.

- 으로 : 움직임의 방향을 나타내는 조사.

  **-руу/-рҮҮ**

  хөдөлгөөний зҮг чигийг илэрхийлдэг нөхцөл.

- 들어가다 (Үйл Үг) : 밖에서 안으로 향하여 가다.

  **явж орох, дотогш орох**

  гаднаас дотогшоо орох.

- -아 버리다 : 앞의 말이 나타내는 행동이 완전히 끝났음을 나타내는 표현.

  **Тохирох Үг хэллэг байхгҮй байна**

  өмнөх Үгийн илэрхийлж буй Үйлдэл бҮр мөсөн дууссан болохыг илэрхийлдэг Үг хэллэг.

- -었- : 어떤 사건이 과거에 완료되었거나 그 사건의 결과가 현재까지 지속되는 상황을 나타내는 어미.

  **Тохирох Үг хэллэг байхгҮй байна**

  Үйл явдал өнгөрсөн Үед болсныг илэрхийлдэг төгсгөх нөхцөл.

- -습니다 : (아주높임으로) 현재의 동작이나 상태, 사실을 정중하게 설명함을 나타내는 종결 어미.

  **Тохирох Үг хэллэг байхгҮй байна**

  (Дээдлэн хҮндэтгэх Үг хэллэг) одоогийн Үйлдэл буюу байдлыг ёсорхог байдлаар тайлбарлах явдлыг илэрхийлдэг төгсгөх нөхцөл.

---

쥐구멍 앞+에 서성이+던 고양이+가 <u>쪼그리</u>+어 앉+았+습니다.

**쪼그려**

---

- 쥐구멍 (Нэр Үг) : 쥐가 들어가고 나오는 구멍.

  **хулганы нҮх**

  хулгана орж гардаг нҮх.

- 앞 (Нэр Үг) : 향하고 있는 쪽이나 곳.

  **өмнө**

  чиглэж буй зҮг ба газар.

- 에 : 앞말이 어떤 장소나 자리임을 나타내는 조사.

  **-д/-т**

  өмнөх Үг ямар нэгэн газар буюу байр болохыг илэрхийлж буй нөхцөл.

- **서성이다 (Үйл Үг)** : 한곳에 서 있지 않고 주위를 왔다 갔다 하다.

  **сэлгүүцэх, өөдөө сөргөө явах, холхих**

  нэг газар зогсож чадахгүй байн байн нааш цааш явах.

- **-던** : 앞의 말이 관형어의 기능을 하게 만들고 사건이나 동작이 과거에 완료되지 않고 중단되었음을 나타내는 어미.

  **Тохирох Үг хэллэг байхгүй байна**

  өмнөх Үгийг тодотгол гишүүний үүрэгтэй болгож, хэрэг явдал буюу Үйлдэл өнгөрсөн Үед дуусаагүй түр завсарласан болохыг илэрхийлдэг нөхцөл.

- **고양이 (Нэр Үг)** : 어두운 곳에서도 사물을 잘 보고 쥐를 잘 잡으며 집 안에서 기르기도 하는 자그마한 동물.

  **муур**

  харанхуйд ч сайн хардаг, хулгана барьдаг бөгөөд гэрт тэжээдэг жижигхэн амьтан.

- **가** : 어떤 상태나 상황에 놓인 대상이나 동작의 주체를 나타내는 조사.

  **Тохирох Үг хэллэг байхгүй байна**

  ямар нэгэн төлөв, байдлын субьект, мөн Үйл хөдөлөлийн эзэн болохыг илэрхийлэх нөхцөл.

- **쪼그리다 (Үйл Үг)** : 팔다리를 접거나 모아서 몸을 작게 옴츠리다.

  **атийлгах, хумих**

  гар хөлөө нугалах буюу хумин биеэ жижигрүүлэн атирах.

- **-어** : 앞의 말이 뒤의 말보다 먼저 일어났거나 뒤의 말에 대한 방법이나 수단이 됨을 나타내는 연결 어미.

  **Тохирох Үг хэллэг байхгүй байна**

  өмнө ирэх Үг ард ирэх Үгээс түрүүлж бий болсон буюу ардах Үгийн талаарх арга барил болохыг илэрхийлдэг холбох нөхцөл.

- **앉다 (Үйл Үг)** : 윗몸을 바로 한 상태에서 엉덩이에 몸무게를 실어 다른 물건이나 바닥에 몸을 올려놓다.

  **суух**

  цээжин биеэ эгцлэн өгзгөндөө биеийн жингээ төвлөрүүлж өөр зүйл болон шалан дээр биеэ тавих.

- **-았-** : 어떤 사건이 과거에 완료되었거나 그 사건의 결과가 현재까지 지속되는 상황을 나타내는 어미.

  **Тохирох Үг хэллэг байхгүй байна**

  Үйл явдал өнгөрсөн Үед болсныг илэрхийлдэг төгсгөх нөхцөл.

- **-습니다** : (아주높임으로) 현재의 동작이나 상태, 사실을 정중하게 설명함을 나타내는 종결 어미.

  **Тохирох Үг хэллэг байхгүй байна**

  (Дээдлэн хүндэтгэх Үг хэллэг) одоогийн Үйлдэл буюу байдлыг ёсорхог байдлаар тайлбарлах явдлыг илэрхийлдэг төгсгөх нөхцөл.

> 그러+더니 갑자기 고양이+가 "멍멍!" 하+고 짖+[어 대]+었+습니다.
>
> ### 짖어 댔습니다

- **그러다 (Үйл Үг)** : 앞에서 일어난 일이나 말한 것과 같이 그렇게 하다.

  **тэгэх**

  өмнө болсон явдал буюу хэлсэн зүйлтэй адил тэгж хийх, түүнтэй адил хийх.

- **-더니** : 과거에 경험하여 알게 된 사실과 다른 새로운 사실이 있음을 나타내는 연결 어미.

  **Тохирох Үг хэллэг байхгүй байна**

  өмнө нь өөрөө олж мэдсэн зүйлээс өөр шинэ зүйл байгааг илэрхийлдэг холбох нөхцөл.

- **갑자기 (Дайвар Үг)** : 미처 생각할 틈도 없이 빨리.

  **гэнэт**

  бодох ч сэхээгүй түргэн.

- **고양이 (Нэр Үг)** : 어두운 곳에서도 사물을 잘 보고 쥐를 잘 잡으며 집 안에서 기르기도 하는 자그마한 동물.

  **муур**

  харанхуйд ч сайн хардаг, хулгана барьдаг бөгөөд гэрт тэжээдэг жижигхэн амьтан.

- **가** : 어떤 상태나 상황에 놓인 대상이나 동작의 주체를 나타내는 조사.

  **Тохирох Үг хэллэг байхгүй байна**

  ямар нэгэн төлөв, байдлын субьект, мөн Үйл хөдлөлийн эзэн болохыг илэрхийлэх нөхцөл.

- **멍멍 (Дайвар Үг)** : 개가 짖는 소리.

  **хав хав**

  нохойн хуцах чимээ.

- **하다 (Үйл Үг)** : 그런 소리가 나다. 또는 그런 소리를 내다.

  **хийх**

  тийм дуу чимээ гарах. мөн тийм дуу чимээ гаргах.

- **-고** : 앞의 말과 뒤의 말이 차례대로 일어남을 나타내는 연결 어미.

  **Тохирох Үг хэллэг байхгүй байна**

  өмнөх Үйл ба арын Үйл дэс дараалын дагуу өрнөж байгааг илтгэдэг холбох нөхцөл.

- **짖다 (Үйл Үг)** : 개가 크게 소리를 내다.

  **хуцах**

  нохой чангаар дуу гаргах.

- -어 대다 : 앞의 말이 나타내는 행동을 반복하거나 그 반복되는 행동의 정도가 심함을 나타내는 표현.
  **Тохирох Үг хэллэг байхгүй байна**
  өмнөх Үгийн илэрхийлж буй Үйлдлийг давтах буюу тухайн давтагдах Үйлдлийн хэмжээ нь хэтрэх байдлыг илэрхийлдэг Үг хэллэг.

- -었- : 사건이 과거에 일어났음을 나타내는 어미.
  **Тохирох Үг хэллэг байхгүй байна**
  Үйл явдал өнгөрсөн Үед болсныг илэрхийлдэг төгсгөх нөхцөл.

- -습니다 : (아주높임으로) 현재의 동작이나 상태, 사실을 정중하게 설명함을 나타내는 종결 어미.
  **Тохирох Үг хэллэг байхгүй байна**
  (Дээдлэн хүндэтгэх Үг хэллэг) одоогийн Үйлдэл буюу байдлыг ёсорхог байдлаар тайлбарлах явдлыг илэрхийлдэг төгсгөх нөхцөл.

---

| 이 소리+를 듣+고 쥐+는 <u>어리둥절하+였+습니다</u>. |
| :---: |
| **어리둥절했습니다** |

---

- 이 (**Тодотгол Үг**) : 바로 앞에서 이야기한 대상을 가리킬 때 쓰는 말.
  **энэ**
  өмнө ярьсан зүйлийг заасан Үг.

- 소리 (**Нэр Үг**) : 물체가 진동하여 생긴 음파가 귀에 들리는 것.
  **дуу, чимээ**
  биет чичирхийлснээс Үүссэн дууны долгион чихэнд сонсогдох явдал.

- 를 : 동작이 직접적으로 영향을 미치는 대상을 나타내는 조사.
  **-ыг/-ийг/-г**
  Үйл хөдлөл шууд нөлөөлж буй тусагдахууныг илэрхийлэх нөхцөл.

- 듣다 (**Үйл Үг**) : 귀로 소리를 알아차리다.
  **сонсох**
  чихээрээ дуу чимээг таньж мэдэх.

- -고 : 앞의 말과 뒤의 말이 차례대로 일어남을 나타내는 연결 어미.
  **Тохирох Үг хэллэг байхгүй байна**
  өмнөх Үйл ба арын Үйл дэс дараалын дагуу өрнөж байгааг илтгэдэг холбох нөхцөл.

- 쥐 (**Нэр Үг**) : 사람의 집 근처 어두운 곳에서 살며 몸은 진한 회색에 긴 꼬리를 가지고 있는 작은 동물.
  **хулгана**
  гэрийн ойролцоо харанхуй газар амьдрах бөгөөд бүдэг саарал өнгөтэй, урт сүүлтэй жижигхэн амьтан.

• 는 : 문장 속에서 어떤 대상이 화제임을 나타내는 조사.

**Тохирох Үг хэллэг байхгүй байна**

өгүүлбэрт ярианы сэдэв болж буйг илэрхийлдэг нөхцөл.

• 어리둥절하다 (Тэмдэг нэр) : 일이 돌아가는 상황을 잘 알지 못해서 정신이 얼떨떨하다.

**толгой нь эргэсэн, самуурах, мэл гайхах, цочрох, хагас ухаантай, гайхах, алмайрах**

ажил хэргийн нөхцөл байдлыг сайн мэдээгүйгээс ухаан санаа нь алмайран самуурах.

• -였- : 사건이 과거에 일어났음을 나타내는 어미.

**Тохирох Үг хэллэг байхгүй байна**

Үйл явдал өнгөрсөн үед болсныг илэрхийлдэг төгсгөх нөхцөл.

• -습니다 : (아주높임으로) 현재의 동작이나 상태, 사실을 정중하게 설명함을 나타내는 종결 어미.

**Тохирох Үг хэллэг байхгүй байна**

(Дээдлэн хүндэтгэх үг хэллэг) одоогийн үйлдэл буюу байдлыг ёсорхог байдлаар тайлбарлах явдлыг илэрхийлдэг төгсгөх нөхцөл.

---

쥐 : <u>뭐</u>+(이)+<u>지</u>?
　　　 뭐지

---

• 뭐 (Төлөөний үг) : 모르는 사실이나 사물을 가리키는 말.

**юу**

мэдэхгүй зүйл буюу эд зүйлийг заах үг.

• 이다 : 주어가 지시하는 대상의 속성이나 부류를 지정하는 뜻을 나타내는 서술격 조사.

**Тохирох Үг хэллэг байхгүй байна**

эзэн биеийн зааж буй обьектын шинж чанар, төрөл зүйлийг тодорхойлох утгыг илэрхийлэх өгүүлэхүүний тийн ялгалын нөхцөл.

• -지 : (두루낮춤으로) 말하는 사람이 듣는 사람에게 친근함을 나타내며 물을 때 쓰는 종결 어미.

**Тохирох Үг хэллэг байхгүй байна**

(Хүндэтгэлийн бус энгийн үг хэллэг) өгүүлэгч сонсч буй хүнд дотноор хандан асуухад хэрэглэдэг төгсгөх нөхцөл.

---

쥐 : <u>쫓아오</u>+던 <u>것</u>(거)+이 <u>강아지</u>+이+었+나?
　　　 　　　　 게 　　　 강아지였나

---

• 쫓아오다 (Үйл үг) : 어떤 사람이나 물체의 뒤를 급히 따라오다.

**дагаж ирэх**

хэн нэгэн хүн болон биетийн араас яаран дагаж ирэх.

- -던 : 앞의 말이 관형어의 기능을 하게 만들고 사건이나 동작이 과거에 완료되지 않고 중단되었음을 나타내는 어미.
  **Тохирох Үг хэллэг байхгҮй байна**
  өмнөх Үгийг тодотгол гишҮҮний ҮҮрэгтэй болгож, хэрэг явдал буюу Үйлдэл өнгөрсөн Үед дуусаагҮй тҮр завсарласан болохыг илэрхийлдэг нөхцөл.

- 것 (Нэр Үг) : 정확히 가리키는 대상이 정해지지 않은 사물이나 사실.
  **юм, зҮйл**
  тодорхой зааж буй зҮйл нь тогтоогдоогҮй юм буюу зҮйл.

- 이 : 어떤 상태나 상황의 대상이나 동작의 주체를 나타내는 조사.
  **Тохирох Үг хэллэг байхгҮй байна**
  ямар нэгэн төлөв, байдлын субьект, мөн Үйл хөдлөлийн эзэн болохыг илэрхийлэх нөхцөл.

- 강아지 (Нэр Үг) : 개의 새끼.
  **гөлөг**
  нохойн Үр зулзага.

- 이다 : 주어가 지시하는 대상의 속성이나 부류를 지정하는 뜻을 나타내는 서술격 조사.

  **Тохирох Үг хэллэг байхгҮй байна**
  эзэн биеийн зааж буй обьектын шинж чанар, төрөл зҮйлийг тодорхойлох утгыг илэрхийлэх өгҮҮлэхҮҮний тийн ялгалын нөхцөл.

- -었- : 사건이 과거에 일어났음을 나타내는 어미.
  **Тохирох Үг хэллэг байхгҮй байна**
  Үйл явдал өнгөрсөн Үед болсныг илэрхийлдэг төгсгөх нөхцөл.

- -나 : (두루낮춤으로) 물음이나 추측을 나타내는 종결 어미.
  **Тохирох Үг хэллэг байхгҮй байна**
  (ХҮндэтгэлийн бус энгийн Үг хэллэг) асуух, таамаглах утга илэрхийлдэг төгсгөх нөхцөл.

---

> 쥐+는 너무 궁금하+여서 머리+를 살며시 구멍 밖+으로 내밀+었+습니다.
>     궁금해서

---

- 쥐 (Нэр Үг) : 사람의 집 근처 어두운 곳에서 살며 몸은 진한 회색에 긴 꼬리를 가지고 있는 작은 동물.
  **хулгана**
  гэрийн ойролцоо харанхуй газар амьдрах бөгөөд бҮдэг саарал өнгөтэй, урт сҮҮлтэй жижигхэн амьтан.

• 는 : 문장 속에서 어떤 대상이 화제임을 나타내는 조사.
  Тохирох Үг хэллэг байхгүй байна
  өгүүлбэрт ярианы сэдэв болж буйг илэрхийлдэг нөхцөл.

• 너무 (Дайвар Үг) : 일정한 정도나 한계를 훨씬 넘어선 상태로.
  дэндүү, хэтэрхий, хэт
  тогтсон хэмжээ болон хязгаарыг маш их хэтэрсэн байдал.

• 궁금하다 (Тэмдэг нэр) : 무엇이 무척 알고 싶다.
  сониучирхах, сонирхох, мэдэхийг хүсэх
  ямар нэг зүйлийг маш их мэдэхийг хүсэх.

• -여서 : 이유나 근거를 나타내는 연결 어미.
  Тохирох Үг хэллэг байхгүй байна
  учир шалтгаан буюу үндэслэлийг илэрхийлдэг холбох нөхцөл.

• 머리 (Нэр Үг) : 사람이나 동물의 몸에서 얼굴과 머리털이 있는 부분을 모두 포함한 목 위의 부분.
  толгой, гавал
  хүн амьтны биеийн нүүр, үс байх хэсгийг бүхэлд нь багтаасан хүзүүний дээд хэсэг.

• 를 : 동작이 직접적으로 영향을 미치는 대상을 나타내는 조사.
  -ыг/-ийг/-г
  үйл хөдлөл шууд нөлөөлж буй тусагдахууныг илэрхийлэх нөхцөл.

• 살며시 (Дайвар Үг) : 남이 모르도록 조용히 조심스럽게.
  аяархан, сэмхэн
  бусдад мэдэгдэхгүй чимээгүй болгоомжтой.

• 구멍 (Нэр Үг) : 뚫어지거나 파낸 자리.
  цоорхой
  нүх гарсан буюу ухагдсан газар.

• 밖 (Нэр Үг) : 선이나 경계를 넘어선 쪽.
  гадна, гадна тал
  шугам болон хилийг даван гарсан тал.

• 으로 : 움직임의 방향을 나타내는 조사.
  -руу/-рүү
  хөдөлгөөний зүг чигийг илэрхийлдэг нөхцөл.

• 내밀다 (Үйл Үг) : 몸이나 물체의 일부분이 밖이나 앞으로 나가게 하다.
  сунгах, цухуйлгах
  бие болон биетийн хэсгийг гадагшаа юм уу урагш ил гарах.

• -었- : 사건이 과거에 일어났음을 나타내는 어미.

**Тохирох Үг хэллэг байхгүй байна**

Үйл явдал өнгөрсөн Үед болсныг илэрхийлдэг төгсгөх нөхцөл.

• -습니다 : (아주높임으로) 현재의 동작이나 상태, 사실을 정중하게 설명함을 나타내는 종결 어미.

**Тохирох Үг хэллэг байхгүй байна**

(Дээдлэн хҮндэтгэх Үг хэллэг) одоогийн Үйлдэл буюу байдлыг ёсорхог байдлаар тайлбарлах явдлыг илэрхийлдэг төгсгөх нөхцөл.

---

| 이때 쥐+가 고양이+에게 잡히+[고 말]+았+습니다. |
| --- |

• **이때 (Нэр Үг)** : 바로 지금. 또는 바로 앞에서 이야기한 때.

**энэ Үе, өнөө Үе**

яг одоо. яг өмнө нь ярьсан Үе.

• **쥐 (Нэр Үг)** : 사람의 집 근처 어두운 곳에서 살며 몸은 진한 회색에 긴 꼬리를 가지고 있는 작은 동물.

**хулгана**

гэрийн ойролцоо харанхуй газар амьдрах бөгөөд бҮдэг саарал өнгөтэй, урт сҮҮлтэй жижигхэн амьтан.

• **가** : 어떤 상태나 상황에 놓인 대상이나 동작의 주체를 나타내는 조사.

**Тохирох Үг хэллэг байхгҮй байна**

ямар нэгэн төлөв, байдлын субьект, мөн Үйл хөдлөлийн эзэн болохыг илэрхийлэх нөхцөл.

• **고양이 (Нэр Үг)** : 어두운 곳에서도 사물을 잘 보고 쥐를 잘 잡으며 집 안에서 기르기도 하는 자그마한 동물.

**муур**

харанхуйд ч сайн хардаг, хулгана барьдаг бөгөөд гэрт тэжээдэг жижигхэн амьтан.

• **에게** : 어떤 행동의 주체이거나 비롯되는 대상임을 나타내는 조사.

**-д, -т**

ямар нэгэн Үйлдлийг ҮҮсгэдэг зҮйл болохыг илэрхийлдэг нөхцөл.

• **잡히다 (Үйл Үг)** : 도망가지 못하게 붙들리다.

**баригдах, олзлогдох**

зугтаж чадахгҮйгээр баригдах.

• **-고 말다** : 앞에 오는 말이 가리키는 행동이 안타깝게도 끝내 일어났음을 나타내는 표현.

**Тохирох Үг хэллэг байхгҮй байна**

өмнөх Үгийн илэрхийлж буй Үйлийн Үр дагаварт харамсч байгаа ч эцэст нь тийн болсныг илэрхийлдэг Үг хэллэг.

• -았- : 어떤 사건이 과거에 완료되었거나 그 사건의 결과가 현재까지 지속되는 상황을 나타내는 어미.

Тохирох үг хэллэг байхгүй байна

Үйл явдал өнгөрсөн үед болсныг илэрхийлдэг төгсгөх нөхцөл.

• -습니다 : (아주높임으로) 현재의 동작이나 상태, 사실을 정중하게 설명함을 나타내는 종결 어미.

Тохирох үг хэллэг байхгүй байна

(Дээдлэн хүндэтгэх үг хэллэг) одоогийн үйлдэл буюу байдлыг ёсорхог байдлаар тайлбарлах явдлыг илэрхийлдэг төгсгөх нөхцөл.

---

| |
|---|
| 의기양양하+게 쥐+를 물+고 가+면서 고양이+가 이렇+게 <u>말하+였+습니다</u>.<br>**말했습니다** |

---

• **의기양양하다 (Тэмдэг нэр)** : 원하던 일을 이루어 만족스럽고 자랑스러운 마음이 얼굴에 나타난 상태
이다.

**ялгуусан**

хүсч байсан зүйл биелж баяр баясгалан нүүрэнд нь тодрох.

• -게 : 앞의 말이 뒤에서 가리키는 일의 목적이나 결과, 방식, 정도 등이 됨을 나타내는 연결 어미.

Тохирох үг хэллэг байхгүй байна

өмнөх агуулга ард нь зааж буй байдал, зорилго, үр дүн, арга барил, хэмжээ зэрэг болохыг илэрхийлдэг холбох нөхцөл.

• **쥐 (Нэр үг)** : 사람의 집 근처 어두운 곳에서 살며 몸은 진한 회색에 긴 꼬리를 가지고 있는 작은 동
물.

**хулгана**

гэрийн ойролцоо харанхуй газар амьдрах бөгөөд бүдэг саарал өнгөтэй, урт сүүлтэй жижигхэн амьтан.

• 를 : 동작이 직접적으로 영향을 미치는 대상을 나타내는 조사.

-ыг/-ийг/-г

Үйл хөдлөл шууд нөлөөлж буй тусагдахууныг илэрхийлэх нөхцөл.

• **물다 (Үйл үг)** : 윗니와 아랫니 사이에 어떤 것을 끼워 넣고 벌어진 두 이를 다물어 상처가 날 만큼 아
주 세게 누르다.

**хазах**

дээд шүд ба доод шүднийхээ завсраар ямар нэг зүйлийг хийж шархалтал нь шүдээрээ хүчтэй зуух.

• -고 : 앞의 말이 나타내는 행동이나 그 결과가 뒤에 오는 행동이 일어나는 동안에 그대로 지속됨을 나
타내는 연결 어미.

Тохирох үг хэллэг байхгүй байна

өмнөх үгийн илэрхийлж буй үйлдэл буюу тухайн үр дүн нь арын үйлдэл бий болох хугацаанд тэр хэвээрээ үргэлжлэх явдлыг илэрхийлдэг холбох нөхцөл.

ormat = 32 =

- **가다 (Үйл Үг)** : 한 곳에서 다른 곳으로 장소를 이동하다.
  **явах, очих**
  нэг газраас нөгөө газар руу шилжиж хөдлөх явах.

- **-면서** : 두 가지 이상의 동작이나 상태가 함께 일어남을 나타내는 연결 어미.
  **Тохирох Үг хэллэг байхгҮй байна**
  хоёр төрлөөс дээш Үйлдэл ба байдал хамт болох явдлыг илэрхийлэхэд хэрэглэдэг холбох нөхцөл.

- **고양이 (Нэр Үг)** : 어두운 곳에서도 사물을 잘 보고 쥐를 잘 잡으며 집 안에서 기르기도 하는 자그마한 동물.
  **муур**
  харанхуйд ч сайн хардаг, хулгана барьдаг бөгөөд гэрт тэжээдэг жижигхэн амьтан.

- **가** : 어떤 상태나 상황에 놓인 대상이나 동작의 주체를 나타내는 조사.
  **Тохирох Үг хэллэг байхгҮй байна**
  ямар нэгэн төлөв, байдлын субьект, мөн Үйл хөдлөлийн эзэн болохыг илэрхийлэх нөхцөл.

- **이렇다 (Тэмдэг нэр)** : 상태, 모양, 성질 등이 이와 같다.
  **ийм байх, ийм, ингэх**
  байдал, дҮр төрх, шинж чанар зэрэг ҮҮнтэй адил байх.

- **-게** : 앞의 말이 뒤에서 가리키는 일의 목적이나 결과, 방식, 정도 등이 됨을 나타내는 연결 어미.
  **Тохирох Үг хэллэг байхгҮй байна**
  өмнөх агуулга ард нь зааж буй байдал, зорилго, Үр дҮн, арга барил, хэмжээ зэрэг болохыг илэрхийлдэг холбох нөхцөл.

- **말하다 (Үйл Үг)** : 어떤 사실이나 자신의 생각 또는 느낌을 말로 나타내다.
  **ярих, өгҮҮлэх, хэлэх, өчих**
  ямар нэгэн бодит зҮйлийн талаар болон өөрийн бодол санаа, мэдрэмжийг Үгээр илэрхийлэх.

- **-였-** : 사건이 과거에 일어났음을 나타내는 어미.
  **Тохирох Үг хэллэг байхгҮй байна**
  Үйл явдал өнгөрсөн Үед болсныг илэрхийлдэг төгсгөх нөхцөл.

- **-습니다** : (아주높임으로) 현재의 동작이나 상태, 사실을 정중하게 설명함을 나타내는 종결 어미.
  **Тохирох Үг хэллэг байхгҮй байна**
  (Дээдлэн хҮндэтгэх Үг хэллэг) одоогийн Үйлдэл буюу байдлыг ёсорхог байдлаар тайлбарлах явдлыг илэрхийлдэг төгсгөх нөхцөл.

> 고양이 : 요즘+은 먹고살+려면 적어도 이 개 국어+는 <u>하+[여야 되]+어</u>.
>
> **해야 돼**

- **요즘 (Нэр Үг)** : 아주 가까운 과거부터 지금까지의 사이.

  **саяхан, сҮҮлийн Үе, ойрмогхон**

  өнгөрөөд удаагҮй байгаа цагаас одоог хҮртлэх хугацааны хооронд.

- **은** : 문장 속에서 어떤 대상이 화제임을 나타내는 조사.

  **Тохирох Үг хэллэг байхгҮй байна**

  өгҮҮлбэрт ямар зҮйл ярианы сэдэв болж буйг илэрхийлдэг нөхцөл.

- **먹고살다 (Үйл Үг)** : 생계를 유지하다.

  **амьдралаа залгуулах, амьдралаа авч явах**

  ахуй амьдралаа залгуулах.

- **-려면** : 어떤 행동을 할 의도나 의향이 있는 경우를 가정할 때 쓰는 연결 어미.

  **Тохирох Үг хэллэг байхгҮй байна**

  ямар нэгэн Үйлдлийг хийх санаа зорилго байгаа гэж тооцсон тохиолдолд хэрэглэх холбох нөхцөл.

- **적어도 (Дайвар Үг)** : 아무리 적게 잡아도.

  **ядаж, багадаа, багаар бодоход, наад тал нь**

  хэчнээн багаар бодсон ч.

- **이 (Тодотгол Үг)** : 둘의.

  **хоёр**

  тоо хэмжээ нь хоёр.

- **개 (Нэр Үг)** : 낱으로 떨어진 물건을 세는 단위.

  **ширхэг**

  дангаар тусдаа байгаа зҮйлийг тоолох нэгж.

- **국어 (Нэр Үг)** : 한 나라의 국민들이 사용하는 말.

  **эх хэл, төрөлх хэл**

  Тухайн нэг улс орны хэрэглэдэж буй уугуул хэл

- **는** : 강조의 뜻을 나타내는 조사.

  **Тохирох Үг хэллэг байхгҮй байна**

  хҮч нэмж буйг илэрхийлдэг нөхцөл.

- **하다 (Үйл Үг)** : 어떤 행동이나 동작, 활동 등을 행하다.

  **Үйлдэх, хийх, гҮйцэтгэх**

  аливаа Үйл хөдлөл, хөдөлгөөн, ажиллагаа зэргийг гҮйцэтгэх.

• -여야 되다 : 반드시 그럴 필요나 의무가 있음을 나타내는 표현.

**Тохирох Үг хэллэг байхгҮй байна**

зайлшгҮй тэгэх хэрэгтэй буюу Үүрэгтэй болохыг илэрхийлдэг Үг хэллэг.


• -어 : (두루낮춤으로) 어떤 사실을 서술하거나 물음, 명령, 권유를 나타내는 종결 어미.

**Тохирох Үг хэллэг байхгҮй байна**

(ХҮндэтгэлийн бус энгийн Үг хэллэг) ямар нэгэн зҮйлийг дҮрслэх буюу асуулт, тушаал, зөвлөмж зэргийг илэрхийлдэг төгсгөх нөхцөл.

# < 3 단원(бүлэг хичээл) >

제목 : 이게 다 엄마 때문이야.

## ● 본문 (эх бичиг)

유치원에 들어간 아이는 치아가 너무 못생겨서 친구들에게 많은 놀림을 받았다.

견디다 못한 아이는 엄마에게 투정을 부렸다.

아이 : 엄마, 이빨이 이상하다고 친구들이 자꾸만 놀려요.

　　　 치과에 가서 이빨 교정 좀 해 주세요.

엄마 : 야, 그게 얼마나 비싼데.

아이 : 몰라, 이게 다 엄마 때문이야.

　　　 엄마가 날 이렇게 낳았잖아.

그러자 엄마가 하는 한마디.

엄마 : 너 낳았을 때 이빨 없었거든, 이것아!

# ● 발음 (дуудлага)

유치원에 들어간 아이는 치아가 너무 못생겨서 친구들에게 많은 놀림을 받았다.
유치워네 드러간 아이는 치아가 너무 몯쌩겨서 친구드레게 마는 놀리믈 바닫따.
yuchiwone deureogan aineun chiaga neomu motsaenggyeoseo chingudeurege maneun nollimeul badatda.

견디다 못한 아이는 엄마에게 투정을 부렸다.
견디다 모탄 아이는 엄마에게 투정을 부렫따.
gyeondida motan aineun eommaege tujeongeul buryeotda.

**아이 : 엄마, 이빨이 이상하다고 친구들이 자꾸만 놀려요.**
아이 : 엄마, 이빠리 이상하다고 친구드리 자꾸만 놀려요.
ai : eomma, ippari isanghadago chingudeuri jakkuman nollyeoyo.

**치과에 가서 이빨 교정 좀 해 주세요.**
치꽈에 가서 이빨 교정 좀 해 주세요.
chigwae gaseo ippal gyojeong jom hae juseyo.

**엄마 : 야, 그게 얼마나 비싼데.**
엄마 : 야, 그게 얼마나 비싼데.
eomma : ya, geuge eolmana bissande.

**아이 : 몰라, 이게 다 엄마 때문이야.**
아이 : 몰라, 이게 다 엄마 때무니야.
ai : molla, ige da eomma ttaemuniya.

**엄마가 날 이렇게 낳았잖아.**
엄마가 날 이러케 나알짜나.
eommaga nal ireoke naatjana.

그러자 엄마가 하는 한마디.
그러자 엄마가 하는 한마디.
geureoja eommaga haneun hanmadi.

엄마 : 너 낳았을 때 이빨 없었거든, 이것아!

엄마 : 너 나아쓸 때 이빨 업썯꺼든, 이거사!

eomma : neo naasseul ttae ippal eopseotgeodeun, igeosa!

# ● 어휘 (Үгс) / 문법 (хэлзүй)

유치원+에 들어가+ㄴ 아이+는 치아+가 너무 못생기+어서 친구+들+에게 많+은 놀림+을 받+았+다.

견디+<u>다 못하</u>+ㄴ 아이+는 엄마+에게 투정+을 부리+었+다.


**아이** : 엄마, 이빨+이 이상하+다고 친구+들+이 자꾸만 놀리+어요.

　　　　치과+에 가+(아)서 이빨 교정 좀 하+<u>여 주</u>+세요.

**엄마** : 야, 그것(그거)+이 얼마나 비싸+ㄴ데.

**아이** : 모르(몰ㄹ)+아, 이것(이거)+이 다 엄마 때문+이+야.

　　　　엄마+가 나+를 이렇+게 낳+았+잖아.


그리하+자 엄마+가 하+는 한마디.


**엄마** : 너 낳+았+<u>을 때</u> 이빨 없+었+거든, 이것+아!

---

유치원+에 들어가+ㄴ 아이+는 치아+가 너무 <u>못생기</u>+어서 친구+들+에게 많+은 놀림+을 받+았+다.
　　　　　**들어간**　　　　　　　　　　**못생겨서**

---

- **유치원 (Нэр Үг)** : 초등학교 입학 이전의 어린이들을 교육하는 기관 및 시설.

  **цэцэрлэг**

  бага сургуульд орохын өмнөх бага насны хҮҮхдийг зааж сургадаг байгууллага ба байгууламж.

- **에** : 앞말이 어떤 장소나 자리임을 나타내는 조사.

  **-д/-т**

  өмнөх Үг ямар нэгэн газар буюу байр болохыг илэрхийлж буй нөхцөл.

- **들어가다 (Үйл Үг)** : 어떤 단체의 구성원이 되다.

  **ажилд орох, элсэж орох**

  ямар нэг байгууллагын харьяалалд орох.

- **-ㄴ** : 앞의 말이 관형어의 기능을 하게 만들고 사건이나 동작이 완료되어 그 상태가 유지되고 있음을 나타내는 어미.

  **Тохирох Үг хэллэг байхгҮй байна**

  өмнөх Үгийг тодотгол гишҮҮний ҮҮрэгтэй болгож, хэрэг явдал буюу Үйлдэл нь бҮрэн төгс болсон, тухайн байдал Үргэлжилж буйг илэрхийлдэг нөхцөл.

- **아이 (Нэр Үг)** : 나이가 어린 사람.

  **хҮҮхэд**

  нас бага хҮҮхэд.

- **는** : 문장 속에서 어떤 대상이 화제임을 나타내는 조사.

  **Тохирох Үг хэллэг байхгҮй байна**

  өгҮҮлбэрт ярианы сэдэв болж буйг илэрхийлдэг нөхцөл.

- **치아 (Нэр Үг)** : 음식물을 씹는 일을 하는 기관.

  **шҮд**

  хоол хҮнсний зҮйлийг зажлах ҮҮрэг бҮхий эрхтэн.

- **가** : 어떤 상태나 상황에 놓인 대상이나 동작의 주체를 나타내는 조사.

  **Тохирох Үг хэллэг байхгҮй байна**

  ямар нэгэн төлөв, байдлын субьект, мөн Үйл хөдлөлийн эзэн болохыг илэрхийлэх нөхцөл.

- **너무 (Дайвар Үг)** : 일정한 정도나 한계를 훨씬 넘어선 상태로.

  **дэндҮҮ, хэтэрхий, хэт**

  тогтсон хэмжээ болон хязгаарыг маш их хэтэрсэн байдал.

- **못생기다 (Үйл Үг)** : 생김새가 보통보다 못하다.

  **царай муутай, муухай**

  зүс царай сайнгүй.

- **-어서** : 이유나 근거를 나타내는 연결 어미.

  **Тохирох Үг хэллэг байхгүй байна**

  учир шалтгаан буюу үндэслэлийг илэрхийлдэг холбох нөхцөл.

- **친구 (Нэр Үг)** : 사이가 가까워 서로 친하게 지내는 사람.

  **найз, анд нөхөр**

  харилцаа ойртой хоорондоо дотно нөхөрлөдөг хүн.

- **들** : '복수'의 뜻을 더하는 접미사.

  **охирох үг хэллэг байхгүй байна**

  лон тооны утга нэмдэг дагавар.

- **에게** : 어떤 행동의 주체이거나 비롯되는 대상임을 나타내는 조사.

  **-д, -т**

  ямар нэгэн үйлдлийг үүсгэдэг зүйл болохыг илэрхийлдэг нөхцөл.

- **많다 (Тэмдэг нэр)** : 수나 양, 정도 등이 일정한 기준을 넘다.

  **олон, их, арвин**

  тоо хэмжээ, түвшин тодорхой нэг хэмжээг давах.

- **-은** : 앞의 말이 관형어의 기능을 하게 만들고 현재의 상태를 나타내는 어미.

  **Тохирох Үг хэллэг байхгүй байна**

  өмнөх үгийг тодотгол гишүүний үүрэгтэй болгож одоогийн нөхцөл байдлыг илэрхийлж буй нөхцөл.

- **놀림 (Нэр Үг)** : 남의 실수나 약점을 잡아 웃음거리로 만드는 일.

  **доог, тохуу, шоглоом**

  бусдын алдаа, дутагдлыг шүүрэн авч зугаа наргиан болгох явдал.

- **을** : 동작이 직접적으로 영향을 미치는 대상을 나타내는 조사.

  **-ыг/-ийг/-г**

  үйл хөдлөл шууд нөлөөлж буй тусагдахууныг илэрхийлэх нөхцөл.

- **받다 (Үйл Үг)** : 다른 사람이 하는 행동, 심리적인 작용 등을 당하거나 입다.

  **авах, хүртэх**

  бусдын хийсэн үйлдэл, сэтгэл зүйн нөлөөнд автах.

- **-았-** : 사건이 과거에 일어났음을 나타내는 어미.

  **Тохирох Үг хэллэг байхгүй байна**

  үйл явдал өнгөрсөн үед болсныг илэрхийлдэг нөхцөл.

- -다 : 어떤 사건이나 사실, 상태를 서술함을 나타내는 종결 어미.

  **Тохирох үг хэллэг байхгүй байна**

  одоогийн хэрэг явдал буюу үнэн явлыг хүүрнэхийг илэрхийлдэг төгсгөх нөхцөл.

---

| 견디+[다 못하]+ㄴ 아이+는 엄마+에게 투정+을 부리+었+다. |
|---|
| 견디다 못한                              부렸다 |

---

- **견디다 (Үйл үг)** : 힘들거나 어려운 것을 참고 버티어 살아 나가다.

  **тэвчих, давах**

  хэцүү бэрх зүйлийг тэвчиж даван, эсэн мэнд үлдэх.

- **-다 못하다** : 앞의 말이 나타내는 행동을 더 이상 계속할 수 없음을 나타내는 표현.

  **Тохирох үг хэллэг байхгүй байна**

  өмнөх үгийн илэрхийлж буй үйлдлийг үүнээс илүү үргэлжлүүлж боломжгүйг илэрхийлдэг үг хэллэг.

- **-ㄴ** : 앞의 말이 관형어의 기능을 하게 만들고 사건이나 동작이 과거에 일어났음을 나타내는 어미.

  **Тохирох үг хэллэг байхгүй байна**

  өмнөх үгийг тодотгол гишүүний үүрэгтэй болгож, хэрэг явдал буюу үйлдэл нь өнгөрсөн үед өрнөсөн болохыг илэрхийлдэг нөхцөл.

- **아이 (Нэр үг)** : 나이가 어린 사람.

  **хүүхэд**

  нас бага хүүхэд.

- **는** : 문장 속에서 어떤 대상이 화제임을 나타내는 조사.

  **Тохирох үг хэллэг байхгүй байна**

  өгүүлбэрт ярианы сэдэв болж буйг илэрхийлдэг нөхцөл.

- **엄마 (Нэр үг)** : 격식을 갖추지 않아도 되는 상황에서 어머니를 이르거나 부르는 말.

  **ээж**

  ёс жаяг баримтлах шаардлаггүй тохиолдолд ээжийгээ нэрлэх болон дуудах үг.

- **에게** : 어떤 행동이 미치는 대상임을 나타내는 조사.

  **-д, -т**

  ямар нэгэн үйлдлийн нөлөөг авч буй зүйлийг илэрхийлдэг нөхцөл.

- **투정 (Нэр үг)** : 무엇이 모자라거나 마음에 들지 않아 떼를 쓰며 조르는 일.

  **шалах, шаардах, салахгүй гуйх**

  ямар нэгэн юм дутах буюу сэтгэлд таалагдахгүйгээс зөрүүдлэн шалах явдал.

• 을 : 동작이 직접적으로 영향을 미치는 대상을 나타내는 조사.

-ыг/-ийг/-г

Үйл хөдлөл шууд нөлөөлж буй тусагдахууныг илэрхийлэх нөхцөл.

• **부리다 (Үйл Үг)** : 바람직하지 못한 행동이나 성질을 계속 드러내거나 보이다.

гаргах, үзүүлэх

бүтэхгүй муу үйлдэл болон ааш араншинг байнга гаргах.

• -었- : 사건이 과거에 일어났음을 나타내는 어미.

Тохирох Үг хэллэг байхгүй байна

Үйл явдал өнгөрсөн үед болсныг илэрхийлдэг нөхцөл.

• -다 : 어떤 사건이나 사실, 상태를 서술함을 나타내는 종결 어미.

Тохирох Үг хэллэг байхгүй байна

одоогийн хэрэг явдал буюу үнэн явлыг хүүрнэхийг илэрхийлдэг төгсгөх нөхцөл.

---

> **아이 : 엄마, 이빨+이 이상하+다고 친구+들+이 자꾸만 놀리+어요.**
>
> **놀려요**

---

• **엄마 (Нэр Үг)** : 격식을 갖추지 않아도 되는 상황에서 어머니를 이르거나 부르는 말.

ээж

ёс жаяг баримтлах шаардлаггүй тохиолдолд ээжийгээ нэрлэх болон дуудах үг.

• **이빨 (Нэр Үг)** : (낮잡아 이르는 말로) 사람이나 동물의 입 안에 있으며, 무엇을 물거나 씹는 데 쓰는 기관.

шүд

(Дорд үзэж дуудах үг) хүн болон амьтны аманд байдаг бөгөөд юмыг хазах, зажлахад хэрэглэх эрхтэн.

• 이 : 어떤 상태나 상황의 대상이나 동작의 주체를 나타내는 조사.

Тохирох Үг хэллэг байхгүй байна

ямар нэгэн төлөв, байдлын субьект, мөн үйл хөдлөлийн эзэн болохыг илэрхийлэх нөхцөл.

• **이상하다 (Тэмдэг нэр)** : 정상적인 것과 다르다.

сонин байх, хачин байх, хачирхалтай байх, жигтэй байх, эвгүй байх

хэвийн хэмжээнээс өөр байх.

• -다고 : 어떤 행위의 목적, 의도를 나타내거나 어떤 상황의 이유, 원인을 나타내는 연결 어미.

Тохирох Үг хэллэг байхгүй байна

ямар нэгэн үйлдлийн санаа зорилгыг илэрхийлэх буюу ямар нэгэн нөхцөл байдлын учир шалтгаан, үндэслэлийг илэрхийлдэг холбох нөхцөл.

• **친구 (Нэр Үг)** : 사이가 가까워 서로 친하게 지내는 사람.

  **найз, анд нөхөр**

  харилцаа ойртой хоорондоо дотно нөхөрлөдөг хүн.


• **들** : '복수'의 뜻을 더하는 접미사.

  **охирох Үг хэллэг байхгүй байна**

  лон тооны утга нэмдэг дагавар.


• **이** : 어떤 상태나 상황의 대상이나 동작의 주체를 나타내는 조사.

  **Тохирох Үг хэллэг байхгүй байна**

  ямар нэгэн төлөв, байдлын субьект, мөн Үйл хөдлөлийн эзэн болохыг илэрхийлэх нөхцөл.


• **자꾸만 (Дайвар Үг)** : (강조하는 말로) 자꾸.

  **байн байн, дахин дахин, байнга**

  (Онцлох Үг) байнга.

  **자꾸 (Дайвар Үг)** : 여러 번 계속하여.

  **байнга, Үргэлж**

  олон удаа Үргэлжлэн.


• **놀리다 (Үйл Үг)** : 실수나 약점을 잡아 웃음거리로 만들다.

  **дооглох, шоолох**

  алдаа буюу сул талаар нь тохуу хийж элэглэх.


• **-어요** : (두루높임으로) 어떤 사실을 서술하거나 질문, 명령, 권유함을 나타내는 종결 어미.

  **Тохирох Үг хэллэг байхгүй байна**

  (ХҮндэтгэлийн энгийн Үг хэллэг) ямар нэгэн зҮйлийг хҮҮрнэх, асуух, тушаах, уриалах явдлыг илэрхийлдэг төгсгөх нөхцөл.


---

**아이 : 치과+에 <u>가</u>+(아)서 이빨 교정 좀 <u>하</u>+[여 주]+세요.**
            **가서**                    **해 주세요**

---


• **치과 (Нэр Үг)** : 이와 더불어 잇몸 등의 지지 조직, 구강 등의 질병을 치료하는 의학 분야. 또는 그 분야의 병원.

  **шҮдний тасаг, шҮдний эмнэлэг**

  хҮний шҮдний талаар судалж, эмчилдэг анагаах ухааны нэг салбар. мөн тухайн салбарыг хариуцсан эмнэлгийн хэлтэс.


• **에** : 앞말이 목적지이거나 어떤 행위의 진행 방향임을 나타내는 조사.

  **-руу/-рҮҮ, -луу/-лҮҮ**

  өмнөх Үг зорьсон газар буюу ямар нэгэн Үйлийн чиглэлийг зааж байгаа болохыг илэрхийлж буй нөхцөл.

- 가다 (Үйл Үг) : 어떤 목적을 가지고 일정한 곳으로 움직이다.

  очих, зорих

  ямар нэг зорилгоор тодорхой нэг газар руу хөдөлж явах.

- -아서 : 앞의 말과 뒤의 말이 순차적으로 일어남을 나타내는 연결 어미.

  Тохирох Үг хэллэг байхгүй байна

  өмнөх Үг ба ардах Үг ээлж дараагаар бий болох явдлыг илэрхийлдэг холбох нөхцөл.

- 이빨 (Нэр Үг) : (낮잡아 이르는 말로) 사람이나 동물의 입 안에 있으며, 무엇을 물거나 씹는 데 쓰는
  기관.

  шүд

  (Дорд Үзэж дуудах Үг) хүн болон амьтны аманд байдаг бөгөөд юмыг хазах, зажлахад
  хэрэглэх эрхтэн.

- 교정 (Нэр Үг) : 고르지 못하거나 틀어지거나 잘못된 것을 바로잡음.

  тэгшлэх, засах, зөв болгох

  жигдхэн биш юмуу хазайсан, буруудсан зүйлийг засах явдал.

- 좀 (Дайвар Үг) : 주로 부탁이나 동의를 구할 때 부드러운 느낌을 주기 위해 넣는 말.

  жаахан

  ихэвчлэн гуйлт, зөвшөөрөл хүсэх үед зөөлөн мэдрэмж төрүүлэх гэж хэрэглэдэг үг.

- 하다 (Үйл Үг) : 어떤 행동이나 동작, 활동 등을 행하다.

  Үйлдэх, хийх, гүйцэтгэх

  аливаа үйл хөдлөл, хөдөлгөөн, ажиллагаа зэргийг гүйцэтгэх.

- -여 주다 : 남을 위해 앞의 말이 나타내는 행동을 함을 나타내는 표현.

  Тохирох Үг хэллэг байхгүй байна

  бусдад зориулж өмнөх Үгийн илэрхийлж буй Үйлдлийг хийх явдлыг илэрхийлдэг Үг
  хэллэг.

- -세요 : (두루높임으로) 설명, 의문, 명령, 요청의 뜻을 나타내는 종결 어미.

  Тохирох Үг хэллэг байхгүй байна

  (ХҮндэтгэлийн энгийн Үг хэллэг) тайлбар, асуулт, тушаал, хүсэлтийн утгыг
  илэрхийлдэг төгсгөх нөхцөл.

---

> 엄마 : 야, 그것(그거)+이 얼마나 비싸+ㄴ데.
> 　　　　　　　그게　　　　　　　비싼데

---

- 야 (Аялга Үг) : 놀라거나 반가울 때 내는 소리.

  хүүе, хүүеэ, хүүш, хүүшээ

  гайхах юм уу баярлах үед хэлдэг үг.

• 그것 (Төлөөний Үг) : 앞에서 이미 이야기한 대상을 가리키는 말.

**тэр юм, тэр**

өмнө нь ярьсан объектыг заах Үг.

• 이 : 앞의 말을 강조하는 뜻을 나타내는 조사.

**Тохирох Үг хэллэг байхгүй байна**

өмнөх Үгийг онцолж буйг илэрхийлдэг нөхцөл.

• 얼마나 (Дайвар Үг) : 상태나 느낌 등의 정도가 매우 크고 대단하게.

**хичнээн**

байдал, мэдрэмж зэргийн хэмжээ маш их буюу гайхалтайгаар.

• 비싸다 (Тэмдэг нэр) : 물건값이나 어떤 일을 하는 데 드는 비용이 보통보다 높다.

**Үнэтэй**

барааны Үнэ буюу ямар нэгэн юмыг хийхэд төлдөг зардал ердийнхөөс их байх.

• -ㄴ데 : (두루낮춤으로) 듣는 사람의 반응을 기대하며 어떤 일에 대해 감탄함을 나타내는 종결 어미.

**Тохирох Үг хэллэг байхгүй байна**

(ХҮндэтгэлийн бус энгийн Үг хэллэг) сонсч буй хҮний хариу Үйлдэлд найдан ямар нэгэн зҮйлийн талаар гайхан биширч байгааг илэрхийлдэг төгсгөх нөхцөл.

---

아이 : <u>모르(몰ㄹ)+아</u>, <u>이것(이거)+이</u> 다 엄마 때문+이+야.
　　　　　**몰라**　　　　　**이게**

---

• 모르다 (Үйл Үг) : 사람이나 사물, 사실 등을 알지 못하거나 이해하지 못하다.

**мэдэхгҮй байх, мэдэхгҮй**

хҮн, эд юм, Үнэн зҮйлийн талаар мэдээгҮй буюу ойлгохгҮй байх.

• -아 : (두루낮춤으로) 어떤 사실을 서술하거나 물음, 명령, 권유를 나타내는 종결 어미.

**Тохирох Үг хэллэг байхгүй байна**

(ХҮндэтгэлийн бус энгийн Үг хэллэг) ямар нэгэн зҮйлийг дҮрслэх буюу асуулт, тушаал, зөвлөмж зэргийг илэрхийлдэг төгсгөх нөхцөл.

• 이것 (Төлөөний Үг) : 바로 앞에서 이야기한 대상을 가리키는 말.

**ҮҮгээр, энэ, ҮҮнээс**

яг өмнө нь ярьж дурдсан зҮйлийг заадаг Үг.

• 이 : 어떤 상태나 상황의 대상이나 동작의 주체를 나타내는 조사.

**Тохирох Үг хэллэг байхгүй байна**

ямар нэгэн төлөв, байдлын субьект, мөн Үйл хөдлөлийн эзэн болохыг илэрхийлэх нөхцөл.

• **다 (Дайвар Үг)** : 남거나 빠진 것이 없이 모두.
  бҮгд, цөм, бҮх, булт
  Үлдэж гээгдсэн зҮйлгҮй бҮгд.

• **엄마 (Нэр Үг)** : 격식을 갖추지 않아도 되는 상황에서 어머니를 이르거나 부르는 말.
  ээж
  ёс жаяг баримтлах шаардлаггҮй тохиолдолд ээжийгээ нэрлэх болон дуудах Үг.

• **때문 (Нэр Үг)** : 어떤 일의 원인이나 이유.
  болох, болж, болсон
  ямар нэгэн зҮйлийн учир шалтгаан.

• **이다** : 주어가 지시하는 대상의 속성이나 부류를 지정하는 뜻을 나타내는 서술격 조사.
  Тохирох Үг хэллэг байхгҮй байна
  эзэн биеийн зааж буй обьектын шинж чанар, төрөл зҮйлийг тодорхойлох утгыг илэрхийлэх өгҮҮлэхҮҮний тийн ялгалын нөхцөл.

• **-야** : (두루낮춤으로) 어떤 사실에 대하여 서술하거나 물음을 나타내는 종결 어미.
  Тохирох Үг хэллэг байхгҮй байна
  (ХҮндэтгэлийн бус энгийн Үг хэллэг) ямар нэгэн зҮйлийн талаар хҮҮрнэх буюу асуух явдлыг илэрхийлдэг төгсгөх нөхцөл.

---

> **아이 : 엄마+가 나+를 이렇+게 낳+았+잖아.**
> **날**

---

• **엄마 (Нэр Үг)** : 격식을 갖추지 않아도 되는 상황에서 어머니를 이르거나 부르는 말.
  ээж
  ёс жаяг баримтлах шаардлаггҮй тохиолдолд ээжийгээ нэрлэх болон дуудах Үг.

• **가** : 어떤 상태나 상황에 놓인 대상이나 동작의 주체를 나타내는 조사.
  Тохирох Үг хэллэг байхгҮй байна
  ямар нэгэн төлөв, байдлын субьект, мөн Үйл хөдлөлийн эзэн болохыг илэрхийлэх нөхцөл.

• **나 (Төлөөний Үг)** : 말하는 사람이 친구나 아랫사람에게 자기를 가리키는 말.
  би
  өгҮҮлэгч этгээд найз буюу өөрөөсөө дҮҮ хҮнтэй ярихад өөрийг заасан Үг.

• **를** : 동작이 간접적인 영향을 미치는 대상이나 목적임을 나타내는 조사.
  -д/-т
  Үйл хөдлөл шууд бусаар нөлөөлж буй тусагдахуун болон зорилго илэрхийлэх нөхцөл.

- **이렇다 (Тэмдэг нэр)** : 상태, 모양, 성질 등이 이와 같다.

  **ийм, иймэрхүү**

  байдал, төрх, шинж чанар зэрэг одоо үүнтэй адилхан байх.

- **-게** : 앞의 말이 뒤에서 가리키는 일의 목적이나 결과, 방식, 정도 등이 됨을 나타내는 연결 어미.

  **Тохирох үг хэллэг байхгүй байна**

  өмнөх агуулга ард нь зааж буй байдал, зорилго, үр дүн, арга барил, хэмжээ зэрэг болохыг илэрхийлдэг холбох нөхцөл.

- **낳다 (Үйл үг)** : 배 속의 아이, 새끼, 알을 몸 밖으로 내보내다.

  **төрүүлэх, зулзгалах, өндөглөх**

  гэдсэн дэх хүүхэд, зулзага, түрсийг биеэсээ гадагш гаргах.

- **-았-** : 사건이 과거에 일어났음을 나타내는 어미.

  **Тохирох үг хэллэг байхгүй байна**

  үйл явдал өнгөрсөн үед болсныг илэрхийлдэг нөхцөл.

- **-잖아** : (두루낮춤으로) 어떤 상황에 대해 말하는 사람이 상대방에게 확인하거나 정정해 주듯이 말함을 나타내는 표현.

  **Тохирох үг хэллэг байхгүй байна**

  (Хүндэтгэлийн бус энгийн үг хэллэг) ямар нэг нөхцөл байдлын талаар өгүүлэгч эсрэг этгээдээс лавлах буюу залруулах мэтээр хэлж байгааг илэрхийлдэг үг хэллэг.

---

| 그리하+자 엄마+가 하+는 한마디. |
| --- |

- **그리하다 (Үйл үг)** : 앞에서 일어난 일이나 말한 것과 같이 그렇게 하다.

  **тэгж, тэгэх, тийнхүү**

  өмнө нь ярьж хэлсэнтэй адилаар.

- **-자** : 앞의 말이 나타내는 동작이 끝난 뒤 곧 뒤의 말이 나타내는 동작이 잇따라 일어남을 나타내는 연결 어미.

  **Тохирох үг хэллэг байхгүй байна**

  өмнөх үйлдэл дуусмагц дараагийн үйлдэл үргэлжлэн болохыг илэрхийлж буй холбох нөхцөл.

- **엄마 (Нэр үг)** : 격식을 갖추지 않아도 되는 상황에서 어머니를 이르거나 부르는 말.

  **ээж**

  ёс жаяг баримтлах шаардлаггүй тохиолдолд ээжийгээ нэрлэх болон дуудах үг.

- **가** : 어떤 상태나 상황에 놓인 대상이나 동작의 주체를 나타내는 조사.

  **Тохирох үг хэллэг байхгүй байна**

  ямар нэгэн төлөв, байдлын субьект, мөн үйл хөдлөлийн эзэн болохыг илэрхийлэх нөхцөл.

- **하다 (Үйл Үг)** : 다른 사람의 말이나 생각 등을 나타내는 문장을 받아 뒤에 오는 단어를 꾸미는 말.
  гэх
  бусдын үг яриа, бодол санаа зэргийг илэрхийлсэн өгүүлбэрийн ард орж үгийг чимдэг үг.

- **-는** : 앞의 말이 관형어의 기능을 하게 만들고 사건이나 동작이 현재 일어남을 나타내는 어미.
  **Тохирох үг хэллэг байхгүй байна**
  өмнөх үгийг тодотгол гишүүний үүрэгтэй болгож, хэрэг явдал буюу үйлдэл нь одоо өрнөж байгааг илэрхийлдэг нөхцөл.

- **한마디 (Нэр Үг)** : 짧고 간단한 말.
  ганц үг, нэг үг
  товч богино үг.

---

| **엄마 : 너 낳+았+[을 때] 이빨 없+었+거든, 이것+아!** |
| --- |

- **너 (Төлөөний Үг)** : 듣는 사람이 친구나 아랫사람일 때, 그 사람을 가리키는 말.
  чи
  сонсогч нь найз буюу дүү байх тохиолдолд, тухайн хүнийг заадаг үг.

- **낳다 (Үйл Үг)** : 배 속의 아이, 새끼, 알을 몸 밖으로 내보내다.
  төрүүлэх, зулзгалах, өндөглөх
  гэдсэн дэх хүүхэд, зулзага, түрсийг биеннээсээ гадагш гаргах.

- **-았-** : 사건이 과거에 일어났음을 나타내는 어미.
  **Тохирох үг хэллэг байхгүй байна**
  үйл явдал өнгөрсөн үед болсныг илэрхийлдэг нөхцөл.

- **-을 때** : 어떤 행동이나 상황이 일어나는 동안이나 그 시기 또는 그러한 일이 일어난 경우를 나타내는 표현.
  **Тохирох үг хэллэг байхгүй байна**
  ямар нэг үйл болон нөхцөл байдал өрнөж байх явцад буюу тэр цаг үе, мөн тийм зүйл болсон тохиолдлыг илэрхийлдэг үг хэллэг.

- **이빨 (Нэр Үг)** : (낮잡아 이르는 말로) 사람이나 동물의 입 안에 있으며, 무엇을 물거나 씹는 데 쓰는 기관.
  шүд
  (Дорд үзэж дуудах үг) хүн болон амьтны аманд байдаг бөгөөд юмыг хазах, зажлахад хэрэглэх эрхтэн.

• **없다 (Тэмдэг нэр)** : 사람, 사물, 현상 등이 어떤 곳에 자리나 공간을 차지하고 존재하지 않는 상태이다.

　**байхгҮй, -гҮй, хэн ч байхгҮй, юу ч байхгҮй, алга байх**

　хҮн, эд зҮйл, Үзэгдэл зэрэг ямар нэгэн газар байр суудал юм уу орон зай эзлэн оршдоггҮй байдал.

• **-었-** : 사건이 과거에 일어났음을 나타내는 어미.

　**Тохирох Үг хэллэг байхгҮй байна**

　Үйл явдал өнгөрсөн Үед болсныг илэрхийлдэг нөхцөл.

• **-거든** : (두루낮춤으로) 앞의 내용에 대해 말하는 사람이 생각한 이유나 원인, 근거를 나타내는 종결 어미.

　**Тохирох Үг хэллэг байхгҮй байна**

　(ХҮндэтгэлийн бус энгийн Үг хэллэг) өмнөх агуулгын талаар өгҮҮлэгчий бодол санаа, учир шалтгаан, Үндэслэлийг илэрхийлдэг төгсгөх нөхцөл.

• **이것 (Төлөөний Үг)** : (귀엽게 이르는 말로) 이 아이.

　**энэ золиг**

　(Өхөөрдөн дуудах Үг) энэ хҮҮхэд.

• **아** : 친구나 아랫사람, 동물 등을 부를 때 쓰는 조사.

　**-аа (-ээ, -оо, -өө)**

　найз буюу өөрөөсөө дҮҮ хҮн, амьтан дуудахад хэрэглэдэг нөхцөл.

# < 4 단원(бүлэг хичээл) >

## 제목 : 아빠, 물 좀 갖다주세요.

# ● 본문 (эх бичиг)

늦은 오후 방에 늘어져 있던 아들은 시원한 물 한 잔이 먹고 싶어졌다.

그러나 꼼짝하기도 싫은 아들은 거실에서 텔레비전을 보고 계시던 아빠에게 큰 소리로 말했다.

아들 : 아빠, 물 좀 갖다주세요.

아빠 : 냉장고에 있으니까 네가 꺼내 먹어.

십 분 후

아들 : 아빠, 물 좀 갖다주세요.

아빠 : 네가 직접 가서 마시라니까.

아빠의 목소리는 점점 짜증이 섞이면서 톤이 높아지고 있었다.

그러나 이에 굴하지 않고 아들은 또 다시 외쳤다.

아들 : 아빠, 물 좀 갖다주세요.

아빠 : 네가 갖다 먹으라고.

　　　　한 번만 더 부르면 혼내 주러 간다.

아빠는 이제 단단히 화가 나셨다.

하지만 아들은 지칠 줄 모르고 다시 십 분 후에 이렇게 말했다.

아들 : 아빠, 저 혼내러 오실 때 물 좀 갖다주세요.

# ● 발음 (дуудлага)

늦은 오후 방에 늘어져 있던 아들은 시원한 물 한 잔이 먹고 싶어졌다.
느즌 오후 방에 느러저 읻떤 아드른 시원한 물 한 자니 먹꼬 시퍼젿따.
neujeun ohu bange neureojeo itdeon adeureun siwonhan mul han jani meokgo sipeojeotda.

그러나 꼼짝하기도 싫은 아들은 거실에서 텔레비전을 보고 계시던 아빠에게 큰 소리로 말했다.
그러나 꼼짜카기도 시른 아드른 거시레서 텔레비저늘 보고 계시던 아빠에게 큰 소리로 말핻따.
geureona kkomjjakagido sireun adeureun geosireseo tellebijeoneul bogo gyesideon appaege keun soriro malhaetda.

**아들** : 아빠, 물 좀 갖다주세요.
아들 : 아빠, 물 좀 갇따주세요.
adeul : appa, mul jom gatdajuseyo.

**아빠** : 냉장고에 있으니까 네가 꺼내 먹어.
아빠 : 냉장고에 이쓰니까 네가 꺼내 머거.
appa : naengjanggoe isseunikka nega kkeonae meogeo.

십 분 후
십 분 후
sip bun hu

**아들** : 아빠, 물 좀 갖다주세요.
아들 : 아빠, 물 좀 갇따주세요.
adeul : appa, mul jom gatdajuseyo.

**아빠** : 네가 직접 가서 마시라니까.
아빠 : 네가 직쩝 가서 마시라니까.
appa : nega jikjeop gaseo masiranikka.

아빠의 목소리는 점점 짜증이 섞이면서 톤이 높아지고 있었다.
아빠의 목쏘리는 점점 짜증이 서끼면서 토니 노파지고 이썯따.
appaui moksorineun jeomjeom jjajeungi seokkimyeonseo toni nopajigo isseotda.

그러나 이에 굴하지 않고 아들은 또 다시 외쳤다.
그러나 이에 굴하지 안코 아드른 또 다시 외철따.
geureona ie gulhaji anko adeureun tto dasi oecheotda.


**아들 : 아빠, 물 좀 갖다주세요.**
아들 : 아빠, 물 좀 갇따주세요.
adeul : appa, mul jom gatdajuseyo.


**아빠 : 네가 갖다 먹으라고.**
아빠 : 네가 갇따 머그라고.
appa : nega gatda meogeurago.


**한 번만 더 부르면 혼내 주러 간다.**
한 번만 더 부르면 혼내 주러 간다.
han beonman deo bureumyeon honnae jureo ganda.


아빠는 이제 단단히 화가 나셨다.
아빠는 이제 단단히 화가 나셜따.
appaneun ije dandanhi hwaga nasyeotda.

하지만 아들은 지칠 줄 모르고 다시 십 분 후에 이렇게 말했다.
하지만 아드른 지칠 쭐 모르고 다시 십 분 후에 이러케 말핻따.
hajiman adeureun jichil jul moreugo dasi sip bun hue ireoke malhaetda.


**아들 : 아빠, 저 혼내러 오실 때 물 좀 갖다주세요.**
아들 : 아빠, 저 혼내러 오실 때 물 좀 갇따주세요.
adeul : appa, jeo honnaereo osil ttae mul jom gatdajuseyo.

# ● 어휘 (Үгс) / 문법 (хэлзүй)

늦+은 오후 방+에 늘어지+<u>어 있</u>+던 아들+은 시원하+ㄴ 물 한 잔+이 먹+<u>고 싶</u>+<u>어지</u>+었+다.

그러나 꼼짝하+기+도 싫+은 아들+은 거실+에서 텔레비전+을 보+<u>고 계시</u>+던 아빠+에게 크+ㄴ 소리+로

말하+였+다.

**아들** : 아빠, 물 좀 갖다주+세요.

**아빠** : 냉장고+에 있+으니까 네+가 꺼내+(어) 먹+어.

십 분 후

**아들** : 아빠, 물 좀 갖다주+세요.

**아빠** : 네+가 직접 가+(아)서 마시+라니까.

아빠+의 목소리+는 점점 짜증+이 섞이+면서 톤+이 높아지+<u>고 있</u>+었+다.

그러나 이에 굴하+<u>지 않</u>+고 아들+은 또 다시 외치+었+다.

**아들** : 아빠, 물 좀 갖다주+세요.

**아빠** : 네+가 갖+다 먹+으라고.

　　　　한 번+만 더 부르+면 혼내+<u>(어) 주</u>+러 가+ㄴ다.

아빠+는 이제 단단히 화+가 나+시+었+다.

하지만 아들+은 지치+<u>르</u> 줄 모르+고 다시 십 분 후+에 이렇+게 말하+였+다.

**아들** : 아빠, 저 혼내+러 오+시+<u>ㄹ 때</u> 물 좀 갖다주+세요.

---

| 늦+은 오후 방+에 늘어지+[어 있]+던 아들+은 시원하+ㄴ 물 한 잔+이 먹+[고 싶]+[어지]+었+다. |
|:---:|
| **늘어져 있던**        **시원한**        **먹고 싶어졌다** |

---

• **늦다 (Тэмдэг нэр)** : 적당한 때를 지나 있다. 또는 시기가 한창인 때를 지나 있다.

   **оройтох**

   тохиромжтой Үеийг өнгөрөөсөн байх. мөн юмны ид өрнөх Үеийг өнгөрөөсөн байх.

• **-은** : 앞의 말이 관형어의 기능을 하게 만들고 현재의 상태를 나타내는 어미.

   **Тохирох Үг хэллэг байхгҮй байна**

   өмнөх Үгийг тодотгол гишҮҮний ҮҮрэгтэй болгож одоогийн нөхцөл байдлыг илэрхийлж буй нөхцөл.

• **오후 (Нэр Үг)** : 정오부터 해가 질 때까지의 동안.

   **Үдээш хойш**

   Үд дундаас нар жаргах хҮртлэх хугацаа.

• **방 (Нэр Үг)** : 사람이 살거나 일을 하기 위해 벽을 둘러서 막은 공간.

   **өрөө**

   хҮн амьдрах юмуу ажил хийхэд зориулагдсан, ханаар хҮрээлэн хаасан орон зай.

• **에** : 앞말이 어떤 장소나 자리임을 나타내는 조사.

   **-д/-т**

   өмнөх Үг ямар нэгэн газар буюу байр болохыг илэрхийлж буй нөхцөл.

• **늘어지다 (Үйл Үг)** : 몸을 마음껏 펴거나 근심 걱정 없이 쉬다.

   **бие сэтгэл амрах, амар болох**

   биеэ ханатал амрах.

• **-어 있다** : 앞의 말이 나타내는 상태가 계속됨을 나타내는 표현.

   **Тохирох Үг хэллэг байхгҮй байна**

   өмнөх Үгийн илэрхийлж буй байдал Үргэлжлэх явдлыг илэрхийлдэг Үг хэллэг.

• **-던** : 앞의 말이 관형어의 기능을 하게 만들고 사건이나 동작이 과거에 완료되지 않고 중단되었음을 나
     타내는 어미.

   **Тохирох Үг хэллэг байхгҮй байна**

   өмнөх Үгийг тодотгол гишҮҮний ҮҮрэгтэй болгож, хэрэг явдал буюу Үйлдэл өнгөрсөн Үед дуусаагҮй тҮр завсарласан болохыг илэрхийлдэг нөхцөл.

• **아들 (Нэр Үг)** : 남자인 자식.

   **хҮҮ**

   эрэгтэй хҮҮхэд.

- 은 : 문장 속에서 어떤 대상이 화제임을 나타내는 조사.
  **Тохирох Үг хэллэг байхгүй байна**
  өгүүлбэрт ямар зүйл ярианы сэдэв болж буйг илэрхийлдэг нөхцөл.

- **시원하다 (Тэмдэг нэр)** : 음식이 먹기 좋을 정도로 차고 산뜻하거나, 속이 후련할 정도로 뜨겁다.
  **сэнгэнэсэн, хүйтэн**
  хоол унд идэхэд тохиромжтой хүйтэн, сэнгэнэсэн юмуу халуун байх.

- -ㄴ : 앞의 말이 관형어의 기능을 하게 만들고 현재의 상태를 나타내는 어미.
  **Тохирох Үг хэллэг байхгүй байна**
  өмнөх үгийг тодотгол гишүүний үүрэгтэй болгож одоогийн нөхцөл байдлыг
  илэрхийлж буй нөхцөл.

- **물 (Нэр Үг)** : 강, 호수, 바다, 지하수 등에 있으며 순수한 것은 빛깔, 냄새, 맛이 없고 투명한 액체.
  **ус**
  гол, нуур, далай тэнгис, газрын гүнд байдаг, цэвэрхэн үедээ өнгө, үнэр, амтгүй,
  тунгалаг шингэн зүйл.

- **한 (Тодотгол Үг)** : 하나의.
  **нэг**
  нэгэн.

- **잔 (Нэр Үг)** : 음료나 술 등을 담은 그릇을 기준으로 그 분량을 세는 단위.
  **аяга, хундага**
  ундаа, архи хийж уудаг аягыг хэмжүүр болгон тэр хэмжээг тоолох үг

- 이 : 어떤 상태나 상황의 대상이나 동작의 주체를 나타내는 조사.
  **Тохирох Үг хэллэг байхгүй байна**
  ямар нэгэн төлөв, байдлын субьект, мөн үйл хөдлөлийн эзэн болохыг илэрхийлэх
  нөхцөл.

- **먹다 (Үйл Үг)** : 액체로 된 것을 마시다.
  **уух**
  шингэн зүйлийг уух.

- -고 싶다 : 앞의 말이 나타내는 행동을 하기를 원함을 나타내는 표현.
  **Тохирох Үг хэллэг байхгүй байна**
  өмнөх үгийн илэрхийлж буй үйлдлийг хийхийг хүсэх явдлыг илэрхийлдэг үг хэллэг.

- -어지다 : 앞에 오는 말이 나타내는 대로 행동하게 되거나 그 상태로 됨을 나타내는 표현.
  **Тохирох Үг хэллэг байхгүй байна**
  өмнөх үгэнд илэрхийлэгдсэний дагуу хийгдэх буюу тийм байдалтай болохыг
  илэрхийлдэг үг хэллэг.

• -었- : 어떤 사건이 과거에 완료되었거나 그 사건의 결과가 현재까지 지속되는 상황을 나타내는 어미.

**Тохирох Үг хэллэг байхгүй байна**

ямар нэгэн хэрэг явдал өнгөрсөн үед болж өнгөрсөн буюу тухайн үйлийн үр дүн өнөөг хүртэл үргэлжилж буй нөхцөл байдлыг илэрхийлдэг нөхцөл.

• -다 : 어떤 사건이나 사실, 상태를 서술함을 나타내는 종결 어미.

**Тохирох Үг хэллэг байхгүй байна**

одоогийн хэрэг явдал буюу үнэн явлыг хүүрнэхийг илэрхийлдэг төгсгөх нөхцөл.

---

그러나 꼼짝하+기+도 싫+은 아들+은 거실+에서 텔레비전+을 보+[고 계시]+던 아빠+에게 <u>크+ㄴ</u>
큰

<u>소리</u>+로 <u>말하</u>+였+다.
말했다

---

• **그러나 (Дайвар Үг)** : 앞의 내용과 뒤의 내용이 서로 반대될 때 쓰는 말.

**гэтэл**

эсрэг агуулгатай хоёр өгүүлбэрийг холбож өгдөг үг.

• **꼼짝하다 (Үйл Үг)** : 몸이 느리게 조금씩 움직이다. 또는 몸을 느리게 조금씩 움직이다.

**Үл ялиг хөдлөх, үл мэдэг хөдлөх, арай чүү хөдлөх, хөдөлж ядах, үл ялиг хөдөлгөх**

бие удаан бага багаар хөдлөх. мөн биеэ удаан бага багаар хөдөлгөх.

• -기 : 앞의 말이 명사의 기능을 하게 하는 어미.

**Тохирох Үг хэллэг байхгүй байна**

өмнөх үгийг нэр үгийн үүрэгтэй болгодог нөхцөл.

• 도 : 극단적인 경우를 들어 다른 경우는 말할 것도 없음을 나타내는 조사.

**ч**

туйлын тохиолдлыг авч үзэн өөр тохиолдолд ярихын ч хэрэггүй болохыг илэрхийлж буй нөхцөл.

• **싫다 (Тэмдэг нэр)** : 어떤 일을 하고 싶지 않다.

**хүсэхгүй, сонирхолгүй байх, дургүй**

ямар нэг ажил үйлийг хиймээргүй байх.

• -은 : 앞의 말이 관형어의 기능을 하게 만들고 현재의 상태를 나타내는 어미.

**Тохирох Үг хэллэг байхгүй байна**

өмнөх үгийг тодотгол гишүүний үүрэгтэй болгож одоогийн нөхцөл байдлыг илэрхийлж буй нөхцөл.

• **아들 (Нэр Үг)** : 남자인 자식.

**хҮҮ**

эрэгтэй хҮҮхэд.


• **은** : 문장 속에서 어떤 대상이 화제임을 나타내는 조사.

**Тохирох Үг хэллэг байхгҮй байна**

өгҮҮлбэрт ямар зҮйл ярианы сэдэв болж буйг илэрхийлдэг нөхцөл.


• **거실 (Нэр Үг)** : 서양식 집에서, 가족이 모여서 생활하거나 손님을 맞는 중심 공간.

**сууцны өрөө, тасалгаа**

баруунь гэрт, гэр бҮлээрээ цуглан амьдрах юмуу зочин хҮлээж авдаг гол орон зай.


• **에서** : 앞말이 행동이 이루어지고 있는 장소임을 나타내는 조사.

**-аас(-ээс, -оос, -өөс)**

өмнөх Үг нь Үйлдэл нь биелж буй газар болохыг илэрхийлдэг нөхцөл.


• **텔레비전 (Нэр Үг)** : 방송국에서 전파로 보내오는 영상과 소리를 받아서 보여 주는 기계.

**телевизор, зурагт**

телевизийн төвөөс долгионоор дҮрс, дууг хҮлээн авч ҮзҮҮлэх техник хэрэгсэл.


• **을** : 동작이 직접적으로 영향을 미치는 대상을 나타내는 조사.

**-ыг/-ийг/-г**

Үйл хөдлөл шууд нөлөөлж буй тусагдахууныг илэрхийлэх нөхцөл.


• **보다 (Үйл Үг)** : 눈으로 대상을 즐기거나 감상하다.

**Үзэж харах, Үзэн танилцах, авч Үзэх, харах, мэдрэх, харж мэдрэх**

нҮдээрээ юмыг харж таашаах буюу Үзэж сонирхох.


• **-고 계시다** : (높임말로) 앞의 말이 나타내는 행동이 계속 진행됨을 나타내는 표현.

**Тохирох Үг хэллэг байхгҮй байна**

(ХҮндэтгэлт Үг) өмнөх Үгийн илэрхийлж буй Үйлдэл Үргэлжилж буйг илэрхийлдэг Үг хэллэг.


• **-던** : 앞의 말이 관형어의 기능을 하게 만들고 사건이나 동작이 과거에 완료되지 않고 중단되었음을 나타내는 어미.

**Тохирох Үг хэллэг байхгҮй байна**

өмнөх Үгийг тодотгол гишҮҮний ҮҮрэгтэй болгож, хэрэг явдал буюу Үйлдэл өнгөрсөн Үед дуусаагҮй тҮр завсарласан болохыг илэрхийлдэг нөхцөл.


• **아빠 (Нэр Үг)** : 격식을 갖추지 않아도 되는 상황에서 아버지를 이르거나 부르는 말.

**аав**

ёс жаяг баримтлах шаардлагагҮй нөхцөлд аавыгаа нэрлэх болон дуудах Үг.

• 에게 : 어떤 행동이 미치는 대상임을 나타내는 조사.

-д, -т

ямар нэгэн Үйлдлийн нөлөөг авч буй зҮйлийг илэрхийлдэг нөхцөл.

• 크다 (Тэмдэг нэр) : 소리의 세기가 강하다.

чанга, тод

дуу хҮчтэй чанга байх.

• -ㄴ : 앞의 말이 관형어의 기능을 하게 만들고 현재의 상태를 나타내는 어미.

Тохирох Үг хэллэг байхгҮй байна

өмнөх Үгийг тодотгол гишҮҮний ҮҮрэгтэй болгож одоогийн нөхцөл байдлыг илэрхийлж буй нөхцөл.

• 소리 (Нэр Үг) : 사람의 목에서 나는 목소리.

дуу авиа, дуу чимээ

хҮний хоолойноос гарах дуу чимээ.

• 로 : 어떤 일의 방법이나 방식을 나타내는 조사.

-аар (-ээр, -оор, -өөр)

ямар нэгэн Үйл хэргийн арга барилыг илэрхийлж буй нөхцөл.

• 말하다 (Үйл Үг) : 어떤 사실이나 자신의 생각 또는 느낌을 말로 나타내다.

ярих, өгҮҮлэх, хэлэх, өчих

ямар нэгэн бодит зҮйлийн талаар болон өөрийн бодол санаа, мэдрэмжийг Үгээр илэрхийлэх.

• -였- : 어떤 사건이 과거에 완료되었거나 그 사건의 결과가 현재까지 지속되는 상황을 나타내는 어미.

Тохирох Үг хэллэг байхгҮй байна

ямар нэгэн хэрэг явдал өнгөрсөн Үед болж өнгөрсөн буюу тухайн Үйлийн Үр дҮн өнөөг хҮртэл Үргэлжилж буй нөхцөл байдлыг илэрхийлдэг нөхцөл.

• -다 : 어떤 사건이나 사실, 상태를 서술함을 나타내는 종결 어미.

Тохирох Үг хэллэг байхгҮй байна

одоогийн хэрэг явдал буюу Үнэн явлыг хҮҮрнэхийг илэрхийлдэг төгсгөх нөхцөл.

---

아들 : 아빠, 물 좀 갖다주+세요.

---

• 아빠 (Нэр Үг) : 격식을 갖추지 않아도 되는 상황에서 아버지를 이르거나 부르는 말.

аав

ёс жаяг баримтлах шаардлаггҮй нөхцөлд аавыгаа нэрлэх болон дуудах Үг.

- **물 (Нэр Үг)** : 강, 호수, 바다, 지하수 등에 있으며 순수한 것은 빛깔, 냄새, 맛이 없고 투명한 액체.

  **ус**

  гол, нуур, далай тэнгис, газрын гүнд байдаг, цэвэрхэн үедээ өнгө, үнэр, амтгүй, тунгалаг шингэн зүйл.

- **좀 (Дайвар Үг)** : 주로 부탁이나 동의를 구할 때 부드러운 느낌을 주기 위해 넣는 말.

  **жаахан**

  ихэвчлэн гуйлт, зөвшөөрөл хүсэх үед зөөлөн мэдрэмж төрүүлэх гэж хэрэглэдэг үг.

- **갖다주다 (Үйл Үг)** : 무엇을 가지고 와서 주다.

  **аваачиж өгөх**

  ямар нэгэн зүйлийг авч ирээд өгөх.

- **-세요** : (두루높임으로) 설명, 의문, 명령, 요청의 뜻을 나타내는 종결 어미.

  **Тохирох Үг хэллэг байхгүй байна**

  (Хүндэтгэлийн энгийн үг хэллэг) тайлбар, асуулт, тушаал, хүсэлтийн утгыг илэрхийлдэг төгсгөх нөхцөл.

---

> **아빠** : 냉장고+에 있+으니까 네+가 <u>꺼내+(어)</u> 먹+어.
> **꺼내**

---

- **냉장고 (Нэр Үг)** : 음식을 상하지 않게 하거나 차갑게 하려고 낮은 온도에서 보관하는 상자 모양의 기계.

  **хөргөгч**

  хоол ундны зүйл муутгалгүй, хүйтнээр нь байлгаж хадгалах зориулттай хайрцаг мэт хэлбэртэй төхөөрөмж.

- **에** : 앞말이 어떤 장소나 자리임을 나타내는 조사.

  **-д/-т**

  өмнөх үг ямар нэгэн газар буюу байр болохыг илэрхийлж буй нөхцөл.

- **있다 (Тэмдэг нэр)** : 무엇이 어떤 곳에 자리나 공간을 차지하고 존재하는 상태이다.

  **байх**

  ямар нэгэн зүйл аль нэг газар орон зай эзлэн орших.

- **-으니까** : 뒤에 오는 말에 대하여 앞에 오는 말이 원인이나 근거, 전제가 됨을 강조하여 나타내는 연결 어미.

  **Тохирох Үг хэллэг байхгүй байна**

  ард ирэх үгийн талаар өмнө ирэх үг нь учир шалтгаан буюу болзол болохыг илэрхийлдэг холбох нөхцөл.

- 네 (Төлөөний Үг) : '너'에 조사 '가'가 붙을 때의 형태.

  чи

  төлөөний Үг "너" дээр нэрлэхийн тийн ялгалын нөхцөл "가" залгахад хувирсан хэлбэр.

  너 (Төлөөний Үг) : 듣는 사람이 친구나 아랫사람일 때, 그 사람을 가리키는 말.

  чи

  сонсогч нь найз буюу дҮҮ байх тохиолдолд, тухайн хҮнийг заадаг Үг.

- 가 : 어떤 상태나 상황에 놓인 대상이나 동작의 주체를 나타내는 조사.

  Тохирох Үг хэллэг байхгҮй байна

  ямар нэгэн төлөв, байдлын субьект, мөн Үйл хөдлөлийн эзэн болохыг илэрхийлэх нөхцөл.

- 꺼내다 (Үйл Үг) : 안에 있는 물건을 밖으로 나오게 하다.

  гаргах, гаргаж ирэх

  дотор буй зҮйлийг гадагш гаргах.

- -어 : 앞의 말이 뒤의 말보다 먼저 일어났거나 뒤의 말에 대한 방법이나 수단이 됨을 나타내는 연결 어미.

  Тохирох Үг хэллэг байхгҮй байна

  өмнө ирэх Үг ард ирэх Үгээс тҮрҮҮлж бий болсон буюу ардах Үгийн талаарх арга барил болохыг илэрхийлдэг холбох нөхцөл.

- 먹다 (Үйл Үг) : 액체로 된 것을 마시다.

  уух

  шингэн зҮйлийг уух.

- -어 : (두루낮춤으로) 어떤 사실을 서술하거나 물음, 명령, 권유를 나타내는 종결 어미.

  Тохирох Үг хэллэг байхгҮй байна

  (ХҮндэтгэлийн бус энгийн Үг хэллэг) ямар нэгэн зҮйлийг дҮрслэх буюу асуулт, тушаал, зөвлөмж зэргийг илэрхийлдэг төгсгөх нөхцөл.

---

## 십 분 후

---

- 십 (Тодотгол Үг) : 열의.

  Тохирох Үг хэллэг байхгҮй байна

  арван.

- 분 (Нэр Үг) : 한 시간의 60분의 1을 나타내는 시간의 단위.

  минут, агшин

  нэг цагийн жар хуваасны нэгийг илэрхийлэх цагийн нэгж.

• 후 (Нэр Үг) : 얼마만큼 시간이 지나간 다음.

**дараа, хойно**

нэлээд цаг хугацаа өнгөрсний дараа.

---

**아들 : 아빠, 물 좀 갖다주+세요.**

---

• 아빠 (Нэр Үг) : 격식을 갖추지 않아도 되는 상황에서 아버지를 이르거나 부르는 말.

**аав**

ёс жаяг баримтлах шаардлаггүй нөхцөлд аавыгаа нэрлэх болон дуудах үг.

• 물 (Нэр Үг) : 강, 호수, 바다, 지하수 등에 있으며 순수한 것은 빛깔, 냄새, 맛이 없고 투명한 액체.

**ус**

гол, нуур, далай тэнгис, газрын гүнд байдаг, цэвэрхэн үедээ өнгө, үнэр, амтгүй, тунгалаг шингэн зүйл.

• 좀 (Дайвар Үг) : 주로 부탁이나 동의를 구할 때 부드러운 느낌을 주기 위해 넣는 말.

**жаахан**

ихэвчлэн гуйлт, зөвшөөрөл хүсэх үед зөөлөн мэдрэмж төрүүлэх гэж хэрэглэдэг үг.

• 갖다주다 (Үйл Үг) : 무엇을 가지고 와서 주다.

**аваачиж өгөх**

ямар нэгэн зүйлийг авч ирээд өгөх.

• -세요 : (두루높임으로) 설명, 의문, 명령, 요청의 뜻을 나타내는 종결 어미.

**Тохирох үг хэллэг байхгүй байна**

(Хүндэтгэлийн энгийн үг хэллэг) тайлбар, асуулт, тушаал, хүсэлтийн утгыг илэрхийлдэг төгсгөх нөхцөл.

---

**아빠 : 네+가 직접 <u>가</u>+(아)서 마시+라니까.**
**가서**

---

• 네 (Төлөөний Үг) : '너'에 조사 '가'가 붙을 때의 형태.

**чи**

төлөөний үг "чи" дээр нэрлэхийн тийн ялгалын нөхцөл "га" залгахад хувирсан хэлбэр.

너 (Төлөөний Үг) : 듣는 사람이 친구나 아랫사람일 때, 그 사람을 가리키는 말.

**чи**

сонсогч нь найз буюу дүү байх тохиолдолд, тухайн хүнийг заадаг үг.

• 가 : 어떤 상태나 상황에 놓인 대상이나 동작의 주체를 나타내는 조사.

**Тохирох Үг хэллэг байхгүй байна**

ямар нэгэн төлөв, байдлын субьект, мөн үйл хөдлөлийн эзэн болохыг илэрхийлэх нөхцөл.

• **직접 (Дайвар үг)** : 중간에 다른 사람이나 물건 등이 끼어들지 않고 바로.

**шууд, шулуун**

дунд нь өөр хүн юмуу эд зүйл оролцоогүй шууд.

• **가다 (үйл үг)** : 한 곳에서 다른 곳으로 장소를 이동하다.

**явах, очих**

нэг газраас нөгөө газар руу шилжиж хөдлөх явах.

• -아서 : 앞의 말과 뒤의 말이 순차적으로 일어남을 나타내는 연결 어미.

**Тохирох үг хэллэг байхгүй байна**

өмнөх үг ба ардах үг ээлж дараагаар бий болох явдлыг илэрхийлдэг холбох нөхцөл.

• **마시다 (үйл үг)** : 물 등의 액체를 목구멍으로 넘어가게 하다.

**уух**

ус зэргийн зүйлийг амнаас хоолойгоор оруулах.

• -라니까 : (아주낮춤으로) 가볍게 꾸짖으면서 반복해서 명령하는 뜻을 나타내는 종결 어미.

**Тохирох үг хэллэг байхгүй байна**

(Огт хүндэтгэлгүй үг хэллэг) бага зэрэг зэмлэх буюу давтаж тушаах утгыг илэрхийлдэг төгсгөх нөхцөл.

---

아빠+의 목소리+는 점점 짜증+이 섞이+면서 톤+이 높아지+[고 있]+었+다.

---

• **아빠 (Нэр үг)** : 격식을 갖추지 않아도 되는 상황에서 아버지를 이르거나 부르는 말.

**аав**

ёс жаяг баримтлах шаардлагггүй нөхцөлд аавыгаа нэрлэх болон дуудах үг.

• 의 : 앞의 말이 뒤의 말에 대하여 소유, 소속, 소재, 관계, 기원, 주체의 관계를 가짐을 나타내는 조사.

**-н/-ийн/-ын/-ий/-ы**

өмнөх үг хойдох үгтэй эзэмшил, харьяа, хэрэглэгдэхүүн, сэдвийн хамааралтай болохыг илэрхийлсэн нөхцөл.

• **목소리 (Нэр үг)** : 사람의 목구멍에서 나는 소리.

**дуу хоолой**

хүний хоолойноос гарах дуу авиа.

• 는 : 문장 속에서 어떤 대상이 화제임을 나타내는 조사.

**Тохирох Үг хэллэг байхгүй байна**

өгүүлбэрт ямар зүйл ярианы сэдэв болж буйг илэрхийлдэг нөхцөл.

• **점점 (Дайвар Үг)** : 시간이 지남에 따라 정도가 조금씩 더.

**бага багаар**

цаг хугацаа өнгөрөх тусам хэм хэмжээ бага багаар илүү.

• **짜증 (Нэр Үг)** : 마음에 들지 않아서 화를 내거나 싫은 느낌을 겉으로 드러내는 일. 또는 그런 성미.

**уур уцаар**

сэтгэлд нийцэхгүй уур хүрэх юмуу дургүйцэх мэдрэмжээ гадагш ил гаргах явдал. мөн тийм зан байдал.

• 이 : 어떤 상태나 상황의 대상이나 동작의 주체를 나타내는 조사.

**Тохирох Үг хэллэг байхгүй байна**

ямар нэгэн төлөв, байдлын субьект, мөн үйл хөдлөлийн эзэн болохыг илэрхийлэх нөхцөл.

• **섞이다 (Үйл Үг)** : 어떤 말이나 행동에 다른 말이나 행동이 함께 나타나다.

**холилдох, илрэх**

ямар нэгэн үг буюу үйлээс өөр үг буюу үйл хамт илрэх.

• -면서 : 두 가지 이상의 동작이나 상태가 함께 일어남을 나타내는 연결 어미.

**Тохирох Үг хэллэг байхгүй байна**

хоёр төрлөөс дээш үйлдэл ба байдал хамт болох явдлыг илэрхийлэхэд хэрэглэдэг холбох нөхцөл.

• **톤 (Нэр Үг)** : 전체적으로 느껴지는 분위기나 말투.

**уур амьсгал, хэв маяг**

ерөнхийдөө мэдрэгдэх уур амьсгал болон ярианы өнгө аяс.

• 이 : 어떤 상태나 상황의 대상이나 동작의 주체를 나타내는 조사.

**Тохирох Үг хэллэг байхгүй байна**

ямар нэгэн төлөв, байдлын субьект, мөн үйл хөдлөлийн эзэн болохыг илэрхийлэх нөхцөл.

• **높아지다 (Үйл Үг)** : 이전보다 더 높은 정도나 수준, 지위에 이르다.

**сайжрах, дээшлэх**

өмнөхөөсөө илүү өндөр хэм хэмжээ, түвшинд гарах.

• -고 있다 : 앞의 말이 나타내는 행동이 계속 진행됨을 나타내는 표현.

**Тохирох Үг хэллэг байхгүй байна**

өмнөх үгийн илэрхийлж буй үйлдэл үргэлжилж буйг илэрхийлдэг үг хэллэг.

- -었- : 어떤 사건이 과거에 완료되었거나 그 사건의 결과가 현재까지 지속되는 상황을 나타내는 어미.
  **Тохирох Үг хэллэг байхгҮй байна**
  ямар нэгэн хэрэг явдал өнгөрсөн Үед болж өнгөрсөн буюу тухайн Үйлийн Үр дҮн өнөөг хҮртэл Үргэлжилж буй нөхцөл байдлыг илэрхийлдэг нөхцөл.

- -다 : 어떤 사건이나 사실, 상태를 서술함을 나타내는 종결 어미.
  **Тохирох Үг хэллэг байхгҮй байна**
  одоогийн хэрэг явдал буюу Үнэн явлыг хҮҮрнэхийг илэрхийлдэг төгсгөх нөхцөл.

---

그러나 이에 굴하+[지 않]+고 아들+은 또 다시 <u>외치</u>+<u>었</u>+다.
**외쳤다**

---

- **그러나 (Дайвар Үг)** : 앞의 내용과 뒤의 내용이 서로 반대될 때 쓰는 말.
  **гэтэл**
  эсрэг агуулгатай хоёр өгҮҮлбэрийг холбож өгдөг Үг.

- **이에 (Дайвар Үг)** : 이러한 내용에 곧.
  **ийм учир**
  ийм агуулганд шууд.

- **굴하다 (Үйл Үг)** : 어떤 힘이나 어려움 앞에서 자신의 의지를 굽히다.
  *бууж өгөх, хувь тавиландаа захирагдах, буулт хийх, ялагдах*
  ямарваа нэг хҮч болон хҮнд бэрхийн өмнө буулт хийх.

- -지 않다 : 앞의 말이 나타내는 행위나 상태를 부정하는 뜻을 나타내는 표현.
  **Тохирох Үг хэллэг байхгҮй байна**
  өмнөх Үгийн илэрхийлж буй Үйлдэл буюу байдлыг ҮгҮйсгэх утгыг илэрхийлдэг Үг хэллэг.

- -고 : 앞의 말이 나타내는 행동이나 그 결과가 뒤에 오는 행동이 일어나는 동안에 그대로 지속됨을 나타내는 연결 어미.
  **Тохирох Үг хэллэг байхгҮй байна**
  өмнөх Үгийн илэрхийлж буй Үйлдэл буюу тухайн Үр дҮн нь арын Үйлдэл бий болох хугацаанд тэр хэвээрээ Үргэлжлэх явдлыг илэрхийлдэг холбох нөхцөл.

- **아들 (Нэр Үг)** : 남자인 자식.
  **хҮҮ**
  эрэгтэй хҮҮхэд.

- 은 : 문장 속에서 어떤 대상이 화제임을 나타내는 조사.
  **Тохирох Үг хэллэг байхгҮй байна**
  өгҮҮлбэрт ямар зҮйл ярианы сэдэв болж буйг илэрхийлдэг нөхцөл.

- **또 (Дайвар Үг)** : 어떤 일이나 행동이 다시.

  бас, дахин

  ямар нэг явдал ба Үйл хөдлөл дахин.

- **다시 (Дайвар Үг)** : 같은 말이나 행동을 반복해서 또.

  бас, дахин, дахиад

  ижил Үг ба Үйлдлийг давтан, дахин.

- **외치다 (Үйл Үг)** : 큰 소리를 지르다.

  хашгирах, орилох

  чанга дуугаар орилох.

- **-었-** : 어떤 사건이 과거에 완료되었거나 그 사건의 결과가 현재까지 지속되는 상황을 나타내는 어미.

  **Тохирох Үг хэллэг байхгүй байна**

  ямар нэгэн хэрэг явдал өнгөрсөн Үед болж өнгөрсөн буюу тухайн Үйлийн Үр дүн өнөөг хүртэл Үргэлжилж буй нөхцөл байдлыг илэрхийлдэг нөхцөл.

- **-다** : 어떤 사건이나 사실, 상태를 서술함을 나타내는 종결 어미.

  **Тохирох Үг хэллэг байхгүй байна**

  одоогийн хэрэг явдал буюу Үнэн явлыг хүүрнэхийг илэрхийлдэг төгсгөх нөхцөл.

> **아들 : 아빠, 물 좀 갖다주+세요.**

- **아빠 (Нэр Үг)** : 격식을 갖추지 않아도 되는 상황에서 아버지를 이르거나 부르는 말.

  аав

  ёс жаяг баримтлах шаардлаггүй нөхцөлд аавыгаа нэрлэх болон дуудах Үг.

- **물 (Нэр Үг)** : 강, 호수, 바다, 지하수 등에 있으며 순수한 것은 빛깔, 냄새, 맛이 없고 투명한 액체.

  ус

  гол, нуур, далай тэнгис, газрын гүнд байдаг, цэвэрхэн Үедээ өнгө, Үнэр, амтгүй, тунгалаг шингэн зүйл.

- **좀 (Дайвар Үг)** : 주로 부탁이나 동의를 구할 때 부드러운 느낌을 주기 위해 넣는 말.

  жаахан

  ихэвчлэн гуйлт, зөвшөөрөл хүсэх Үед зөөлөн мэдрэмж төрүүлэх гэж хэрэглэдэг Үг.

- **갖다주다 (Үйл Үг)** : 무엇을 가지고 와서 주다.

  аваачиж өгөх

  ямар нэгэн зүйлийг авч ирээд өгөх.

• -세요 : (두루높임으로) 설명, 의문, 명령, 요청의 뜻을 나타내는 종결 어미.

Тохирох Үг хэллэг байхгҮй байна

(ХҮндэтгэлийн энгийн Үг хэллэг) тайлбар, асуулт, тушаал, хҮсэлтийн утгыг илэрхийлдэг төгсгөх нөхцөл.

---

아빠 : 네+가 갖+다 먹+으라고.

---

• 네 (Төлөөний Үг) : '너'에 조사 '가'가 붙을 때의 형태.

чи

төлөөний Үг "너" дээр нэрлэхийн тийн ялгалын нөхцөл "가" залгахад хувирсан хэлбэр.

너 (Төлөөний Үг) : 듣는 사람이 친구나 아랫사람일 때, 그 사람을 가리키는 말.

чи

сонсогч нь найз буюу дҮҮ байх тохиолдолд, тухайн хҮнийг заадаг Үг.

• 가 : 어떤 상태나 상황에 놓인 대상이나 동작의 주체를 나타내는 조사.

Тохирох Үг хэллэг байхгҮй байна

ямар нэгэн төлөв, байдлын субьект, мөн Үйл хөдлөлийн эзэн болохыг илэрхийлэх нөхцөл.

• 갖다 (Үйл Үг) : 무엇을 손에 쥐거나 몸에 지니다.

гартаа байлгах

ямар нэг зҮйлийг гартаа атгах буюу биедээ авч явах.

• -다 : 어떤 행동이 진행되는 중에 다른 행동이 나타남을 나타내는 연결 어미.

Тохирох Үг хэллэг байхгҮй байна

ямар нэгэн Үйл хөдлөл Үргэлжлэн өрнөх явцад өөр Үйл хөдлөл илэрч гарч ирж байгаа илэрхийлэх холбох нөхцөл.

• 먹다 (Үйл Үг) : 액체로 된 것을 마시다.

уух

шингэн зҮйлийг уух.

• -으라고 : (두루낮춤으로) 말하는 사람의 생각이나 주장을 듣는 사람에게 강조하여 말함을 나타내는 종결 어미.

Тохирох Үг хэллэг байхгҮй байна

(ХҮндэтгэлийн бус энгийн Үг хэллэг) өөрийн санал бодлыг сонсч буй хҮнд онцлон ярих явдлыг илэрхийлдэг төгсгөх нөхцөл.

---

아빠 : 한 번+만 더 부르+면 혼내+[(어) 주]+러 가+ㄴ다.

혼내 주러        간다

---

• **한** (Тодотгол Үг) : 하나의.
нэг
нэгэн.

• **번** (Нэр Үг) : 일의 횟수를 세는 단위.
удаа
юмны давтамж илэрхийлэх Үг.

• **만** : 앞의 말이 어떤 것에 대한 조건임을 나타내는 조사.
л
өмнөх Үг ямар нэгэн зҮйлийн талаарх болзол болохыг илэрхийлж буй нөхцөл.

• **더** (Дайвар Үг) : 보태어 계속해서.
нэмж, цааш нь, дахиад
дээр нь нэмж, Үргэлжлүүлэн.

• **부르다** (Үйл Үг) : 말이나 행동으로 다른 사람을 오라고 하거나 주의를 끌다.
дуудах
Үг яриа, Үйл хөдлөлөөрөө бусдыг ир хэмээн дуудан зангах болон анхаарлыг нь татах.

• **-면** : 뒤에 오는 말에 대한 근거나 조건이 됨을 나타내는 연결 어미.
Тохирох Үг хэллэг байхгҮй байна
ард ирэх агуулгын талаарх учир шалтгаан буюу болзол болохыг илэрхийлдэг холбох
нөхцөл.

• **혼내다** (Үйл Үг) : 심하게 꾸지람을 하거나 벌을 주다.
аашилж загнах, хатуу зэмлэх, хатуу шийтгэх
хатуу зэмлэх буюу шийтгэх.

• **-어 주다** : 남을 위해 앞의 말이 나타내는 행동을 함을 나타내는 표현.
Тохирох Үг хэллэг байхгҮй байна
бусдад зориулж өмнөх Үгийн илэрхийлж буй Үйлдлийг хийх явдлыг илэрхийлдэг Үг
хэллэг.

• **-러** : 가거나 오거나 하는 동작의 목적을 나타내는 연결 어미.
Тохирох Үг хэллэг байхгҮй байна
явах буюу ирэх Үйлдлийн зорилгыг илэрхийлдэг холбох нөхцөл.

• **가다** (Үйл Үг) : 어떤 목적을 가지고 일정한 곳으로 움직이다.
очих, зорих
ямар нэг зорилгоор тодорхой нэг газар руу хөдөлж явах.

• -ㄴ다 : (아주낮춤으로) 현재 사건이나 사실을 서술함을 나타내는 종결 어미.

**Тохирох Үг хэллэг байхгүй байна**

(Огт хүндэтгэлгүй үг хэллэг) одоогийн хэрэг явдал буюу үнэн явдлыг хүүрнэхэд хэрэглэдэг төгсгөх нөхцөл.

---

아빠+는 이제 단단히 화+가 나+시+었+다.
### 나셨다

---

• **아빠 (Нэр Үг)** : 격식을 갖추지 않아도 되는 상황에서 아버지를 이르거나 부르는 말.

**аав**

ёс жаяг баримтлах шаардлаггүй нөхцөлд аавыгаа нэрлэх болон дуудах үг.

• **는** : 문장 속에서 어떤 대상이 화제임을 나타내는 조사.

**Тохирох Үг хэллэг байхгүй байна**

өгүүлбэрт ямар зүйл ярианы сэдэв болж буйг илэрхийлдэг нөхцөл.

• **이제 (Дайвар Үг)** : 말하고 있는 바로 이때에.

**одоо**

хэлж байгаа яг тэр мөчид.

• **단단히 (Дайвар Үг)** : 보통보다 더 심하게.

**бүрмөсөн, бүр**

ердийнхөөс хүчтэй.

• **화 (Нэр Үг)** : 몹시 못마땅하거나 노여워하는 감정.

**уур, хилэн**

ихэд бачимдах юмуу цухалдан уурлах сэтгэлийн хөдөлгөөн.

• **가** : 어떤 상태나 상황에 놓인 대상이나 동작의 주체를 나타내는 조사.

**Тохирох Үг хэллэг байхгүй байна**

ямар нэгэн төлөв, байдлын субьект, мөн үйл хөдлөлийн эзэн болохыг илэрхийлэх нөхцөл.

• **나다 (Үйл Үг)** : 어떤 감정이나 느낌이 생기다.

**төрөх, хүрэх**

ямар нэг сэтгэл хөдлөл мэдрэмж бий болох.

• **-시-** : 높이고자 하는 인물과 관계된 소유물이나 신체의 일부가 문장의 주어일 때 그 인물을 높이는 뜻을 나타내는 어미.

**Тохирох Үг хэллэг байхгүй байна**

хүндэтгэх гэсэн хүн, холбогдолтой өмч, биеийн нэг хэсэг нь ямар нэгэн үйлдлийн байдал буюу эзэн бие болоход түүнийг хүнлэтгэх утга илэрхийлдэг нөхцөл.

•-었- : 어떤 사건이 과거에 완료되었거나 그 사건의 결과가 현재까지 지속되는 상황을 나타내는 어미.

**Тохирох Υг хэллэг байхгΥй байна**

ямар нэгэн хэрэг явдал өнгөрсөн Υед болж өнгөрсөн буюу тухайн Υйлийн Υр дΥн өнөөг хΥртэл Υргэлжилж буй нөхцөл байдлыг илэрхийлдэг нөхцөл.

•-다 : 어떤 사건이나 사실, 상태를 서술함을 나타내는 종결 어미.

**Тохирох Υг хэллэг байхгΥй байна**

одоогийн хэрэг явдал буюу Υнэн явлыг хΥΥрнэхийг илэрхийлдэг төгсгөх нөхцөл.

---

하지만 아들+은 <u>지치</u>+[ㄹ 줄] 모르+고 다시 십 분 후+에 이렇+게 말하+였+다.
　　　　　　　　지칠 줄　　　　　　　　　　　　　　　　　말했다

---

• **하지만 (Дайвар Υг)** : 내용이 서로 반대인 두 개의 문장을 이어 줄 때 쓰는 말.

**гэвч, харин**

агуулга нь эсрэг хоёр өгΥΥлбэрийг холбоход хэрэглэдэг Υг.

• **아들 (Нэр Υг)** : 남자인 자식.

**хΥΥ**

эрэгтэй хΥΥхэд.

• **은** : 문장 속에서 어떤 대상이 화제임을 나타내는 조사.

**Тохирох Υг хэллэг байхгΥй байна**

өгΥΥлбэрт ямар зΥйл ярианы сэдэв болж буйг илэрхийлдэг нөхцөл.

• **지치다 (Υйл Υг)** : 힘든 일을 하거나 어떤 일에 시달려서 힘이 없다.

**ядрах, сульдах, хΥч тэнхээгΥй болох**

хΥнд хэцΥΥ ажил хийх юм уу ямар нэг зΥйлд тΥΥртэн хΥчгΥй байх.

• **-ㄹ 줄** : 어떤 사실이나 상태에 대해 알고 있거나 모르고 있음을 나타내는 표현.

**Тохирох Υг хэллэг байхгΥй байна**

ямар нэгэн зΥйл буюу байдлыг илэрхийлдэг илэрхийлэл.

• **모르다 (Υйл Υг)** : 느끼지 않다.

**мэдэхгΥй**

мэдрэхгΥй байх.

• **-고** : 앞의 말이 나타내는 행동이나 그 결과가 뒤에 오는 행동이 일어나는 동안에 그대로 지속됨을 나타내는 연결 어미.

**Тохирох Υг хэллэг байхгΥй байна**

өмнөх Υгийн илэрхийлж буй Υйлдэл буюу тухайн Υр дΥн нь арын Υйлдэл бий болох хугацаанд тэр хэвээрээ Υргэлжлэх явдлыг илэрхийлдэг холбох нөхцөл.

• 다시 (Дайвар Үг) : 같은 말이나 행동을 반복해서 또.

**бас, дахин, дахиад**

ижил Үг ба Үйлдлийг давтан, дахин.


• 십 (Тодотгол Үг) : 열의.

**Тохирох Үг хэллэг байхгүй байна**

арван.


• 분 (Нэр Үг) : 한 시간의 60분의 1을 나타내는 시간의 단위.

**минут, агшин**

нэг цагийн жар хуваасны нэгийг илэрхийлэх цагийн нэгж.


• 후 (Нэр Үг) : 얼마만큼 시간이 지나간 다음.

**дараа, хойно**

нэлээд цаг хугацаа өнгөрсний дараа.


• 에 : 앞말이 시간이나 때임을 나타내는 조사.

**-д/-т**

өмнөх Үг цаг хугацаа болохыг илэрхийлж буй нөхцөл.


• 이렇다 (Тэмдэг нэр) : 상태, 모양, 성질 등이 이와 같다.

**иим, иймэрхүү**

байдал, төрх, шинж чанар зэрэг одоо үүнтэй адилхан байх.


• -게 : 앞의 말이 뒤에서 가리키는 일의 목적이나 결과, 방식, 정도 등이 됨을 나타내는 연결 어미.

**Тохирох Үг хэллэг байхгүй байна**

өмнөх агуулга ард нь зааж буй байдал, зорилго, Үр дүн, арга барил, хэмжээ зэрэг болохыг илэрхийлдэг холбох нөхцөл.


• 말하다 (Үйл Үг) : 어떤 사실이나 자신의 생각 또는 느낌을 말로 나타내다.

**ярих, өгүүлэх, хэлэх, өчих**

ямар нэгэн бодит зүйлийн талаар болон өөрийн бодол санаа, мэдрэмжийг үгээр илэрхийлэх.


• -였- : 어떤 사건이 과거에 완료되었거나 그 사건의 결과가 현재까지 지속되는 상황을 나타내는 어미.

**Тохирох Үг хэллэг байхгүй байна**

ямар нэгэн хэрэг явдал өнгөрсөн үед болж өнгөрсөн буюу тухайн үйлийн үр дүн өнөөг хүртэл үргэлжилж буй нөхцөл байдлыг илэрхийлдэг нөхцөл.


• -다 : 어떤 사건이나 사실, 상태를 서술함을 나타내는 종결 어미.

**Тохирох Үг хэллэг байхгүй байна**

одоогийн хэрэг явдал буюу үнэн явлыг хүүрнэхийг илэрхийлдэг төгсгөх нөхцөл.

---

**아들 : 아빠, 저 혼내+러 <u>오+시+[ㄹ 때]</u> 물 좀 갖다주+세요.**
**오실 때**

---

• **아빠 (Нэр Үг)** : 격식을 갖추지 않아도 되는 상황에서 아버지를 이르거나 부르는 말.

  **аав**

  ёс жаяг баримтлах шаардлаггүй нөхцөлд аавыгаа нэрлэх болон дуудах Үг.

• **저 (Төлөөний Үг)** : 말하는 사람이 듣는 사람에게 자신을 낮추어 가리키는 말.

  **би**

  сонсож буй хүнээ хүндэтгэн өөрийгөө доошлуулж хэлэх Үг.

• **혼내다 (Үйл Үг)** : 심하게 꾸지람을 하거나 벌을 주다.

  **аашилж загнах, хатуу зэмлэх, хатуу шийтгэх**

  хатуу зэмлэх буюу шийтгэх.

• **-러** : 가거나 오거나 하는 동작의 목적을 나타내는 연결 어미.

  **Тохирох Үг хэллэг байхгүй байна**

  явах буюу ирэх Үйлдлийн зорилгыг илэрхийлдэг холбох нөхцөл.

• **오다 (Үйл Үг)** : 무엇이 다른 곳에서 이곳으로 움직이다.

  **ирэх**

  ямар нэгэн зүйл нэг газраас наашаа хөдлөх.

• **-시-** : 어떤 동작이나 상태의 주체를 높이는 뜻을 나타내는 어미.

  **Тохирох Үг хэллэг байхгүй байна**

  ямар нэгэн Үйлдэл буюу байдлын эзэн биеийг хүндэтгэх утгыг илэрхийлдэг нөхцөл.

• **-ㄹ 때** : 어떤 행동이나 상황이 일어나는 동안이나 그 시기 또는 그러한 일이 일어난 경우를 나타내는
  표현.

  **Тохирох Үг хэллэг байхгүй байна**

  ямар нэгэн Үйл хөдлөл буюу нөхцөл байдал Үргэлжилсээр, тухайн Үйл хэрэг болсон
  тохиолдлыг илэрхийлнэ.

• **물 (Нэр Үг)** : 강, 호수, 바다, 지하수 등에 있으며 순수한 것은 빛깔, 냄새, 맛이 없고 투명한 액체.

  **ус**

  гол, нуур, далай тэнгис, газрын гүнд байдаг, цэвэрхэн Үедээ өнгө, Үнэр, амтгүй,
  тунгалаг шингэн зүйл.

• **좀 (Дайвар Үг)** : 주로 부탁이나 동의를 구할 때 부드러운 느낌을 주기 위해 넣는 말.

  **жаахан**

  ихэвчлэн гуйлт, зөвшөөрөл хүсэх Үед зөөлөн мэдрэмж төрүүлэх гэж хэрэглэдэг Үг.

· 갖다주다 (Үйл Үг) : 무엇을 가지고 와서 주다.

  **аваачиж өгөх**

  ямар нэгэн зүйлийг авч ирээд өгөх.


· -세요 : (두루높임으로) 설명, 의문, 명령, 요청의 뜻을 나타내는 종결 어미.

  **Тохирох Үг хэллэг байхгүй байна**

  (Хүндэтгэлийн энгийн Үг хэллэг) тайлбар, асуулт, тушаал, хүсэлтийн утгыг илэрхийлдэг төгсгөх нөхцөл.

# < 5 단원(бҮлэг хичээл) >

제목 : 이해가 안 가네요.

## ● 본문 (эх бичиг)

화창한 오후, 앞을 못 보는 시각 장애인이 자신을 안전하게 인도해 줄 개와 함께 지하철역으로 향하고

있었다.

그런데 한참 길을 걷다가 개가 한쪽 다리를 들더니 맹인의 바지에 오줌을 싸는 것이었다.

그러자 그 맹인이 갑자기 주머니에서 과자를 꺼내더니 개에게 주려고 했다.

이때 지나가던 행인이 그 광경을 지켜보다 맹인에게 한마디 했다.

행인 : 저기요, 선생님 잠깐만요.

맹인 : 무슨 일이시죠?

행인 : 아니, 방금 개가 당신 바지에 오줌을 쌌는데 왜 과자를 줍니까?

　　　저 같으면 개 머리를 한 대 때렸을 텐데 이해가 안 가네요.

맹인 : 개한테 과자를 줘야 머리가 어디 있는지 알 수 있잖아요.

# ● 발음 (дуудлага)

화창한 오후, 앞을 못 보는 시각 장애인이 자신을 안전하게 인도해 줄 개와 함께 지하철역으로 향하고
화창한 오후, 아플 몯 보는 시각 장애이니 자시늘 안전하게 인도해 줄 개와 함께 지하철려그로 향하고
hwachanghan ohu, apeul mot boneun sigak jangaeini jasineul anjeonhage indohae jul gaewa
hamkke jihacheollyeogeuro hyanghago

있었다.
이썯따.
isseotda.

그런데 한참 길을 걷다가 개가 한쪽 다리를 들더니 맹인의 바지에 오줌을 싸는 것이었다.
그런데 한참 기를 걷따가 개가 한쪽 다리를 들더니 맹인의 바지에 오주믈 싸는 거시엳따.
geureonde hancham gireul geotdaga gaega hanjjok darireul deuldeoni maenginui bajie ojumeul
ssaneun geosieotda.

그러자 그 맹인이 갑자기 주머니에서 과자를 꺼내더니 개에게 주려고 했다.
그러자 그 맹이니 갑짜기 주머니에서 과자를 꺼내더니 개에게 주려고 핻따.
geureoja geu maengini gapjagi jumeonieseo gwajareul kkeonaedeoni gaeege juryeogo haetda.

이때 지나가던 행인이 그 광경을 지켜보다 맹인에게 한마디 했다.
이때 지나가던 행이니 그 광경을 지켜보다 맹이네게 한마디 핻따.
ittae jinagadeon haengini geu gwanggyeongeul jikyeoboda maenginege hanmadi haetda.

**행인 : 저기요, 선생님 잠깐만요.**
행인 : 저기요, 선생님 잠깐마뇨.
haengin : jeogiyo, seonsaengnim jamkkanmanyo.

**맹인 : 무슨 일이시죠?**
맹인 : 무슨 이리시죠?
maengin : museun irisijyo?

**행인 : 아니, 방금 개가 당신 바지에 오줌을 쌌는데 왜 과자를 줍니까?**
행인 : 아니, 방금 개가 당신 바지에 오주믈 싼는데 왜 과자를 줍니까?
haengin : ani, banggeum gaega dangsin bajie ojumeul ssanneunde wae
gwajareul jumnikka?

저 같으면 개 머리를 한 대 때렸을 텐데 이해가 안 가네요.

저 가트면 개 머리를 한 대 때려쓸 텐데 이해가 안 가네요.

jeo gateumyeon gae meorireul han dae ttaeryeosseul tende ihaega an ganeyo.

**맹인 : 개한테 과자를 줘야 머리가 어디 있는지 알 수 있잖아요.**

맹인 : 개한테 과자를 줘야 머리가 어디 인는지 알 쑤 읻짜나요.

maengin : gaehante gwajareul jwoya meoriga eodi inneunji al su itjanayo.

# ● 어휘 (Үгс) / 문법 (хэлзүй)

화창하+ㄴ 오후, 앞+을 못 보+는 시각 장애인+이 자신+을 안전하+게 인도하+여 주+ㄹ 개+와 함께

지하철역+으로 향하+고 있+었+다.

그런데 한참 길+을 걷+다가 개+가 한쪽 다리+를 들+더니 맹인+의 바지+에 오줌+을 싸+는 것+이+었+다.

그리하+자 그 맹인+이 갑자기 주머니+에서 과자+를 꺼내+더니 개+에게 주+려고 하+였+다.

이때 지나가+던 행인+이 그 광경+을 지켜보+다 맹인+에게 한마디 하+였+다.

**행인** : 저기, 선생님 잠깐+만+요.

**맹인** : 무슨 일+이+시+죠?

**행인** : 아니, 방금 개+가 선생님 바지+에 오줌+을 싸+았+는데 왜 과자+를 주+ㅂ니까?

　　　　저 같+으면 개 머리+를 한 대 때리+었+을 텐데 이해+가 안 가+네요.

**맹인** : 개+한테 과자+를 주+어야 머리+가 어디 있+는지 알(아)+ㄹ 수 있+잖아요.

---

화창하+ㄴ 오후, 앞+을 못 보+는 시각 장애인+이 자신+을 안전하+게 <u>인도하+[여 주]</u>+ㄹ 개+와 함께
　　**화창한**　　　　　　　　　　　　　　　　　　　　　　　**인도해 줄**

지하철역+으로 향하+[고 있]+었+다.

---

- **화창하다 (Тэмдэг нэр)** : 날씨가 맑고 따뜻하며 바람이 부드럽다.
  **нарлаг, тунгалаг**
  цаг агаар нарлаг сайхан зөөлөн салхитай байх.

- **-ㄴ** : 앞의 말이 관형어의 기능을 하게 만들고 현재의 상태를 나타내는 어미.
  **Тохирох Yг хэллэг байхгYй байна**
  өмнөх Yгийг тодотгол гишYYний YYрэгтэй болгож, одоогийн байдлыг илэрхийлдэг
  нөхцөл.

- **오후 (Нэр Yг)** : 정오부터 해가 질 때까지의 동안.
  **Yдээш хойш**
  Yд дундаас нар жаргах хYртлэх хугацаа.

- **앞 (Нэр Yг)** : 향하고 있는 쪽이나 곳.
  **өмнө**
  чиглэж буй зYг ба газар.

- **을** : 동작이 직접적으로 영향을 미치는 대상을 나타내는 조사.
  **-ыг/-ийг/-г**
  Yйл хөдлөл шууд нөлөөлж буй тусагдахууныг илэрхийлэх нөхцөл.

- **못 (Дайвар Yг)** : 동사가 나타내는 동작을 할 수 없게.
  **-гYй байх**
  Yйл Yг илэрхийлж буй хөдөлгөөнийг хийж чадахгYй байх.

- **보다 (Yйл Yг)** : 눈으로 대상의 존재나 겉모습을 알다.
  **Yзэх, харах**
  нYдээрээ ямар нэг зYйлийн оршин байгааг нь болон гадаад төрхийг нь харж мэдэх.

- **-는** : 앞의 말이 관형어의 기능을 하게 만들고 사건이나 동작이 현재 일어남을 나타내는 어미.
  **Тохирох Yг хэллэг байхгYй байна**
  өмнөх Yгийг тодотгол гишYYний YYрэгтэй болгож, хэрэг явдал буюу Yйлдэл нь одоо
  өрнөж байгааг илэрхийлдэг нөхцөл.

• **시각 장애인 (Нэр Үг)** : 눈이 멀어서 앞을 보지 못하는 사람.

**харааны бэрхшээлтэй хҮн**

нҮд нь юм харахгҮй хҮн.

**시각 (Нэр Үг)** : 물체의 모양이나 움직임, 빛깔 등을 보는 눈의 감각.

**хараа**

биетийн хэлбэр дҮрс, хөдөлгөөн, өнгө зэргийг харах нҮдний мэдрэмж.

**장애인 (Нэр Үг)** : 몸에 장애가 있거나 정신적으로 부족한 점이 있어 일상생활이나 사회생활이 어려운 사람.

**хөгжлийн бэрхшээлтэй хҮн, тахир дутуу хҮн**

бие болон оюун ухааны чадвар нь доройтол бҮхий тул өдөр тутмын амьдрал, нийгмийн амьдралд оролцоход бэрхшээлтэй хҮн.

• **이** : 어떤 상태나 상황의 대상이나 동작의 주체를 나타내는 조사.

**Тохирох Үг хэллэг байхгҮй байна**

ямар нэгэн төлөв, байдлын субьект, мөн Үйл хөдлөлийн эзэн болохыг илэрхийлэх нөхцөл.

• **자신 (Нэр Үг)** : 바로 그 사람.

**өөрөө**

яг тэр хҮн.

• **을** : 동작이 간접적인 영향을 미치는 대상이나 목적임을 나타내는 조사.

**-д/-т**

Үйл хөдлөл шууд бусаар нөлөөлж буй тусагдахуун болон зорилго илэрхийлэх нөхцөл.

• **안전하다 (Тэмдэг нэр)** : 위험이 생기거나 사고가 날 염려가 없다.

**аюулгҮй байх, бат найдвартай байх**

аюул учрахгҮй буюу осол гарах зовлонгҮй байх.

• **-게** : 앞의 말이 뒤에서 가리키는 일의 목적이나 결과, 방식, 정도 등이 됨을 나타내는 연결 어미.

**Тохирох Үг хэллэг байхгҮй байна**

өмнөх агуулга ард нь зааж буй байдал, зорилго, Үр дҮн, арга барил, хэмжээ зэрэг болохыг илэрхийлдэг холбох нөхцөл.

• **인도하다 (Үйл Үг)** : 길이나 장소를 안내하다.

**хөтөчлөх, газарчлах**

зам, газар байршилыг заан тайлбарлах.

• **-여 주다** : 남을 위해 앞의 말이 나타내는 행동을 함을 나타내는 표현.

**Тохирох Үг хэллэг байхгҮй байна**

бусдад зориулж өмнөх Үгийн илэрхийлж буй Үйлдлийг хийх явдлыг илэрхийлдэг Үг хэллэг.

• -ㄹ : 앞의 말이 관형어의 기능을 하게 만들고 추측, 예정, 의지, 가능성 등을 나타내는 어미.

**Тохирох Үг хэллэг байхгүй байна**

өмнөх Үгийг тодотгол гишүүний Үүрэгтэй болгон хувиргаж таамаглал, урьдчилсан төлөвлөлт, найдлага, боломж зэргийг илэрхийлдэг нөхцөл.

• **개 (Нэр Үг)** : 냄새를 잘 맡고 귀가 매우 밝으며 영리하고 사람을 잘 따라 사냥이나 애완 등의 목적으로 기르는 동물.

**нохой**

Үнэрч, сонор соргог чихтэй, ухаантай сэргэлэн, хүний Үгэнд сайн ордог тул ан ав болон гэрт тэжээх зорилгоор өсгөдөг амьтан.

• **와** : 어떤 일을 함께 하는 대상임을 나타내는 조사.

**-тай (-тэй, -той) хамт**

ямар нэгэн Үйлийг хамт хийж буй объектыг илэрхийлж буй нөхцөл.

• **함께 (Дайвар Үг)** : 여럿이서 한꺼번에 같이.

**хамт**

олуулаа нэгэн зэрэг хамт.

• **지하철역 (Нэр Үг)** : 지하철을 타고 내리는 곳.

**метроны буудал**

метронд сууж, буудаг газар.

• **으로** : 움직임의 방향을 나타내는 조사.

**-руу/-рүү**

хөдөлгөөний зүг чигийг илэрхийлдэг нөхцөл.

• **향하다 (Үйл Үг)** : 어떤 목적이나 목표로 나아가다.

**чиглэх, хандах**

ямар нэгэн зорилт буюу зорилго болгох.

• -고 있다 : 앞의 말이 나타내는 행동이 계속 진행됨을 나타내는 표현.

**Тохирох Үг хэллэг байхгүй байна**

өмнөх Үгийн илэрхийлж буй Үйлдэл Үргэлжилж буйг илэрхийлдэг Үг хэллэг.

• -었- : 사건이 과거에 일어났음을 나타내는 어미.

**Тохирох Үг хэллэг байхгүй байна**

Үйл явдал өнгөрсөн Үед болсныг илэрхийлдэг төгсгөх нөхцөл.

• -다 : 어떤 사건이나 사실, 상태를 서술함을 나타내는 종결 어미.

**Тохирох Үг хэллэг байхгүй байна**

(Огт хүндэтгэлгүй Үг хэллэг) одоогийн хэрэг явдал буюу Үнэн явлыг хүүрнэхийг илэрхийлдэг төгсгөх нөхцөл.

> 그런데 한참 길+을 걷+다가 개+가 한쪽 다리+를 들+더니 맹인+의 바지+에 오줌+을
>
> 싸+[는 것]+이+었+다.

- **그런데 (Дайвар Үг)** : 이야기를 앞의 내용과 관련시키면서 다른 방향으로 바꿀 때 쓰는 말.
  **гэхдээ**
  яриаг өмнөх агуулгатай холбонгоо өөр тийш нь хандуулахад хэрэглэдэг Үг.

- **한참 (Нэр Үг)** : 시간이 꽤 지나는 동안.
  **нэлээд удаан хугацаа**
  цаг хугацаа нэлээд өнгөрөх хооронд.

- **길 (Нэр Үг)** : 사람이나 차 등이 지나다닐 수 있게 땅 위에 일정한 너비로 길게 이어져 있는 공간.
  **зам**
  хҮн, машин зэрэг өнгөрөн явж болохоор газар дээр тодорхой өргөн, уртаар Үргэлжилсэн орон зай.

- **을** : 동작이 직접적으로 영향을 미치는 대상을 나타내는 조사.
  **-ыг/-ийг/-г**
  Үйл хөдлөл шууд нөлөөлж буй тусагдахууныг илэрхийлэх нөхцөл.

- **걷다 (Үйл Үг)** : 바닥에서 발을 번갈아 떼어 옮기면서 움직여 위치를 옮기다.
  **алхах, алхаж явах**
  шалан дээр хөлөө ээлжлэн зөөж байрлалаа өөрчлөх.

- **-다가** : 어떤 행동이나 상태 등이 중단되고 다른 행동이나 상태로 바뀜을 나타내는 연결 어미.
  **Тохирох Үг хэллэг байхгҮй байна**
  ямар нэгэн Үйлдэл буюу байдал зэрэг зогсон, өөр Үйлдэл, байдлаар өөрчлөгдөж байгааг илэрхийлдэг холбох нөхцөл.

- **개 (Нэр Үг)** : 냄새를 잘 맡고 귀가 매우 밝으며 영리하고 사람을 잘 따라 사냥이나 애완 등의 목적으로 기르는 동물.
  **нохой**
  Үнэрч, сонор соргог чихтэй, ухаантай сэргэлэн, хҮний Үгэнд сайн ордог тул ан ав болон гэрт тэжээх зорилгоор өсгөдөг амьтан.

- **가** : 어떤 상태나 상황에 놓인 대상이나 동작의 주체를 나타내는 조사.
  **Тохирох Үг хэллэг байхгҮй байна**
  ямар нэгэн төлөв, байдлын субьект, мөн Үйл хөдлөлийн эзэн болохыг илэрхийлэх нөхцөл.

- **한쪽 (Нэр Үг)** : 어느 한 부분이나 방향.
  **нэг тал**
  аль нэг хэсэг болон чиглэл.

- **다리 (Нэр Үг)** : 사람이나 동물의 몸통 아래에 붙어, 서고 걷고 뛰는 일을 하는 신체 부위.

  **хөл**

  хүн ба амьтны эх биеийн доод хэсэгт залгаатай, зогсох, алхах, гүйх үүрэг гүйцэтгэдэг биеийн эрхтэн.

- **를** : 동작이 직접적으로 영향을 미치는 대상을 나타내는 조사.

  **-ыг/-ийг/-г**

  Үйл хөдлөл шууд нөлөөлж буй тусагдахууныг илэрхийлэх нөхцөл.

- **들다 (Үйл Үг)** : 아래에 있는 것을 위로 올리다.

  **өргөх, дээшлүүлэх, өгсөөх**

  доор байсан зүйлийг дээш өгсөөх.

- **-더니** : 과거의 사실이나 상황에 뒤이어 어떤 사실이나 상황이 일어남을 나타내는 연결 어미.

  **Тохирох Үг хэллэг байхгүй байна**

  өнгөрсөн зүйл буюу нөхцөл байдлыг залгаад ямар нэгэн зүйл буюу нөхцөл байдал үүсэх явдлыг илэрхийлдэг холбох нөхцөл.

- **맹인 (Нэр Үг)** : 눈이 먼 사람.

  **хараагүй хүн, хараагүйчүүд**

  сохор хүн.

- **의** : 앞의 말이 뒤의 말에 대하여 소유, 소속, 소재, 관계, 기원, 주체의 관계를 가짐을 나타내는 조사.

  **-н/-ийн/-ын/-ий/-ы**

  өмнөх үг хойдох үгтэй эзэмшил, харьяа, хэрэглэгдэхүүн, сэдвийн хамааралтай болохыг илэрхийлсэн нөхцөл.

- **바지 (Нэр Үг)** : 위는 통으로 되고 아래는 두 다리를 넣을 수 있게 갈라진, 몸의 아랫부분에 입는 옷.

  **өмд**

  дээгүүрээ нэг цул, доод тал нь хоёр хөл хийж болохоор салаалсан, биеийн доод хэсэгт өмсдөг хувцас.

- **에** : 앞말이 어떤 행위나 작용이 미치는 대상임을 나타내는 조사.

  **-д/-т**

  өмнөх үг ямар нэгэн үйлдэл буюу үйлчлэлийн тусагдахуун болохыг илэрхийлж буй нөхцөл.

- **오줌 (Нэр Үг)** : 혈액 속의 노폐물과 수분이 요도를 통하여 몸 밖으로 배출되는, 누렇고 지린내가 나는 액체.

  **шээс**

  цусан доторх бохир буюу чийг шээсний сувгаар дамжин биеийн гадагш ялгардаг бөгөөд тэрхүү ялгадас болох шар өнгөтэй, шивтэр үнэртэй шингэн бодис.

• 을 : 동작이 직접적으로 영향을 미치는 대상을 나타내는 조사.

-ыг/-ийг/-г

Үйл хөдлөл шууд нөлөөлж буй тусагдахууныг илэрхийлэх нөхцөл.

• **싸다 (Үйл Үг)** : 똥이나 오줌을 누다.

гаргах, шээх, баах

тэвчиж чадалгүй өтгөн, шингэнээ хаа хамаагүй гаргах.

• -는 것 : 명사가 아닌 것을 문장에서 명사처럼 쓰이게 하거나 '이다' 앞에 쓰일 수 있게 할 때 쓰는 표현.

**Тохирох Үг хэллэг байхгүй байна**

өгүүлбэрт нэр үгийн үүргээр орж өгүүлэгдэхүүн буюу тусагдахуун гишүүний үүрэг гүйцэтгэх буюу '이다'-н өмнө ирэх боломжтой болгодог үг хэллэг.

• 이다 : 주어가 지시하는 대상의 속성이나 부류를 지정하는 뜻을 나타내는 서술격 조사.

**Тохирох Үг хэллэг байхгүй байна**

эзэн биеийн зааж буй обьектын шинж чанар, төрөл зүйлийг тодорхойлох утгыг илэрхийлэх өгүүлэхүүний тийн ялгалын нөхцөл.

• -었- : 사건이 과거에 일어났음을 나타내는 어미.

**Тохирох Үг хэллэг байхгүй байна**

Үйл явдал өнгөрсөн үед болсныг илэрхийлдэг төгсгөх нөхцөл.

• -다 : 어떤 사건이나 사실, 상태를 서술함을 나타내는 종결 어미.

**Тохирох Үг хэллэг байхгүй байна**

(Огт хүндэтгэлгүй үг хэллэг) одоогийн хэрэг явдал буюу үнэн явлыг хүүрнэхийг илэрхийлдэг төгсгөх нөхцөл.

---

| 그리하+자 그 맹인+이 갑자기 주머니+에서 과자+를 꺼내+더니 개+에게 <u>주+[려고 하]+였+다</u>. |
|---|
| 그러자                                                      주려고 했다 |

---

• **그리하다 (Үйл Үг)** : 앞에서 일어난 일이나 말한 것과 같이 그렇게 하다.

тэгж, тэгэх, тийнхүү

өмнө нь ярьж хэлсэнтэй адилаар.

• -자 : 앞의 말이 나타내는 동작이 끝난 뒤 곧 뒤의 말이 나타내는 동작이 잇따라 일어남을 나타내는 연결 어미.

**Тохирох Үг хэллэг байхгүй байна**

өмнөх үйлдэл дуусмагц дараагийн үйлдэл үргэлжлэн болохыг илэрхийлж буй холбох нөхцөл.

• 그 (Тодотгол Үг) : 앞에서 이미 이야기한 대상을 가리킬 때 쓰는 말.

тэр, нөгөө

өмнө нь ярьж дурдсан зүйлийг заах үед хэрэглэдэг үг.


• 맹인 (Нэр Үг) : 눈이 먼 사람.

хараагүй хүн, хараагүйчүүд

сохор хүн.


• 이 : 어떤 상태나 상황의 대상이나 동작의 주체를 나타내는 조사.

Тохирох үг хэллэг байхгүй байна

ямар нэгэн төлөв, байдлын субьект, мөн үйл хөдлөлийн эзэн болохыг илэрхийлэх нөхцөл.


• 갑자기 (Дайвар Үг) : 미처 생각할 틈도 없이 빨리.

гэнэт

бодох ч сэхээгүй түргэн.


• 주머니 (Нэр Үг) : 옷에 천 등을 덧대어 돈이나 물건 등을 넣을 수 있도록 만든 부분.

халаас

хувцсанд даавуу зэргээр хавсран оёж, мөнгө болон эд зүйлийг хийх зориулалтаар хийсэн хэсэг.


• 에서 : 앞말이 어떤 일의 출처임을 나타내는 조사.

-аас(-ээс, -оос, -өөс)

өмнөх үг нь ямар нэгэн зүйлийн эх үүсвэр болохыг илэрхийлдэг нөхцөл.


• 과자 (Нэр Үг) : 밀가루나 쌀가루 등에 우유, 설탕 등을 넣고 반죽하여 굽거나 튀긴 간식.

жигнэмэг, боов

улаан буудайн буюу тутарганы гурил зэргийг сүү, элсэн чихэр зэрэгтэй хольж зуурч жигнэх буюу хайрсан идээний зүйл.


• 를 : 동작이 직접적으로 영향을 미치는 대상을 나타내는 조사.

-ыг/-ийг/-г

үйл хөдлөл шууд нөлөөлж буй тусагдахууныг илэрхийлэх нөхцөл.


• 꺼내다 (Үйл Үг) : 안에 있는 물건을 밖으로 나오게 하다.

гаргах, гаргаж ирэх

дотор буй зүйлийг гадагш гаргах.


• -더니 : 과거의 사실이나 상황에 뒤이어 어떤 사실이나 상황이 일어남을 나타내는 연결 어미.

Тохирох үг хэллэг байхгүй байна

өнгөрсөн зүйл буюу нөхцөл байдлыг залгаад ямар нэгэн зүйл буюу нөхцөл байдал үүсэх явдлыг илэрхийлдэг холбох нөхцөл.

- **개 (Нэр Үг)** : 냄새를 잘 맡고 귀가 매우 밝으며 영리하고 사람을 잘 따라 사냥이나 애완 등의 목적으로 기르는 동물.

  нохой

  Үнэрч, сонор соргог чихтэй, ухаантай сэргэлэн, хүний үгэнд сайн ордог тул ан ав болон гэрт тэжээх зорилгоор өсгөдөг амьтан.

- **에게** : 어떤 행동이 미치는 대상임을 나타내는 조사.

  -д, -т

  ямар нэгэн үйлдлийн нөлөөг авч буй зүйлийг илэрхийлдэг нөхцөл.

- **주다 (Үйл Үг)** : 물건 등을 남에게 건네어 가지거나 쓰게 하다.

  өгөх

  эд юм зэргийг бусдад дамжуулан өгөх ба хэрэглүүлэх.

- **-려고 하다** : 앞의 말이 나타내는 일이 곧 일어날 것 같거나 시작될 것임을 나타내는 표현.

  Тохирох Үг хэллэг байхгүй байна

  өмнөх үгийн илэрхийлж буй явдал удахгүй өрнөх гэж байгаа юм шиг буюу эхлэх гэж буйг илэрхийлдэг үг хэллэг.

- **-였-** : 사건이 과거에 일어났음을 나타내는 어미.

  Тохирох Үг хэллэг байхгүй байна

  Үйл явдал өнгөрсөн үед болсныг илэрхийлдэг төгсгөх нөхцөл.

- **-다** : 어떤 사건이나 사실, 상태를 서술함을 나타내는 종결 어미.

  Тохирох Үг хэллэг байхгүй байна

  (Огт хүндэтгэлгүй үг хэллэг) одоогийн хэрэг явдал буюу үнэн явлыг хүүрнэхийг илэрхийлдэг төгсгөх нөхцөл.

---

이때 지나가+던 행인+이 그 광경+을 지켜보+다 맹인+에게 한마디 <u>하+였+다</u>.
                                                              **했다**

---

- **이때 (Нэр Үг)** : 바로 지금. 또는 바로 앞에서 이야기한 때.

  энэ үе, өнөө үе

  яг одоо. яг өмнө нь ярьсан үе.

- **지나가다 (Үйл Үг)** : 어떤 대상의 주위를 지나쳐 가다.

  өнгөрөх

  ямар нэгэн объектийн ойр орчмоор өнгөрөн явах.

• -던 : 앞의 말이 관형어의 기능을 하게 만들고 사건이나 동작이 과거에 완료되지 않고 중단되었음을 나
　　　타내는 어미.
　**Тохирох Үг хэллэг байхгүй байна**
　өмнөх үгийг тодотгол гишүүний үүрэгтэй болгож, хэрэг явдал буюу үйлдэл өнгөрсөн
　үед дуусаагүй түр завсарласан болохыг илэрхийлдэг нөхцөл.

• 행인 (Нэр Үг) : 길을 가는 사람.
　**аян замын хүн, замын хүн**
　замаар явж буй хүн.

• 이 : 어떤 상태나 상황의 대상이나 동작의 주체를 나타내는 조사.
　**Тохирох Үг хэллэг байхгүй байна**
　ямар нэгэн төлөв, байдлын субьект, мөн үйл хөдлөлийн эзэн болохыг илэрхийлэх
　нөхцөл.

• 그 (Тодотгол Үг) : 앞에서 이미 이야기한 대상을 가리킬 때 쓰는 말.
　**тэр, нөгөө**
　өмнө нь ярьж дурдсан зүйлийг заах үед хэрэглэдэг үг.

• 광경 (Нэр Үг) : 어떤 일이나 현상이 벌어지는 장면 또는 모양.
　**Үзэгдэл, харагдац, байдал**
　ямар нэгэн үзэгдэл өрнөж буй дүр зураг буюу хэлбэр.

• 을 : 동작이 직접적으로 영향을 미치는 대상을 나타내는 조사.
　**-ыг/-ийг/-г**
　үйл хөдлөл шууд нөлөөлж буй тусагдахууныг илэрхийлэх нөхцөл.

• 지켜보다 (Үйл Үг) : 사물이나 모습 등을 주의를 기울여 보다.
　**ажиглах**
　эд юмс болон төрх байдал зэргийг анхаарал тавьж харах.

• -다 : 어떤 행동이 진행되는 중에 다른 행동이 나타남을 나타내는 연결 어미.
　**Тохирох Үг хэллэг байхгүй байна**
　ямар нэгэн үйл хөдлөл үргэлжлэн өрнөх явцад өөр үйл хөдлөл илэрч гарч ирж
　байгаа илэрхийлэх холбох нөхцөл.

• 맹인 (Нэр Үг) : 눈이 먼 사람.
　**хараагүй хүн, хараагүйчүүд**
　сохор хүн.

• 에게 : 어떤 행동이 미치는 대상임을 나타내는 조사.
　**-д, -т**
　ямар нэгэн үйлдлийн нөлөө авч буй зүйлийг илэрхийлдэг нөхцөл.

- **한마디 (Нэр Үг)** : 짧고 간단한 말.
  ганц Үг, нэг Үг
  товч богино Үг.

- **하다 (Үйл Үг)** : 어떤 행동이나 동작, 활동 등을 행하다.
  Үйлдэх, хийх, гҮйцэтгэх
  аливаа Үйл хөдлөл, хөдөлгөөн, ажиллагаа зэргийг гҮйцэтгэх.

- **-였-** : 사건이 과거에 일어났음을 나타내는 어미.
  Тохирох Үг хэллэг байхгҮй байна
  Үйл явдал өнгөрсөн Үед болсныг илэрхийлдэг төгсгөх нөхцөл.

- **-다** : 어떤 사건이나 사실, 상태를 서술함을 나타내는 종결 어미.
  Тохирох Үг хэллэг байхгҮй байна
  (Огт хҮндэтгэлгҮй Үг хэллэг) одоогийн хэрэг явдал буюу Үнэн явлыг хҮҮрнэхийг илэрхийлдэг төгсгөх нөхцөл.

---

**행인 : 저기, 선생님 잠깐+만+요.**

---

- **저기 (Аялга Үг)** : 말을 꺼내기 어색하고 편하지 않을 때에 쓰는 말.
  тэр, нөгөө
  цухуйлгахад эвгҮй Үгийг хэлэхэд хэрэглэдэг Үг.

- **선생님 (Нэр Үг)** : (높이는 말로) 나이가 어지간히 든 사람을 대접하여 이르는 말.
  настан, гуай
  (ХҮндэтгэх Үг) нас сҮҮдэр бҮхий хҮнийг хҮндэтгэн нэрлэх Үг.

- **잠깐 (Нэр Үг)** : 아주 짧은 시간 동안.
  тҮр, тҮр зуур, агшин зуур.
  маш богино хугацааны турш.

- **만** : 무엇을 강조하는 뜻을 나타내는 조사.
  л
  ямар нэгэн зҮйлийг чухалчилсан утгыг илэрхийлж буй нөхцөл.

- **요** : 높임의 대상인 상대방에게 존대의 뜻을 나타내는 조사.
  Тохирох Үг хэллэг байхгҮй байна
  эсрэг хҮнээ хҮндэтгэж буй утгыг илэрхийлдэг нөхцөл.

---

**맹인 : 무슨 일+이+시+죠?**

• 무슨 (Тодотгол Үг) : 확실하지 않거나 잘 모르는 일, 대상, 물건 등을 물을 때 쓰는 말.

**ямар**

баттай биш буюу сайн мэдэхгүй юм, ажил хэрэг, эд зүйл зэргийг асуухад хэрэглэдэг үг.

• 일 (Нэр Үг) : 해결하거나 처리해야 할 문제나 사항.

**ажил**

учрыг нь олох буюу цэгцлэх ёстой асуудал, нөхцөл.

• 이다 : 주어가 지시하는 대상의 속성이나 부류를 지정하는 뜻을 나타내는 서술격 조사.

**Тохирох Үг хэллэг байхгүй байна**

эзэн биеийн зааж буй обьектын шинж чанар, төрөл зүйлийг тодорхойлох утгыг илэрхийлэх өгүүлэхүүний тийн ялгалын нөхцөл.

• -시- : 어떤 동작이나 상태의 주체를 높이는 뜻을 나타내는 어미.

**Тохирох Үг хэллэг байхгүй байна**

ямар нэгэн үйлдэл буюу байдлын эзэн биеийг хүндэтгэх утгыг илэрхийлдэг нөхцөл.

• -죠 : (두루높임으로) 말하는 사람이 듣는 사람에게 친근함을 나타내며 물을 때 쓰는 종결 어미.

**Тохирох Үг хэллэг байхгүй байна**

(Хүндэтгэлийн энгийн үг хэллэг) өгүүлэгч этгээд сонсогч этгээдээс найрсгаар хандан асуухад хэрэглэдэг төгсгөх нөхцөл.

---

> 행인 : 아니, 방금 개+가 선생님 바지+에 오줌+을 <u>싸+았</u>+는데 왜 과자+를 <u>주</u>+ㅂ니까?
>                                                싸는데                      줍니까

• 아니 (Аялга Үг) : 놀라거나 감탄스러울 때, 또는 의심스럽고 이상할 때 하는 말.

**Үгүй**

гайхах болон бишрэн үед, мөн эргэлзээ төрүүлэм хачин үед хэлэх үг.

• 방금 (Дайвар Үг) : 말하고 있는 시점보다 바로 조금 전에.

**дөнгөж сая, саяхан**

ярьж буй цаг мөчийн яг өмнөх үе.

• 개 (Нэр Үг) : 냄새를 잘 맡고 귀가 매우 밝으며 영리하고 사람을 잘 따라 사냥이나 애완 등의 목적으로 기르는 동물.

**нохой**

үнэрч, сонор соргог чихтэй, ухаантай сэргэлэн, хүний үгэнд сайн ордог тул ан ав болон гэрт тэжээх зорилгоор өсгөдөг амьтан.

• 가 : 어떤 상태나 상황에 놓인 대상이나 동작의 주체를 나타내는 조사.

**Тохирох Үг хэллэг байхгүй байна**

ямар нэгэн төлөв, байдлын субьект, мөн Үйл хөдлөлийн эзэн болохыг илэрхийлэх нөхцөл.

• 선생님 (Нэр Үг) : (높이는 말로) 나이가 어지간히 든 사람을 대접하여 이르는 말.

**настан, гуай**

(Хүндэтгэх Үг) нас сүүдэр бүхий хүнийг хүндэтгэн нэрлэх Үг.

• 바지 (Нэр Үг) : 위는 통으로 되고 아래는 두 다리를 넣을 수 있게 갈라진, 몸의 아랫부분에 입는 옷.

**өмд**

дээгүүрээ нэг цул, доод тал нь хоёр хөл хийж болохоор салаалсан, биеийн доод хэсэгт өмсдөг хувцас.

• 에 : 앞말이 어떤 행위나 작용이 미치는 대상임을 나타내는 조사.

**-д/-т**

өмнөх Үг ямар нэгэн Үйлдэл буюу Үйлчлэлийн тусагдахуун болохыг илэрхийлж буй нөхцөл.

• 오줌 (Нэр Үг) : 혈액 속의 노폐물과 수분이 요도를 통하여 몸 밖으로 배출되는, 누렇고 지린내가 나는 액체.

**шээс**

цусан доторх бохир буюу чийг шээсний сувгаар дамжин биеийн гадагш ялгардаг бөгөөд тэрхүү ялгадас болох шар өнгөтэй, шивтэр үнэртэй шингэн бодис.

• 을 : 동작이 직접적으로 영향을 미치는 대상을 나타내는 조사.

**-ыг/-ийг/-г**

Үйл хөдлөл шууд нөлөөлж буй тусагдахууныг илэрхийлэх нөхцөл.

• 싸다 (Үйл Үг) : 똥이나 오줌을 누다.

**гаргах, шээх, баах**

тэвчиж чадалгүй өтгөн, шингэнээ хаа хамаагүй гаргах.

• -았- : 어떤 사건이 과거에 완료되었거나 그 사건의 결과가 현재까지 지속되는 상황을 나타내는 어미.

**Тохирох Үг хэллэг байхгүй байна**

ямар нэгэн Үйл явдал өнгөрсөн цагт болж дууссан буюу тухайн Үйл явдлын Үр дүн өнөөг хүртэл Үргэлжилж буй байдлыг илэрхийлдэг нөхцөл.

• -는데 : 뒤의 말을 하기 위하여 그 대상과 관련이 있는 상황을 미리 말함을 나타내는 연결 어미.

**Тохирох Үг хэллэг байхгүй байна**

арын агуулгыг ярихын тулд тухайн зүйлтэй холбоотой нөхцөл байдлыг урьдчилан хэлж буйг илэрхийлдэг холбох нөхцөл.

- 왜 (Дайвар Үг) : 무슨 이유로. 또는 어째서.

  **яагаад, ямар учраас**

  ямар шалтгаанаар. мөн яагаад.

- 과자 (Нэр Үг) : 밀가루나 쌀가루 등에 우유, 설탕 등을 넣고 반죽하여 굽거나 튀긴 간식.

  **жигнэмэг, боов**

  улаан буудайн буюу тутарганы гурил зэргийг сҮҮ, элсэн чихэр зэрэгтэй хольж зуурч жигнэх буюу хайрсан идээний зҮйл.

- 를 : 동작이 직접적으로 영향을 미치는 대상을 나타내는 조사.

  **-ыг/-ийг/-г**

  Үйл хөдлөл шууд нөлөөлж буй тусагдахууныг илэрхийлэх нөхцөл.

- 주다 (Үйл Үг) : 물건 등을 남에게 건네어 가지거나 쓰게 하다.

  **өгөх**

  эд юм зэргийг бусдад дамжуулан өгөх ба хэрэглҮҮлэх.

- -ㅂ니까 : (아주높임으로) 말하는 사람이 듣는 사람에게 정중하게 물음을 나타내는 종결 어미.

  **Тохирох Үг хэллэг байхгҮй байна**

  (Дээдлэн хҮндэтгэх Үг хэллэг) өгҮҮлэгч хҮн сонсогч хҮнээс ёсорхог байдлаар асуух явдлыг илэрхийлдэг төгсгөх нөхцөл.

---

> **행인 : 저 같+으면 개 머리+를 한 대 때리+었+[을 텐데] 이해+가 안 가+네요.**
> **때렸을 텐데**

---

- 저 (Төлөөний Үг) : 말하는 사람이 듣는 사람에게 자신을 낮추어 가리키는 말.

  **би**

  сонсож буй хҮнээ хҮндэтгэн өөрийгөө доошлуулж хэлэх Үг.

- 같다 (Тэмдэг нэр) : '어떤 상황이나 조건이라면'의 뜻을 나타내는 말.

  **ийм адил байвал**

  'ямар нэг нөхцөл байдал буюу болзолтой бол' гэсэн утгыг илэрхийлэх Үг.

- -으면 : 뒤에 오는 말에 대한 근거나 조건이 됨을 나타내는 연결 어미.

  **Тохирох Үг хэллэг байхгҮй байна**

  хойдох агуулгын нөхцөл болзол болохыг илэрхийлдэг холбох нөхцөл.

- 개 (Нэр Үг) : 냄새를 잘 맡고 귀가 매우 밝으며 영리하고 사람을 잘 따라 사냥이나 애완 등의 목적으로 기르는 동물.

  **нохой**

  Үнэрч, сонор соргог чихтэй, ухаантай сэргэлэн, хҮний Үгэнд сайн ордог тул ан ав болон гэрт тэжээх зорилгоор өсгөдөг амьтан.

• **머리 (Нэр Үг)** : 사람이나 동물의 몸에서 얼굴과 머리털이 있는 부분을 모두 포함한 목 위의 부분.

толгой, гавал

хүн амьтны биеийн нүүр, үс байх хэсгийг бүхэлд нь багтаасан хүзүүний дээд хэсэг.

• **를** : 동작이 직접적으로 영향을 미치는 대상을 나타내는 조사.

-ыг/-ийг/-г

үйл хөдлөл шууд нөлөөлж буй тусагдахууныг илэрхийлэх нөхцөл.

• **한 (Тодотгол Үг)** : 하나의.

нэг

нэгэн.

• **대 (Нэр Үг)** : 때리는 횟수를 세는 단위.

удаа

цохих удааг тоолох нэгж.

• **때리다 (Үйл Үг)** : 손이나 손에 든 물건으로 아프게 치다.

цохих, нүдэх, алгадах

гар болон гартаа барьсан зүйлээр өвдтөл цохих.

• **-었-** : 사건이 과거에 일어났음을 나타내는 어미.

Тохирох Үг хэллэг байхгүй байна

үйл явдал өнгөрсөн үед болсныг илэрхийлдэг төгсгөх нөхцөл.

• **-을 텐데** : 앞에 오는 말에 대하여 말하는 사람의 강한 추측을 나타내면서 그와 관련되는 내용을 이어
        말할 때 쓰는 표현.

Тохирох Үг хэллэг байхгүй байна

ямар нэг зүйлийн талаарх ярьж буй хүний таамгийг илэрхийлэнгээ түүнтэй холбоотой
утгыг дэвшүүлэхэд хэрэглэдэг илэрхийлэл.

• **이해 (нэр Үг)** : 무엇이 어떤 것인지를 앎. 또는 무엇이 어떤 것이라고 받아들임.

ойлголт, ухаарал

ямар нэгэн зүйлийг ухаарч мэдэх явдал. мөн хүлээн авах явдал.

• **가** : 어떤 상태나 상황에 놓인 대상이나 동작의 주체를 나타내는 조사.

Тохирох Үг хэллэг байхгүй байна

ямар нэгэн төлөв, байдлын субьект, мөн үйл хөдлөлийн эзэн болохыг илэрхийлэх
нөхцөл.

• **안 (дайвар Үг)** : 부정이나 반대의 뜻을 나타내는 말.

эс, үл, үгүй, -гүй

сөрөг буюу эсрэг утгыг илэрхийлдэг үг.

• **가다 (Үйл Үг)** : 어떤 것에 대해 생각이나 이해가 되다.

  **ойлгох, авах**

  ямар нэг зҮйлийн тухай бодол буюу ойлголт тɵрɵх.

• **-네요** : (두루높임으로) 말하는 사람이 직접 경험하여 새롭게 알게 된 사실에 대해 감탄함을 나타낼 때 쓰는 표현.

  **Тохирох Үг хэллэг байхгҮй байна**

  (хҮндэтгэлийн энгийн Үг хэллэг) ɵгҮҮлэгч ɵɵрийн биеэр Үзэж ɵнгɵрҮҮлж, шинээр мэдсэн зҮйлийнхээ талаар гайхан биширч байгааг илэрхийлэхэд хэрэглэдэг хэлбэр.

---

**맹인 : 개+한테 과자+를 주+어야 머리+가 어디 있+는지 알(아)+[ㄹ 수 있]+잖아요.**

**쥐야                                      알 수 있잖아요**

---

• **개 (Нэр Үг)** : 냄새를 잘 맡고 귀가 매우 밝으며 영리하고 사람을 잘 따라 사냥이나 애완 등의 목적으로 기르는 동물.

  **нохой**

  Үнэрч, сонор соргог чихтэй, ухаантай сэргэлэн, хҮний Үгэнд сайн ордог тул ан ав болон гэрт тэжээх зорилгоор ɵсгɵдɵг амьтан.

• **한테** : 어떤 행동이 미치는 대상임을 나타내는 조사.

  **-д, -т**

  ямар нэгэн Үйл хɵдлɵл нɵлɵɵлж буй объект болохыг илэрхийлдэг нэрийн нɵхцɵл.

• **과자 (Нэр Үг)** : 밀가루나 쌀가루 등에 우유, 설탕 등을 넣고 반죽하여 굽거나 튀긴 간식.

  **жигнэмэг, боов**

  улаан буудайн буюу тутарганы гурил зэргийг сҮҮ, элсэн чихэр зэрэгтэй хольж зуурч жигнэх буюу хайрсан идээний зҮйл.

• **를** : 동작이 직접적으로 영향을 미치는 대상을 나타내는 조사.

  **-ыг/-ийг/-г**

  Үйл хɵдлɵл шууд нɵлɵɵлж буй тусагдахууныг илэрхийлэх нɵхцɵл.

• **주다 (Үйл Үг)** : 물건 등을 남에게 건네어 가지거나 쓰게 하다.

  **ɵгɵх**

  эд юм зэргийг бусдад дамжуулан ɵгɵх ба хэрэглҮҮлэх.

• **-어야** : 앞에 오는 말이 뒤에 오는 말에 대한 필수적인 조건임을 나타내는 연결 어미.

  **Тохирох Үг хэллэг байхгҮй байна**

  ɵмнɵ ирэх Үг нь ард ирэх Үгийн талаарх зайлшгҮй хэрэгтэй болзол болохыг илэрхийлдэг холбох нɵхцɵл.

- **머리 (Нэр Үг)** : 사람이나 동물의 몸에서 얼굴과 머리털이 있는 부분을 모두 포함한 목 위의 부분.

  толгой, гавал

  хүн амьтны биеийн нүүр, үс байх хэсгийг бүхэлд нь багтаасан хүзүүний дээд хэсэг.

- **가** : 어떤 상태나 상황에 놓인 대상이나 동작의 주체를 나타내는 조사.

  Тохирох үг хэллэг байхгүй байна

  ямар нэгэн төлөв, байдлын субьект, мөн үйл хөдлөлийн эзэн болохыг илэрхийлэх нөхцөл.

- **어디 (Төлөөний Үг)** : 모르는 곳을 가리키는 말.

  хаана

  мэдэхгүй нэгэн газар.

- **있다 (Тэмдэг нэр)** : 무엇이 어떤 곳에 자리나 공간을 차지하고 존재하는 상태이다.

  байх

  ямар нэгэн зүйл аль нэг газар орон зай эзлэн орших.

- **-는지** : 뒤에 오는 말의 내용에 대한 막연한 이유나 판단을 나타내는 연결 어미.

  Тохирох үг хэллэг байхгүй байна

  хойно орж байгаа агуулгын тодорхой бус учир шалтгаан буюу шийдвэрийг илэрхийлдэг холбох нөхцөл.

- **알다 (Үйл Үг)** : 교육이나 경험, 생각 등을 통해 사물이나 상황에 대한 정보 또는 지식을 갖추다.

  мэдэх

  боловсрол, туршлага, бодол зэргээр дамжуулан юмс үзэгдэл, нөхцөл байдлын талаарх мэдээлэл болон мэдлэгийг олж авах.

- **-ㄹ 수 있다** : 어떤 행동이나 상태가 가능함을 나타내는 표현.

  -ж болох, -ж мэдэх

  ямар нэгэн үйл хөдлөл, байдал өрнөх боломжтой болохыг илэрхийлэх хэллэг.

- **-잖아요** : (두루높임으로) 어떤 상황에 대해 말하는 사람이 상대방에게 확인하거나 정정해 주듯이 말함
  을 나타내는 표현.

  Тохирох үг хэллэг байхгүй байна

  (хүндэтгэлийн энгийн үг хэллэг) ямар нэг нөхцөл байдлын талаар өгүүлэгч эсрэг этгээдээс лавлах буюу залруулах мэтээр хэлэх явдлыг илэрхийлдэг үг хэллэг.

# < 6 단원(бүлэг хичээл) >

## 제목 : 왜 아버지 직업을 수산업이라고 적었니?

# ● 본문 (эх бичиг)

서울의 한 초등학교에서 가정 환경 조사를 실시하였다.

담임 선생님이 학생들이 제출한 자료를 꼼꼼히 살펴보고 있었다.

잠시 후 고개를 갸우뚱거리시더니 한 학생에게 물었다.


선생님 : 아버님이 선장이시니?

학생 : 아뇨.

선생님 : 그럼 어부시니?

학생 : 아니요.

선생님 : 그럼 양식 사업하시니?

학생 : 아닌데요.

선생님 : 그런데 왜 아버지 직업을 수산업이라고 적었니?

학생 : 우리 아버지는 학교 앞에서 붕어빵을 구우시거든요.

　　　맛있어서 엄청 많이 팔려요.

　　　선생님도 한번 드셔 보실래요?

# ● 발음 (дуудлага)

서울의 한 초등학교에서 가정 환경 조사를 실시하였다.
서울의 한 초등학꾜에서 가정 환경 조사를 실씨하엳따.
seourui han chodeunghakgyoeseo gajeong hwangyeong josareul silsihayeotda.

담임 선생님이 학생들이 제출한 자료를 꼼꼼히 살펴보고 있었다.
다밈 선생니미 학쌩드리 제출한 자료를 꼼꼼히 살펴보고 이썯따.
damim seonsaengnimi haksaengdeuri jechulhan jaryoreul kkomkkomhi salpyeobogo isseotda.

잠시 후 고개를 갸우뚱거리시더니 한 학생에게 물었다.
잠시 후 고개를 갸우뚱거리시더니 한 학쌩에게 무럳따.
jamsi hu gogaereul gyauttunggeorisideoni han haksaengege mureotda.

**선생님** : 아버님이 선장이시니?
선생님 : 아버니미 선장이시니?
seonsaengnim : abeonimi seonjangisini?

**학생** : 아뇨.
학쌩 : 아뇨.
haksaeng : anyo.

**선생님** : 그럼 어부시니?
선생님 : 그럼 어부시니?
seonsaengnim : geureom eobusini?

**학생** : 아니요.
학쌩 : 아니요.
haksaeng : aniyo.

**선생님** : 그럼 양식 사업하시니?
선생님 : 그럼 양식 사어파시니?
seonsaengnim : geureom yangsik saeopasini?

**학생** : 아닌데요.
학쌩 : 아닌데요.
haksaeng : anindeyo.

선생님 : 그런데 왜 아버지 직업을 수산업이라고 적었니?
선생님 : 그런데 왜 아버지 지거블 수사너비라고 저건니?
seonsaengnim : geureonde wae abeoji jigeobeul susaneobirago jeogeonni?

학생 : 우리 아버지는 학교 앞에서 붕어빵을 구우시거든요.
학쌩 : 우리 아버지는 학꾜 아페서 붕어빵을 구우시거드뇨.
haksaeng : uri abeojineun hakgyo apeseo bungeoppangeul guusigeodeunyo.

맛있어서 엄청 많이 팔려요.
마시써서 엄청 마니 팔려요.
masisseoseo eomcheong mani pallyeoyo.

선생님도 한번 드셔 보실래요?
선생님도 한번 드셔 보실래요?
seonsaengnimdo hanbeon deusyeo bosillaeyo?

## ● 어휘 (Үгс) / 문법 (хэлзүй)

서울+의 한 초등학교+에서 가정 환경 조사+를 실시하+였+다.

담임 선생+님+이 학생+들+이 제출하+ㄴ 자료+를 꼼꼼히 살펴보+<u>고 있</u>+었+다.

잠시 후 고개+를 갸우뚱거리+시+더니 한 학생+에게 묻(물)+었+다.


**선생님** : 아버님+이 선장+이+시+니?

**학생**: 아뇨.

**선생님** : 그럼 어부+(이)+시+니?

**학생** : 아니요.

**선생님** : 그럼 양식 사업하+시+니?

**학생** : 아니+ㄴ데요.

**선생님** : 그런데 왜 아버지 직업+을 수산업+이라고 적+었+니?

**학생** : 우리 아버지+는 학교 앞+에서 붕어빵+을 굽(구우)+시+거든요.

　　　 맛있+어서 엄청 많이 팔리+어요.

　　　 선생님+도 한번 들(드)+시+<u>어</u> 보+시+ㄹ래요?

---

서울+의 한 초등학교+에서 가정 환경 조사+를 실시하+였+다.

---

- **서울 (Нэр Үг)** : 한반도 중앙에 있는 특별시. 한국의 수도이자 정치, 경제, 산업, 사회, 문화, 교통의 중심지이다. 북한산, 관악산 등의 산에 둘러싸여 있고 가운데로는 한강이 흐른다.

  **Сөүл, Сөүл хот**

  Солонгосын хойгийн төв хэсэгт байрлах хот. БНСУ-ын нийслэл бөгөөд улс төр, эдийн засаг, аж үйлдвэр, нийгэм, соёл, зам тээврийн гол бүс. Бүгханьсань уул, Гуанагань уул зэрэг уулсаар хүрээлэгдсэн, дундуур нь Ханган мөрөн урсдаг.

- **의** : 앞의 말이 뒤의 말에 대하여 소유, 소속, 소재, 관계, 기원, 주체의 관계를 가짐을 나타내는 조사.

  **-н/-ийн/-ын/-ий/-ы**

  өмнөх үг хойдох үгтэй эзэмшил, харьяа, хэрэглэгдэхүүн, сэдвийн хамааралтай болохыг илэрхийлсэн нөхцөл.

- **한 (Тодотгол Үг)** : 여럿 중 하나인 어떤.

  **нэг**

  олон зүйлийн дундаас ямар нэгэн.

- **초등학교 (Нэр Үг)** : 학교 교육의 첫 번째 단계로 만 여섯 살에 입학하여 육 년 동안 기본 교육을 받는 학교.

  **бага сургууль**

  ерөнхий боловсролын эхний үе шат бөгөөд 6 настай сурагч элсэн ороод, 6 жилийн турш ерөнхий боловсрол эзэмших сургууль.

- **에서** : 앞말이 주어임을 나타내는 조사.

  **-аас(-ээс, -оос, -өөс)**

  өмнөх үг нь өгүүлэгдэхүүн болохыг илэрхийлдэг нөхцөл.

- **가정 환경 (Нэр Үг)** : 가정의 분위기나 조건.

  **гэр бүлийн орчин**

  гэр бүлийн уур амьсгал буюу нөхцөл байдал.

- **조사 (Нэр Үг)** : 어떤 일이나 사물의 내용을 알기 위하여 자세히 살펴보거나 찾아봄.

  **судалгаа**

  ямар нэг ажил үүрэг, эд зүйлийн агуулгыг мэдэхийн тулд нарийн ажиглах юмуу хайж олох явдал.

- **를** : 동작이 직접적으로 영향을 미치는 대상을 나타내는 조사.

  **-ыг/-ийг/-г**

  үйл хөдлөл шууд нөлөөлж буй тусагдахууныг илэрхийлэх нөхцөл.

- **실시하다 (Үйл Үг)** : 어떤 일이나 법, 제도 등을 실제로 행하다.

  **хэрэгжүүлэх**

  ямар нэгэн ажил хэрэг, хууль, тогтолцоо зэргийг бодитоор хэрэгжүүлэх.

• -였- : 어떤 사건이 과거에 완료되었거나 그 사건의 결과가 현재까지 지속되는 상황을 나타내는 어미.

**Тохирох Үг хэллэг байхгүй байна**

ямар нэгэн үйл явдал өнгөрсөн цагт төгссөн буюу тухайн үйл явдлын үр дүн өнөөг хүртэл үргэлжилж буй байдлыг илэрхийлдэг нөхцөл.

• -다 : 어떤 사건이나 사실, 상태를 서술함을 나타내는 종결 어미.

**Тохирох Үг хэллэг байхгүй байна**

одоогийн хэрэг явдал буюу үнэн явлыг хүүрнэхийг илэрхийлдэг төгсгөх нөхцөл.

---

담임 선생+님+이 학생+들+이 <u>제출하+ㄴ</u> 자료+를 꼼꼼히 살펴보+[고 있]+었+다.
**제출한**

---

• **담임 선생 (Нэр Үг)** : 한 반이나 한 학년을 책임지고 맡아서 가르치는 선생님.

ангийн багш, анги хариуцсан багш, анги удирдсан багш

нэг анги болон нэг курсыг хариуцан авч хичээл заадаг багш.

• **님** : '높임'의 뜻을 더하는 접미사.

**Тохирох Үг хэллэг байхгүй байна**

'хүндэтгэх' хэмээх утга нэмдэг дагавар.

• **이** : 어떤 상태나 상황의 대상이나 동작의 주체를 나타내는 조사.

**Тохирох Үг хэллэг байхгүй байна**

ямар нэгэн төлөв, байдлын субьект, мөн үйл хөдлөлийн эзэн болохыг илэрхийлэх нөхцөл.

• **학생 (Нэр Үг)** : 학교에 다니면서 공부하는 사람.

сурагч, оюутан

сургуульд явж суралцаж буй хүн.

• **들** : '복수'의 뜻을 더하는 접미사.

**Тохирох Үг хэллэг байхгүй байна**

олон тооны утга нэмдэг дагавар.

• **이** : 어떤 상태나 상황의 대상이나 동작의 주체를 나타내는 조사.

**Тохирох Үг хэллэг байхгүй байна**

ямар нэгэн төлөв, байдлын субьект, мөн үйл хөдлөлийн эзэн болохыг илэрхийлэх нөхцөл.

• **제출하다 (Үйл Үг)** : 어떤 안건이나 의견, 서류 등을 내놓다.

гаргаж өгөх, дэвшүүлэх, боловсруулж өгөх

ямар нэг төсөл, санаа оноо, бичиг баримт зэргийг өгөх.

- -ㄴ : 앞의 말이 관형어의 기능을 하게 만들고 사건이나 동작이 완료되어 그 상태가 유지되고 있음을 나타내는 어미.
  **Тохирох Үг хэллэг байхгүй байна**
  өмнөх Үгийг тодотгол гишүүний үүрэгтэй болгож, хэрэг явдал буюу Үйлдэл нь бүрэн төгс болсон, тухайн байдал Үргэлжилж буйг илэрхийлдэг нөхцөл.

- **자료 (Нэр Үг)** : 연구나 조사를 하는 데 기본이 되는 재료.
  **түүхий эд, материал**
  судалгаа шинжилгээ хийхэд Үндэс суурь болдог материал.

- 를 : 동작이 직접적으로 영향을 미치는 대상을 나타내는 조사.
  **-ыг/-ийг/-г**
  Үйл хөдлөл шууд нөлөөлж буй тусагдахууныг илэрхийлэх нөхцөл.

- **꼼꼼히 (Дайвар Үг)** : 빈틈이 없이 자세하고 차분하게.
  **нягт, нямбай, няхуур, хянуур, хянамгай, гярхай**
  өө сэвгүй нягт нямбай, болгоомжтойгоор.

- **살펴보다 (Үйл Үг)** : 여기저기 빠짐없이 자세히 보다.
  **эргэцүүлж харах**
  энд тэндгүй нэгд нэггүй нягтлан харах.

- -고 있다 : 앞의 말이 나타내는 행동이 계속 진행됨을 나타내는 표현.
  **Тохирох Үг хэллэг байхгүй байна**
  өмнөх Үгийн илэрхийлж буй Үйлдэл Үргэлжилж буйг илэрхийлдэг Үг хэллэг.

- -었- : 어떤 사건이 과거에 완료되었거나 그 사건의 결과가 현재까지 지속되는 상황을 나타내는 어미.
  **Тохирох Үг хэллэг байхгүй байна**
  ямар нэгэн Үйл явдал өнгөрсөн цагт төгссөн буюу тухайн Үйл явдлын Үр дүн өнөөг хүртэл Үргэлжилж буй байдлыг илэрхийлдэг нөхцөл.

- -다 : 어떤 사건이나 사실, 상태를 서술함을 나타내는 종결 어미.
  **Тохирох Үг хэллэг байхгүй байна**
  одоогийн хэрэг явдал буюу Үнэн явлыг хүүрнэхийг илэрхийлдэг төгсгөх нөхцөл.

---

| 잠시 후 고개+를 갸우뚱거리+시+더니 한 학생+에게 묻(물)+었+다. |
| :---: |
| **물었다** |

---

- **잠시 (Нэр Үг)** : 잠깐 동안.
  **хэсэг зуур, түр зуур**
  түр хугацаа.

- 후 (Нэр Үг) : 얼마만큼 시간이 지나간 다음.

  дараа, хойно

  нэлээд цаг хугацаа өнгөрсний дараа.

- 고개 (Нэр Үг) : 목을 포함한 머리 부분.

  хүзүү толгой

  хүзүүний угаас толгойн орой.

- 를 : 동작이 직접적으로 영향을 미치는 대상을 나타내는 조사.

  -ыг/-ийг/-г

  Үйл хөдлөл шууд нөлөөлж буй тусагдахууныг илэрхийлэх нөхцөл.

- 갸우뚱거리다 (Үйл Үг) : 물체가 자꾸 이쪽저쪽으로 기울어지며 흔들리다. 또는 그렇게 하다.

  гилжигэ гилжигэ, далбига далбига

  биет дахин дахин нааш цааш хазайн хөдлөх. мөн тийнхүү хөдөлгөх.

- -시- : 어떤 동작이나 상태의 주체를 높이는 뜻을 나타내는 어미.

  Тохирох Үг хэллэг байхгүй байна

  ямар нэгэн Үйлдэл буюу байдлын эзэн биеийг хүндэтгэх утгыг илэрхийлдэг нөхцөл.

- -더니 : 과거의 사실이나 상황에 뒤이어 어떤 사실이나 상황이 일어남을 나타내는 연결 어미.

  Тохирох Үг хэллэг байхгүй байна

  өнгөрсөн зүйл буюу нөхцөл байдлыг залгаад ямар нэгэн зүйл буюу нөхцөл байдал үүсэх явдлыг илэрхийлдэг холбох нөхцөл.

- 한 (Тодотгол Үг) : 여럿 중 하나인 어떤.

  нэг

  олон зүйлийн дундаас ямар нэгэн.

- 학생 (Нэр Үг) : 학교에 다니면서 공부하는 사람.

  сурагч, оюутан

  сургуульд явж суралцаж буй хүн.

- 에게 : 어떤 행동이 미치는 대상임을 나타내는 조사.

  -д, -т

  ямар нэгэн Үйлдлийн нөлөөг авч буй зүйлийг илэрхийлдэг нөхцөл.

- 묻다 (Үйл Үг) : 대답이나 설명을 요구하며 말하다.

  асуух, шалгаах

  хариулт буюу тайлбар хүсэн хэлэх.

- -었- : 어떤 사건이 과거에 완료되었거나 그 사건의 결과가 현재까지 지속되는 상황을 나타내는 어미.

  Тохирох Үг хэллэг байхгүй байна

  ямар нэгэн Үйл явдал өнгөрсөн цагт төгссөн буюу тухайн Үйл явдлын Үр дүн өнөөг хүртэл Үргэлжилж буй байдлыг илэрхийлдэг нөхцөл.

• -다 : 어떤 사건이나 사실, 상태를 서술함을 나타내는 종결 어미.
**Тохирох Үг хэллэг байхгүй байна**
одоогийн хэрэг явдал буюу үнэн явлыг хүүрнэхийг илэрхийлдэг төгсгөх нөхцөл.

---

> 선생님 : 아버님+이 선장+이+시+니?
>
> 학생 : 아뇨.

---

• **아버님 (Нэр Үг)** : (높임말로) 자기를 낳아 준 남자를 이르거나 부르는 말.
**аав**
(Хүндэтгэлт үг) өөрийг нь төрүүлсэн эрэгтэй хүнийг дууддаг үг.

• **이** : 어떤 상태나 상황의 대상이나 동작의 주체를 나타내는 조사.
**Тохирох Үг хэллэг байхгүй байна**
ямар нэгэн төлөв, байдлын субьект, мөн үйл хөдлөлийн эзэн болохыг илэрхийлэх нөхцөл.

• **선장 (Нэр Үг)** : 배에 탄 선원들을 감독하고, 배의 항해와 사무를 책임지는 사람.
**хөлөг онгоцны ахмад**
усан онгоцны багийн гишүүдийг хариуцан удирдаж, усан онгоцны хөвөх чиглэл болон холбогдох ажил үүргийг хариуцдаг хүн.

• **이다** : 주어가 지시하는 대상의 속성이나 부류를 지정하는 뜻을 나타내는 서술격 조사.
**Тохирох Үг хэллэг байхгүй байна**
эзэн биеийн зааж буй обьектын шинж чанар, төрөл зүйлийг тодорхойлох утгыг илэрхийлэх өгүүлэхүүний тийн ялгалын нөхцөл.

• **-시-** : 어떤 동작이나 상태의 주체를 높이는 뜻을 나타내는 어미.
**Тохирох Үг хэллэг байхгүй байна**
ямар нэгэн үйлдэл буюу байдлын эзэн биеийг хүндэтгэх утгыг илэрхийлдэг нөхцөл.

• **-니** : (아주낮춤으로) 물음을 나타내는 종결 어미.
**Тохирох Үг хэллэг байхгүй байна**
(Огт хүндэтгэлгүй үг хэллэг) асуултыг илэрхийлдэг төгсгөх нөхцөл.

• **아뇨 (Аялга Үг)** : 윗사람이 묻는 말에 대하여 부정하며 대답할 때 쓰는 말.
**үгүй**
ахмад хүний асуултанд эсэргүүцэх утгаар хариулахад хэрэглэдэг үг.

---

선생님 : 그럼 <u>어부+(이)+시+니</u>?
　　　　　　　　**어부시니**

학생 : 아니요.

---

• 그럼 (Дайвар Үг) : 앞의 내용을 받아들이거나 그 내용을 바탕으로 하여 새로운 주장을 할 때 쓰는 말.
　**тэгвэл, тийм бол**
　өмнө өгүүлсэн зүйлийг хүлээн зөвшөөрөх буюу уг зүйлд тулгуурлан шинэ бодол санаа илэрхийлэхэд хэрэглэдэг үг.

• 어부 (Нэр Үг) : 물고기를 잡는 일을 직업으로 하는 사람.
　**загасчин**
　загас барих ажлыг мэргэжлээ болгосон хүн.

• 이다 : 주어가 지시하는 대상의 속성이나 부류를 지정하는 뜻을 나타내는 서술격 조사.
　**Тохирох үг хэллэг байхгүй байна**
　эзэн биеийн зааж буй обьектын шинж чанар, төрөл зүйлийг тодорхойлох утгыг илэрхийлэх өгүүлэхүүний тийн ялгалын нөхцөл.

• -시- : 어떤 동작이나 상태의 주체를 높이는 뜻을 나타내는 어미.
　**Тохирох үг хэллэг байхгүй байна**
　ямар нэгэн үйлдэл буюу байдлын эзэн биеийг хүндэтгэх утгыг илэрхийлдэг нөхцөл.

• -니 : (아주낮춤으로) 물음을 나타내는 종결 어미.
　**Тохирох үг хэллэг байхгүй байна**
　(Огт хүндэтгэлгүй үг хэллэг) асуултыг илэрхийлдэг төгсгөх нөхцөл.

• 아니요 (Аялга Үг) : 윗사람이 묻는 말에 대하여 부정하며 대답할 때 쓰는 말.
　**үгүй, биш**
　өөрөөсөө ахмад хүний асуултанд үгүйсгэсэн хариулт өгөхөд хэлдэг үг.

---

선생님 : 그럼 양식 사업하+시+니?

학생 : <u>아니+ㄴ데요</u>.
　　　　　**아닌데요**

---

• 그럼 (Дайвар Үг) : 앞의 내용을 받아들이거나 그 내용을 바탕으로 하여 새로운 주장을 할 때 쓰는 말.
　**тэгвэл, тийм бол**
　өмнө өгүүлсэн зүйлийг хүлээн зөвшөөрөх буюу уг зүйлд тулгуурлан шинэ бодол санаа илэрхийлэхэд хэрэглэдэг үг.

• 양식 (Нэр Үг) : 물고기, 김, 미역, 버섯 등을 인공적으로 길러서 번식하게 함.
  **Үржүүлэг, тариалалт**
  загас, гим, далайн байцаа, мөөг зэргийг хиймлээр өсгөж үржүүлэх явдал.

• 사업하다 (Үйл Үг) : 경제적 이익을 얻기 위하여 어떤 조직을 경영하다.
  **бизнес эрхлэх, Үйл ажиллагаа явуулах, бизнес явуулах**
  эдийн засгийн үр ашиг олохын тулд ямар нэгэн байгууллагыг удирдан эрхлэх.

• -시- : 어떤 동작이나 상태의 주체를 높이는 뜻을 나타내는 어미.
  **Тохирох Үг хэллэг байхгүй байна**
  ямар нэгэн Үйлдэл буюу байдлын эзэн биеийг хүндэтгэх утгыг илэрхийлдэг нөхцөл.

• -니 : (아주낮춤으로) 물음을 나타내는 종결 어미.
  **Тохирох Үг хэллэг байхгүй байна**
  (Огт хүндэтгэлгүй Үг хэллэг) асуултыг илэрхийлдэг төгсгөх нөхцөл.

• 아니다 (Тэмдэг нэр) : 어떤 사실이나 내용을 부정하는 뜻을 나타내는 말.
  **биш, Үгүй**
  ямар нэгэн Үнэн зүйл болон агуулгыг Үгүйсгэх утга заана.

• -ㄴ데요 : (두루높임으로) 어떤 상황을 전달하여 듣는 사람의 반응을 기대함을 나타내는 표현.
  **Тохирох Үг хэллэг байхгүй байна**
  (Хүндэтгэлийн энгийн Үг хэллэг) ямар нэгэн нөхцөл байдлыг дамжуулангаа сонсч буй хүнээс ямар нэгэн хариу хүссэн Үед хэрэглэдэг илэрхийлэл.

---

**선생님 : 그런데 왜 아버지 직업+을 수산업+이라고 적+었+니?**

---

• 그런데 (Дайвар Үг) : 이야기를 앞의 내용과 관련시키면서 다른 방향으로 바꿀 때 쓰는 말.
  **гэхдээ**
  яриаг өмнөх агуулгатай холбонгоо өөр тийш нь хандуулахад хэрэглэдэг Үг.

• 왜 (Дайвар Үг) : 무슨 이유로. 또는 어째서.
  **яагаад, ямар учраас**
  ямар шалтгаанаар. мөн яагаад.

• 아버지 (Нэр Үг) : 자기를 낳아 준 남자를 이르거나 부르는 말.
  **аав**
  өөрийг нь төрүүлсэн эрэгтэй хүнийг заах болон дуудах Үг.

• 직업 (Нэр Үг) : 보수를 받으면서 일정하게 하는 일.
  **ажил**
  цалин хөлс авч тогтмол хийдэг ажил.

- 을 : 동작이 직접적으로 영향을 미치는 대상을 나타내는 조사.
  **-ыг/-ийг/-г**
  Үйл хөдлөл шууд нөлөөлж буй тусагдахууныг илэрхийлэх нөхцөл.

- **수산업 (Нэр Үг)** : 바다나 강 등의 물에서 나는 생물을 잡거나 기르거나 가공하는 등의 산업.
  **далайн аж ахуй**
  далай болон гол мөрний уснаас гаралтай амьтан ургамалыг агнаж олборлох буюу
  тэжээж ургуулах, боловсруулах зэрэг Үйлдвэрлэл явуулдаг аж ахуй.

- 이라고 : 앞의 말이 원래 말해진 그대로 인용됨을 나타내는 조사.
  **гэж**
  өмнөх Үг нь угийн ярьсны дагуу тухайн хэвээрээ иш татагдсан болохыг илэрхийлдэг
  нөхцөл.

- **적다 (Үйл Үг)** : 어떤 내용을 글로 쓰다.
  **бичих**
  ямар нэгэн утга агуулгыг бичгээр бичих.

- -었- : 어떤 사건이 과거에 완료되었거나 그 사건의 결과가 현재까지 지속되는 상황을 나타내는 어미.
  **Тохирох Үг хэллэг байхгүй байна**
  ямар нэгэн Үйл явдал өнгөрсөн цагт төгссөн буюу тухайн Үйл явдлын Үр дүн өнөөг
  хүртэл үргэлжилж буй байдлыг илэрхийлдэг нөхцөл.

- -니 : (아주낮춤으로) 물음을 나타내는 종결 어미.
  **Тохирох Үг хэллэг байхгүй байна**
  (Огт хүндэтгэлгүй Үг хэллэг) асуултыг илэрхийлдэг төгсгөх нөхцөл.

---

**학생 : 우리 아버지+는 학교 앞+에서 붕어<sup>빵</sup>+을 <u>굽(구우)+시+거든요</u>.**
**구우시거든요**

---

- **우리 (Төлөөний Үг)** : 말하는 사람이 자기보다 높지 않은 사람에게 자기와 관련된 것을 친근하게 나타
  낼 때 쓰는 말.
  **манай**
  ярьж байгаа хүн өөрөөсөө дүүмэд хүнд өөртэйгөө холбоотой зүйлийн талаар
  дотночлон хэлж ярихдаа хэрэглэдэг Үг.

- **아버지 (Нэр Үг)** : 자기를 낳아 준 남자를 이르거나 부르는 말.
  **аав**
  өөрийг нь төрүүлсэн эрэгтэй хүнийг заах болон дуудах Үг.

- 는 : 문장 속에서 어떤 대상이 화제임을 나타내는 조사.
  **Тохирох Үг хэллэг байхгүй байна**
  өгүүлбэрт ярианы сэдэв болж буйг илэрхийлдэг нөхцөл.

- **학교 (Нэр Үг)** : 일정한 목적, 교과 과정, 제도 등에 의하여 교사가 학생을 가르치는 기관.

  **сургууль**

  тодорхой зорилго, сургалт, тогтолцоо зэрэгт тулгуурлан сурагчдад сургаж заадаг байгууллага.

- **앞 (Нэр Үг)** : 향하고 있는 쪽이나 곳.

  **өмнө**

  чиглэж буй зүг ба газар.

- **에서** : 앞말이 행동이 이루어지고 있는 장소임을 나타내는 조사.

  **-аас(-ээс, -оос, -ööс)**

  өмнөх үг нь үйлдэл нь биелж буй газар болохыг илэрхийлдэг нөхцөл.

- **붕어빵 (Нэр Үг)** : 붕어 모양 풀빵

  **붕어**

  **хэлтэг загас**

  бие нь өргөн хавтгай, нуруу нь голдуу шаравтар туяатай бор өнгөтэй, том хайрстай, цэнгэг усанд амьдардаг загас.

  **모양**

  **хэлбэр, дүрс**

  гадна харагдах байр байдал, дүр төрх.

  **풀빵**

  **хэв хэлбэртэй талх**

  хэлбэр дүрс сийлсэн хэвэнд усархаг зуурсан гурил буюу улаан буурцгын чанамал хийж хайрсан талх.

- **을** : 동작이 직접적으로 영향을 미치는 대상을 나타내는 조사.

  **-ыг/-ийг/-г**

  үйл хөдлөл шууд нөлөөлж буй тусагдахууныг илэрхийлэх нөхцөл.

- **굽다 (Үйл Үг)** : 음식을 불에 익히다.

  **шарах**

  хоолыг галд болгох.

- **-시-** : 어떤 동작이나 상태의 주체를 높이는 뜻을 나타내는 어미.

  **Тохирох үг хэллэг байхгүй байна**

  ямар нэгэн үйлдэл буюу байдлын эзэн биеийг хүндэтгэх утгыг илэрхийлдэг нөхцөл.

- **-거든요** : (두루높임으로) 앞의 내용에 대해 말하는 사람이 생각한 이유나 원인, 근거를 나타내는 표현.

  **Тохирох үг хэллэг байхгүй байна**

  (Хүндэтгэлийн энгийн үг хэллэг) өмнөх агуулгын талаар өгүүлж байгаа хүний бодсон учир шалтгаан, үндэслэлийг илэрхийлнэ.

> 학생 : 맛있+어서 엄청 많이 <u>팔리+어요</u>.
> **팔려요**

- **맛있다 (Тэмдэг нэр)** : 맛이 좋다.
  **амттай, амтлаг**
  амт чанар сайн байх.

- **-어서** : 이유나 근거를 나타내는 연결 어미.
  **Тохирох үг хэллэг байхгүй байна**
  учир шалтгаан буюу үндэслэлийг илэрхийлдэг холбох нөхцөл.

- **엄청 (Дайвар үг)** : 양이나 정도가 아주 지나치게.
  **маш их, хэтэрхий, дэндүү**
  тоо хэмжээ, хэм хэмжээ маш хэтэрхий.

- **많이 (Дайвар үг)** : 수나 양, 정도 등이 일정한 기준보다 넘게.
  **их, олон**
  тоо, хэр хэмжээ мэтийн зүйл тодорхой нэг түвшингөөс хэтэрсэн.

- **팔리다 (Үйл үг)** : 값을 받고 물건이나 권리가 다른 사람에게 넘겨지거나 노력 등이 제공되다.
  **зарагдах, худалдагдах**
  Үнэ хөлсийг нь авч эд бараа буюу эрх бусдад шилжих буюу олгогдох.

- **-어요** : (두루높임으로) 어떤 사실을 서술하거나 질문, 명령, 권유함을 나타내는 종결 어미.
  **Тохирох үг хэллэг байхгүй байна**
  (Хүндэтгэлийн энгийн үг хэллэг) ямар нэгэн зүйлийг хүүрнэх, асуух, тушаах, уриалах явдлыг илэрхийлдэг төгсгөх нөхцөл.

> 학생 : 선생님+도 한번 <u>들(드)+시+[어 보]+시+ㄹ래요</u>?
> **드셔 보실래요**

- **선생님 (Нэр үг)** : (높이는 말로) 학생을 가르치는 사람.
  **багш**
  (Хүндэтгэх үг) сурагч оюутанд зааж сургадаг хүн.

- **도** : 이미 있는 어떤 것에 다른 것을 더하거나 포함함을 나타내는 조사.
  **ч**
  нэгэнт байгаа зүйл дээр өөр зүйлийг нэмэх буюу хамруулсныг илэрхийлж буй нөхцөл.

• **한번 (Дайвар Үг)** : 어떤 일을 시험 삼아 시도함을 나타내는 말.
Тохирох Үг хэллэг байхгүй байна
Аливаа юмыг оролдоод үзээд байгааг илтгэх үг.

• **들다 (Үйл Үг)** : (높임말로) 먹다.
зооглох, хүртэх, болгоох
(Хүндэтгэлт Үг) идэх.

• **-시-** : 어떤 동작이나 상태의 주체를 높이는 뜻을 나타내는 어미.
Тохирох Үг хэллэг байхгүй байна
ямар нэгэн үйлдэл буюу байдлын эзэн биеийг хүндэтгэх утгыг илэрхийлдэг нөхцөл.

• **-어 보다** : 앞의 말이 나타내는 행동을 시험 삼아 함을 나타내는 표현.
Тохирох Үг хэллэг байхгүй байна
өмнөх үгийн илэрхийлж буй үйлдлийг туршиж үзэх явдлыг илэрхийлдэг үг хэллэг.

• **-시-** : 어떤 동작이나 상태의 주체를 높이는 뜻을 나타내는 어미.
Тохирох Үг хэллэг байхгүй байна
ямар нэгэн үйлдэл буюу байдлын эзэн биеийг хүндэтгэх утгыг илэрхийлдэг нөхцөл.

• **-ㄹ래요** : (두루높임으로) 앞으로 어떤 일을 하려고 하는 자신의 의사를 나타내거나 그 일에 대하여 듣
　　　는 사람의 의사를 물어봄을 나타내는 표현.
Тохирох Үг хэллэг байхгүй байна
(Хүндэтгэлийн энгийн үг хэллэг) цаашид ямар нэгэн үйлийг хийх гэж байгаа санаа
бодлоо илэрхийлэх буюу тухайн зүйлийн талаар сонсч буй хүний санаа бодлыг
асуухад хэрэглэдэг илэрхийлэл.

# < 7 단원(бYлэг хичээл) >

제목 : 도대체 어디가 아픈지 잘 모르겠어요.

# ● 본문 (эх бичиг)

교통사고를 당한 사람이 진찰을 받으러 병원에 갔다.

환자 : 의사 선생님, 도대체 어디가 아픈지 잘 모르겠어요.

의사 : 일단 손가락으로 여기저기 한번 눌러 보세요.

환자 : 어디를 눌러도 까무러칠 만큼 아파요.

의사 : 제가 한번 눌러 볼게요.

　　　어떠세요?

환자 : 그다지 아픈 것 같지 않은데요.

결국 그 환자는 다른 병원을 찾아 갔지만 역시 아픈 곳을 정확히 찾지 못했다.

답답했던 그 환자는 어느 한의원에 들어갔다.

환자 : 정확히 어디가 아픈지 잘 모르겠지만 어디를 눌러 봐도 아파 죽겠어요.

　　　제발 좀 찾아 주세요.

한의사 선생님은 의미심장한 표정을 지으며 말했다.

한의사 : 손가락이 부러지셨군요!

# ● 발음 (дуудлага)

교통사고를 당한 사람이 진찰을 받으러 병원에 갔다.
교통사고를 당한 사라미 진차를 바드러 병워네 갇따.
gyotongsagoreul danghan sarami jinchareul badeureo byeongwone gatda.


환자 : 의사 선생님, 도대체 어디가 아픈지 잘 모르겠어요.
환자 : 의사 선생님, 도대체 어디가 아픈지 잘 모르게써요.
hwanja : uisa seonsaengnim, dodaeche eodiga apeunji jal moreugesseoyo.


의사 : 일단 손가락으로 여기저기 한번 눌러 보세요.
의사 : 일딴 손까라그로 여기저기 한번 눌러 보세요.
uisa : ildan songarageuro yeogijeogi hanbeon nulleo boseyo.


환자 : 어디를 눌러도 까무러칠 만큼 아파요.
환자 : 어디를 눌러도 까무러칠 만큼 아파요.
hwanja : eodireul nulleodo kkamureochil mankeum apayo.


의사 : 제가 한번 눌러 볼게요.
의사 : 제가 한번 눌러 볼께요.
uisa : jega hanbeon nulleo bolgeyo.


어떠세요?
어떠세요?
eotteoseyo?


환자 : 그다지 아픈 것 같지 않은데요.
환자 : 그다지 아픈 걷 갇찌 아는데요.
hwanja : geudaji apeun geot gatji aneundeyo.


결국 그 환자는 다른 병원을 찾아 갔지만 역시 아픈 곳을 정확히 찾지 못했다.
결국 그 환자는 다른 병워늘 차자 갇찌만 역씨 아픈 고슬 정화키 찾찌 모탣따.
gyeolguk geu hwanjaneun dareun byeongwoneul chaja gatjiman yeoksi apeun goseul jeonghwaki chatji motaetda.

답답했던 그 환자는 어느 한의원에 들어갔다.
답따팯떤 그 혼자는 어느 하니워네 드러갇따.
dapdapaetdeon geu hwanjaneun eoneu hanuiwone(haniwone) deureogatda.


환자 : 정확히 어디가 아픈지 잘 모르겠지만 어디를 눌러 봐도 아파 죽겠어요.
환자 : 정화키 어디가 아픈지 잘 모르겔찌만 어디를 눌러 봐도 아파 죽게써요.
hwanja : jeonghwaki eodiga apeunji jal moreugetjiman eodireul nulleo bwado apa jukgesseoyo.


　　　제발 좀 찾아 주세요.
　　　제발 좀 차자 주세요.
　　　jebal jom chaja juseyo.


한의사 선생님은 의미심장한 표정을 지으며 말했다.
하니사 선생니믄 의미심장한 표정을 지으며 말핻따.
hanuisa(hanisa) seonsaengnimeun uimisimjanghan pyojeongeul jieumyeo malhaetda.


한의사 : 손가락이 부러지셨군요!
하니사 : 손까라기 부러지션꾸뇨!
hanuisa(hanisa) : songaragi bureojisyeotgunyo!

# ● 어휘 (Үгс) / 문법 (хэлзҮй)

교통사고+를 당하+ㄴ 사람+이 진찰+을 받+으러 병원+에 가+았+다.

**환자** : 의사 선생님, 도대체 어디+가 아프+ㄴ지 잘 모르+겠+어요.

**의사** : 일단, 손가락+으로 여기저기 한번 누르(눌ㄹ)+<u>어 보</u>+세요.

**환자** : 어디+를 누르(눌ㄹ)+어도 까무러치+ㄹ 만큼 아프(아ㅍ)+아요.

**의사** : 그럼, 제+가 한번 누르(눌ㄹ)+<u>어 보</u>+ㄹ게요.

　　　 어떻(어떠)+세요?

**환자** : 그다지 아프+<u>ㄴ 것 같</u>+<u>지 않</u>+은데요.

결국 그 환자+는 다른 병원+을 찾아가+았+지만 역시 아프+ㄴ 곳+을 정확히 찾+<u>지 못하</u>+였+다.
답답하+였던 그 환자+는 어느 한의원+에 들어가+았+다.

**환자** : 정확히 어디+가 아프+ㄴ지 잘 모르+겠+지만

　　　 어디+를 누르(눌ㄹ)+<u>어 보</u>+아도 아프(아ㅍ)+<u>아 죽</u>+겠+어요.

　　　 제발 좀 찾+<u>아 주</u>+세요.

한의사 선생님+은 의미심장하+ㄴ 표정+을 짓(지)+으며 말하+였+다.

**한의사** : 손가락+이 부러지+시+었+군요!

---

교통사고+를 <u>당하</u>+ㄴ 사람+이 진찰+을 받+으러 병원+에 <u>가</u>+았+다.
　　　　　　당한　　　　　　　　　　　　　　　　　　갔다

---

- **교통사고 (нэр Үг)** : 자동차나 기차 등이 다른 교통 기관과 부딪치거나 사람을 치는 사고.
  **замын осол**
  автомашин ба галт тэрэг зэрэг нь өөр тээврийн хэрэгсэлтэй мөргөлдөх буюу хүн дайрсны улмаас үүсэх осол.

- **를** : 동작이 직접적으로 영향을 미치는 대상을 나타내는 조사.
  **-ыг/-ийг/-г**
  Үйл хөдлөл шууд нөлөөлж буй тусагдахууныг илэрхийлэх нөхцөл.

- **당하다 (Үйл Үг)** : 좋지 않은 일을 겪다.
  **болох, тулах**
  таагүй явдал тохиолдох.

- **-ㄴ** : 앞의 말이 관형어의 기능을 하게 만들고 사건이나 동작이 과거에 일어났음을 나타내는 어미.
  **Тохирох Үг хэллэг байхгүй байна**
  өмнөх үгийг тодотгол гишүүний үүрэгтэй болгож, хэрэг явдал буюу үйлдэл нь өнгөрсөн үед өрнөсөн болохыг илэрхийлдэг нөхцөл.

- **사람 (нэр Үг)** : 생각할 수 있으며 언어와 도구를 만들어 사용하고 사회를 이루어 사는 존재.
  **хүн**
  сэтгэх чадвартай хэл болон багаж хэрэгсэл зохион ашиглаж нийгмийг бүтээн амьдардаг бие бодь.

- **이** : 어떤 상태나 상황의 대상이나 동작의 주체를 나타내는 조사.
  **Тохирох Үг хэллэг байхгүй байна**
  ямар нэгэн төлөв, байдлын субьект, мөн үйл хөдлөлийн эзэн болохыг илэрхийлэх нөхцөл.

- **진찰 (нэр Үг)** : 의사가 치료를 위하여 환자의 병이나 상태를 살핌.
  **эмчийн үзлэг**
  эмч эмчлэхийн тулд өвчтөний өвчин болон биеийн байдлыг үзэх.

- **을** : 동작이 직접적으로 영향을 미치는 대상을 나타내는 조사.
  **-ыг/-ийг/-г**
  Үйл хөдлөл шууд нөлөөлж буй тусагдахууныг илэрхийлэх нөхцөл.

- **받다 (Үйл Үг)** : 다른 사람이 하는 행동, 심리적인 작용 등을 당하거나 입다.
  **авах, хүртэх**
  бусдын хийсэн үйлдэл, сэтгэл зүйн нөлөөнд автах.

• -으러 : 가거나 오거나 하는 동작의 목적을 나타내는 연결 어미.

**Тохирох Үг хэллэг байхгүй байна**

явах буюу ирэх Үйлийн зорилгыг илэрхийлж буй холбох нөхцөл.


• 병원 (нэр Үг) : 시설을 갖추고 의사와 간호사가 병든 사람을 치료해 주는 곳.

**эмнэлэг**

байгууламж төхөөрөмжөөр тоноглогдсон, эмч, сувилагч нар өвчтэй хүнийг эмчилдэг газар.


• 에 : 앞말이 목적지이거나 어떤 행위의 진행 방향임을 나타내는 조사.

**-руу/-рүү, -луу/-лүү**

өмнөх Үг зорьсон газар буюу ямар нэгэн Үйлийн чиглэлийг зааж байгаа болохыг илэрхийлж буй нөхцөл.


• 가다 (Үйл Үг) : 어떤 목적을 가지고 일정한 곳으로 움직이다.

**очих, зорих**

ямар нэг зорилгоор тодорхой нэг газар руу хөдөлж явах.


• -았- : 사건이 과거에 일어났음을 나타내는 어미.

**Тохирох Үг хэллэг байхгүй байна**

Үйл явдал өнгөрсөн Үед болсныг илэрхийлдэг нөхцөл.


• -다 : 어떤 사건이나 사실, 상태를 서술함을 나타내는 종결 어미.

**Тохирох Үг хэллэг байхгүй байна**

одоогийн хэрэг явдал буюу Үнэн явлыг хүүрнэхийг илэрхийлдэг төгсгөх нөхцөл.


---

> **환자 :** 의사 선생님, 도대체 어디+가 <u>아프+ㄴ지</u> 잘 모르+겠+어요.
> **아픈지**

---


• 의사 (нэр Үг) : 일정한 자격을 가지고서 병을 진찰하고 치료하는 일을 직업으로 하는 사람.

**эмч**

өвчнийг оношилж, эдгээдэг ажлыг өөрийн мэргэжил болгосон эрх бүхий хүн.


• 선생님 (нэр Үг) : 어떤 사람의 성이나 직업에 붙여 그 사람을 높이는 말.

**гуай**

хэн нэгэн хүний овог, мэргэжилд залган хэлдэг тухайн хүнийг хүндэтгэсэн Үг.


• 도대체 (дайвар Үг) : 유감스럽게도 전혀.

**огт, ерөөсөө**

Үгүйсгэсэн Үгтэй хамт орж огт, ерөөсөө гэсэн утга илэрхийлнэ.

• 어디 (төлөөний Үг) : 모르는 곳을 가리키는 말.

  хаана

  мэдэхгүй нэгэн газар.

• 가 : 어떤 상태나 상황에 놓인 대상이나 동작의 주체를 나타내는 조사.

  Тохирох Үг хэллэг байхгүй байна

  ямар нэгэн төлөв, байдлын субьект, мөн Үйл хөдлөлийн эзэн болохыг илэрхийлэх нөхцөл.

• 아프다 (тэмдэг нэр) : 다치거나 병이 생겨 통증이나 괴로움을 느끼다.

  өвдөх

  бэртэх ба өвчин тусаж өвдөлт, шаналлыг мэдрэх.

• -ㄴ지 : 뒤에 오는 말의 내용에 대한 막연한 이유나 판단을 나타내는 연결 어미.

  Тохирох Үг хэллэг байхгүй байна

  хойно орж байгаа агуулгын тодорхой бус учир шалтгаан буюу дүгнэлтийг илэрхийлдэг холбох нөхцөл.

• 잘 (дайвар Үг) : 분명하고 정확하게.

  сайн

  нарийн бөгөөд тодорхой.

• 모르다 (Үйл Үг) : 사람이나 사물, 사실 등을 알지 못하거나 이해하지 못하다.

  мэдэхгүй байх, мэдэхгүй

  хүн, эд юм, Үнэн зүйлийн талаар мэдээгүй буюу ойлгохгүй байх.

• -겠- : 완곡하게 말하는 태도를 나타내는 어미.

  Тохирох Үг хэллэг байхгүй байна

  зөрүүлж хэлэх хандлагыг илэрхийлдэг нөхцөл.

• -어요 : (두루높임으로) 어떤 사실을 서술하거나 질문, 명령, 권유함을 나타내는 종결 어미.

  Тохирох Үг хэллэг байхгүй байна

  (хүндэтгэлийн энгийн Үг хэллэг) ямар нэгэн зүйлийг хүүрнэх, асуух, тушаах, уриалах явдлыг илэрхийлдэг төгсгөх нөхцөл.

---

의사 : 일단, 손가락+으로 여기저기 한번 <u>누르(눌르)+[어 보]+세요</u>.

눌러 보세요

---

• 일단 (дайвар Үг) : 우선 먼저.

  эхлээд

  юуны түрүүнд.

- **손가락 (нэр Үг)** : 사람의 손끝의 다섯 개로 갈라진 부분.

  гарын хуруу

  хҮний гарын төгсгөл хэсэгт байх таван салаа бҮхий хэсэг.

- **으로** : 어떤 일의 수단이나 도구를 나타내는 조사.

  -аар (-ээр, -оор, -өөр)

  ямар нэгэн Үйл хэргийн хэрэгслийг илэрхийлж буй нөхцөл.

- **여기저기 (нэр Үг)** : 분명하게 정해지지 않은 여러 장소나 위치.

  энд тэнд

  тодорхой тогтоогҮй олон газар буюу байршил.

- **한번 (дайвар Үг)** : 어떤 일을 시험 삼아 시도함을 나타내는 말.

  Тохирох Үг хэллэг байхгҮй байна

  Аливаа юмыг оролдоод Үзээд байгааг илтгэх Үг.

- **누르다 (Үйл Үг)** : 물체의 전체나 부분에 대하여 위에서 아래로 힘을 주어 무게를 가하다.

  дарах

  эд зҮйлийг бҮхэлд нь буюу хэсэгчлэн дээрээс доош нь хҮчлэн дарах.

- **-어 보다** : 앞의 말이 나타내는 행동을 시험 삼아 함을 나타내는 표현.

  Тохирох Үг хэллэг байхгҮй байна

  өмнөх Үгийн илэрхийлж буй Үйлдлийг туршиж Үзэх явдлыг илэрхийлдэг Үг хэллэг.

- **-세요** : (두루높임으로) 설명, 의문, 명령, 요청의 뜻을 나타내는 종결 어미.

  Тохирох Үг хэллэг байхгҮй байна

  (хҮндэтгэлийн энгийн Үг хэллэг) тайлбар, асуулт, тушаал, хҮсэлтийн утгыг илэрхийлдэг төгсгөх нөхцөл.

---

| 환자 : 어디+를 <u>누르(눌르)</u>+어도 <u>까무러치</u>+ㄹ 만큼 <u>아프(아ㅍ)</u>+<u>아요</u>. |
|---|
| 눌러도　　　　까무러칠　　　　아파요 |

---

- **어디 (төлөөний Үг)** : 정해져 있지 않거나 정확하게 말할 수 없는 어느 곳을 가리키는 말.

  хаана, хаашаа

  тогтоогҮй эсвэл тодорхой хэлэх боломжгҮй аль нэг газар.

- **를** : 동작이 직접적으로 영향을 미치는 대상을 나타내는 조사.

  -ыг/-ийг/-г

  Үйл хөдлөл шууд нөлөөлж буй тусагдахууныг илэрхийлэх нөхцөл.

· 누르다 (Үйл Үг) : 물체의 전체나 부분에 대하여 위에서 아래로 힘을 주어 무게를 가하다.

дарах

эд зүйлийг бүхэлд нь буюу хэсэгчлэн дээрээс доош нь хүчлэн дарах.

· -어도 : 앞에 오는 말을 가정하거나 인정하지만 뒤에 오는 말에는 관계가 없거나 영향을 끼치지 않음을
　　　　 나타내는 연결 어미.

Тохирох Үг хэллэг байхгүй байна

өмнөх агуулгыг тооцоолох буюу хүлээн зөвшөөрч байгаа ч ардах агуулгад нь
хамааралгүй буюу нөлөө үзүүлэхгүй болохыг илэрхийлдэг холбох нөхцөл.

· 까무러치다 (Үйл Үг) : 정신을 잃고 쓰러지다.

ухаан алдах

ухаан алдан унах.

· -ㄹ : 앞의 말이 관형어의 기능을 하게 만드는 어미.

Тохирох Үг хэллэг байхгүй байна

өмнөх үгийг тодотгол гишүүний үүрэгтэй болгож хувиргадаг нөхцөл.

· 만큼 (нэр Үг) : 앞의 내용과 같은 양이나 정도임을 나타내는 말.

хэмжээ, хэмжээгээр, хэмжээний, хирээр

өмнөх зүйлтэй хэмжээ, түвшин ижил болохыг илэрхийлсэн үг.

· 아프다 (тэмдэг нэр) : 다치거나 병이 생겨 통증이나 괴로움을 느끼다.

өвдөх

бэртэх ба өвчин тусаж өвдөлт, шаналлыг мэдрэх.

· -아요 : (두루높임으로) 어떤 사실을 서술하거나 질문, 명령, 권유함을 나타내는 종결 어미.

Тохирох Үг хэллэг байхгүй байна

(хүндэтгэлийн энгийн үг хэллэг) ямар нэгэн зүйлийг хүүрнэх, асуух, тушаах, уриалах
явдлыг илэрхийлдэг төгсгөх нөхцөл.

---

의사 : 그럼, 제+가 한번 <u>누르(눌ㄹ)+[어 보]+ㄹ게요</u>. <u>어떻(어떠)+세요</u>?
　　　　　　　　　　　　**눌러 볼게요**　　　　　　　　**어떠세요**

---

· 그럼 (дайвар Үг) : 앞의 내용을 받아들이거나 그 내용을 바탕으로 하여 새로운 주장을 할 때 쓰는 말.

тэгвэл, тийм бол

өмнө өгүүлсэн зүйлийг хүлээн зөвшөөрөх буюу уг зүйлд тулгуурлан шинэ бодол санаа
илэрхийлэхэд хэрэглэдэг үг.

· 제 (төлөөний Үг) : 말하는 사람이 자신을 낮추어 가리키는 말인 '저'에 조사 '가'가 붙을 때의 형태.

би

ярьж буй хүн өөрийгөө доошлуулж хэлдэг үг '저' дээр нөхцөл '가' залгасан хэлбэр.

• 가 : 어떤 상태나 상황에 놓인 대상이나 동작의 주체를 나타내는 조사.

**Тохирох Үг хэллэг байхгүй байна**

ямар нэгэн төлөв, байдлын субьект, мөн үйл хөдлөлийн эзэн болохыг илэрхийлэх нөхцөл.

• 한번 (дайвар Үг) : 어떤 일을 시험 삼아 시도함을 나타내는 말.

**Тохирох Үг хэллэг байхгүй байна**

Аливаа юмыг оролдоод үзээд байгааг илтгэх үг.

• 누르다 (Үйл Үг) : 물체의 전체나 부분에 대하여 위에서 아래로 힘을 주어 무게를 가하다.

**дарах**

эд зүйлийг бүхэлд нь буюу хэсэгчлэн дээрээс доош нь хүчлэн дарах.

• -어 보다 : 앞의 말이 나타내는 행동을 시험 삼아 함을 나타내는 표현.

**Тохирох Үг хэллэг байхгүй байна**

өмнөх үгийн илэрхийлж буй үйлдлийг туршиж үзэх явдлыг илэрхийлдэг үг хэллэг.

• -ㄹ게요 : (두루높임으로) 말하는 사람이 어떤 행동을 할 것을 듣는 사람에게 약속하거나 의지를 나타내는 표현.

**Тохирох Үг хэллэг байхгүй байна**

(хүндэтгэлийн энгийн үг хэллэг) өгүүлэгч ямар нэгэн үйл хийхээ сонсч буй хүндээ амлах буюу мэдэгдэж байгаагаа илэрхийлнэ.

• 어떻다 (тэмдэг нэр) : 생각, 느낌, 상태, 형편 등이 어찌 되어 있다.

**тийм байх, ямар байх**

бодол санаа, мэдрэмж, байдал, явц зэрэг хэрхэн болох.

• -세요 : (두루높임으로) 설명, 의문, 명령, 요청의 뜻을 나타내는 종결 어미.

**Тохирох Үг хэллэг байхгүй байна**

(хүндэтгэлийн энгийн үг хэллэг) тайлбар, асуулт, тушаал, хүсэлтийн утгыг илэрхийлдэг төгсгөх нөхцөл.

---

> 환자 : 그다지 <u>아프</u>+[ㄴ 것 같]+[지 않]+은데요.
> **아픈 것 같지 않은데요**

---

• 그다지 (дайвар Үг) : 대단한 정도로는. 또는 그렇게까지는.

**тийм ч их, тэгтлээ**

тийм сүртэй биш.

• 아프다 (тэмдэг нэр) : 다치거나 병이 생겨 통증이나 괴로움을 느끼다.

**өвдөх**

бэртэх ба өвчин тусаж өвдөлт, шаналлыг мэдрэх.

• -ㄴ 것 같다 : 추측을 나타내는 표현.

**Тохирох үг хэллэг байхгүй байна**

таамаглалыг илэрхийлдэг үг хэллэг.

• -지 않다 : 앞의 말이 나타내는 행위나 상태를 부정하는 뜻을 나타내는 표현.

**Тохирох үг хэллэг байхгүй байна**

өмнөх үгийн илэрхийлж буй үйлдэл буюу байдлыг үгүйсгэх утгыг илэрхийлдэг үг хэллэг.

• -은데요 : (두루높임으로) 의외라 느껴지는 어떤 사실을 감탄하여 말할 때 쓰는 표현.

**Тохирох үг хэллэг байхгүй байна**

(хүндэтгэлийн энгийн үг хэллэг) санаснаас өөрөөр мэдрэгдэн, ямар нэг бодит байдлыг уулга алдан хэлэхэд хэрэглэдэг илэрхийлэл.

---

| 결국 그 환자+는 다른 병원+을 찾아가+았+지만 역시 아프+ㄴ 곳+을 정확히 찾+[지 못하]+였+다. |
|---|
| 찾아갔지만     아픈     찾지 못했다 |

---

• **결국 (дайвар үг)** : 일의 결과로.

**эцэст нь, сүүлд нь**

үр дүнд нь.

• **그 (тодотгол үг)** : 앞에서 이미 이야기한 대상을 가리킬 때 쓰는 말.

**тэр, нөгөө**

өмнө нь ярьж дурдсан зүйлийг заах үед хэрэглэдэг үг.

• **환자 (нэр үг)** : 몸에 병이 들거나 다쳐서 아픈 사람.

**өвчтөн**

өвчин туссан хүн болон гэмтсэнээс өвдөж буй хүн.

• **는** : 문장 속에서 어떤 대상이 화제임을 나타내는 조사.

**Тохирох үг хэллэг байхгүй байна**

өгүүлбэрт ярианы сэдэв болж буйг илэрхийлдэг нөхцөл.

• **다른 (тодотгол үг)** : 해당하는 것 이외의.

**өөр, бусад**

хамаарах зүйлээс гаднах.

• **병원 (нэр үг)** : 시설을 갖추고 의사와 간호사가 병든 사람을 치료해 주는 곳.

**эмнэлэг**

байгууламж төхөөрөмжөөр тоноглогдсон, эмч, сувилагч нар өвчтэй хүнийг эмчилдэг газар.

- 을 : 동작의 도착지나 동작이 이루어지는 장소를 나타내는 조사.

  -руу/-рYY, -луу/-лYY, -аар (-ээр, -оор, -өөр)

  Үйл хөдлөлийн хҮрэх цэг болон Үйл хөдөлгөөн болж буй газрыг илэрхийлэх нөхцөл.

- **찾아가다 (Үйл Yг)** : 사람을 만나거나 어떤 일을 하러 가다.

  зорьж очих, уулзахаар очих

  хҮнтэй уулзах юм уу ямар нэг ажил хийхээр явах.

- -았- : 사건이 과거에 일어났음을 나타내는 어미.

  Тохирох Yг хэллэг байхгYй байна

  Үйл явдал өнгөрсөн Yед болсныг илэрхийлдэг нөхцөл.

- -지만 : 앞에 오는 말을 인정하면서 그와 반대되거나 다른 사실을 덧붙일 때 쓰는 연결 어미.

  Тохирох Yг хэллэг байхгYй байна

  өмнөх агуулгыг хҮлээн зөвшөөрч байгаа хирнээ тҮҮнтэй эсрэгцэх буюу өөр утгыг нэмэх Yед хэрэглэдэг холбох нөхцөл.

- **역시 (дайвар Yг)** : 이전과 마찬가지로.

  мөн л, бас л, дахиад л

  өмнөхийн адилаар.

- **아프다 (тэмдэг нэр)** : 다치거나 병이 생겨 통증이나 괴로움을 느끼다.

  өвдөх

  бэртэх ба өвчин тусаж өвдөлт, шаналлыг мэдрэх.

- -ㄴ : 앞의 말이 관형어의 기능을 하게 만들고 현재의 상태를 나타내는 어미.

  Тохирох Yг хэллэг байхгYй байна

  өмнөх Yгийг тодотгол гишҮҮний ҮYрэгтэй болгож, одоогийн байдлыг илэрхийлдэг нөхцөл.

- **곳 (нэр Yг)** : 일정한 장소나 위치.

  газар, байр

  тогтсон нэгэн газар буюу байрлал.

- 을 : 동작이 직접적으로 영향을 미치는 대상을 나타내는 조사.

  -ыг/-ийг/-г

  Үйл хөдлөл шууд нөлөөлж буй тусагдахууныг илэрхийлэх нөхцөл.

- **정확히 (дайвар Yг)** : 바르고 확실하게.

  баттай, зөв

  зөв зҮйтэй, баттай.

- **찾다 (Үйл Yг)** : 모르는 것을 알아내려고 노력하다. 또는 모르는 것을 알아내다.

  эрэх, хайх, олох

  мэдэхгYй юмаа олж мэдэх гэж хичээх. мөн мэдэхгYйгээ олж мэдэх.

• -지 못하다 : 앞의 말이 나타내는 행동을 할 능력이 없거나 주어의 의지대로 되지 않음을 나타내는 표현.

**Тохирох Үг хэллэг байхгүй байна**

өмнөх Үгийн илэрхийлж буй Үйлдлийг хийх чадваргүй буюу тийнхүү хийх гэсэн ээсэн биейин санасны дагуу болохгүй байх явдлыг илэрхийлдэг Үг хэллэг.

• -였- : 사건이 과거에 일어났음을 나타내는 어미.

**Тохирох Үг хэллэг байхгүй байна**

Үйл явдал өнгөрсөн цагт өрнөснийг илэрхийлдэг төгсгөх нөхцөл.

• -다 : 어떤 사건이나 사실, 상태를 서술함을 나타내는 종결 어미.

**Тохирох Үг хэллэг байхгүй байна**

одоогийн хэрэг явдал буюу Үнэн явлыг хүүрнэхийг илэрхийлдэг төгсгөх нөхцөл.

---

| 답답하+였던 그 환자+는 어느 한의원+에 들어가+았+다. |
|---|
| 답답했던                     들어갔다 |

---

• **답답하다 (тэмдэг нэр)** : 근심이나 걱정으로 마음이 초조하고 속이 시원하지 않다.

**бачуурах**

сэтгэл санаа зовьнож, дотор давчдах.

• **-였던** : 과거의 사건이나 상태를 다시 떠올리거나 그 사건이나 상태가 완료되지 않고 중단되었다는 의미를 나타내는 표현.

**Тохирох Үг хэллэг байхгүй байна**

өнгөрсөн явдал ба нөхцөл байдлыг дахин эргүүлэн санах буюу уг явдал ба нөхцөл байдал бүрэн дуусаагүй түр зогссон гэсэн утгыг илэрхийлдэг Үг хэллэг.

• **그 (тодотгол Үг)** : 앞에서 이미 이야기한 대상을 가리킬 때 쓰는 말.

**тэр, нөгөө**

өмнө нь ярьж дурдсан зүйлийг заах үед хэрэглэдэг Үг.

• **환자 (нэр Үг)** : 몸에 병이 들거나 다쳐서 아픈 사람.

**өвчтөн**

өвчин туссан хүн болон гэмтсэнээс өвдөж буй хүн.

• **는** : 문장 속에서 어떤 대상이 화제임을 나타내는 조사.

**Тохирох Үг хэллэг байхгүй байна**

өгүүлбэрт ярианы сэдэв болж буйг илэрхийлдэг нөхцөл.

• **어느 (тодотгол Үг)** : 확실하지 않거나 분명하게 말할 필요가 없는 사물, 사람, 때, 곳 등을 가리키는 말.

**нэг, нэгэн, ямар ч**

баттай бус ба тодорхой хэлэх шаардлагагүй зүйл, хүн, цаг үе, газрыг заасан Үг.

• 한의원 (нэр Үг) : 우리나라 전통 의술로 환자를 치료하는 의원.
  **солонгос ардын эмнэлэг**
  солонгосын уламжлалт анагаах ухаанаар өвчтөнг эмчилдэг эмнэлэг.

• 에 : 앞말이 목적지이거나 어떤 행위의 진행 방향임을 나타내는 조사.
  **-руу/-рҮҮ, -луу/-лҮҮ**
  өмнөх Үг зорьсон газар буюу ямар нэгэн Үйлийн чиглэлийг зааж байгаа болохыг илэрхийлж буй нөхцөл.

• 들어가다 (Үйл Үг) : 밖에서 안으로 향하여 가다.
  **явж орох, дотогш орох**
  гаднаас дотогшоо орох.

• -았- : 사건이 과거에 일어났음을 나타내는 어미.
  **Тохирох Үг хэллэг байхгҮй байна**
  Үйл явдал өнгөрсөн Үед болсныг илэрхийлдэг нөхцөл.

• -다 : 어떤 사건이나 사실, 상태를 서술함을 나타내는 종결 어미.
  **Тохирох Үг хэллэг байхгҮй байна**
  одоогийн хэрэг явдал буюу Үнэн явлыг хҮҮрнэхийг илэрхийлдэг төгсгөх нөхцөл.

---

> **환자** : 정확히 어디+가 <u>아프+ㄴ지</u> 잘 모르+겠+지만
> **아픈지**
>
> 어디+를 <u>누르(눌ㄹ)+[어 보]</u>+아도 <u>아프(아ㅍ)+[아 죽]</u>+겠+어요.
> **눌러 보아도          아파 죽겠어요**

---

• 정확히 (дайвар Үг) : 바르고 확실하게.
  **баттай, зөв**
  зөв зҮйтэй, баттай.

• 어디 (төлөөний Үг) : 모르는 곳을 가리키는 말.
  **хаана**
  мэдэхгҮй нэгэн газар.

• 가 : 어떤 상태나 상황에 놓인 대상이나 동작의 주체를 나타내는 조사.
  **Тохирох Үг хэллэг байхгҮй байна**
  ямар нэгэн төлөв, байдлын субьект, мөн Үйл хөдлөлийн эзэн болохыг илэрхийлэх нөхцөл.

• 아프다 (тэмдэг нэр) : 다치거나 병이 생겨 통증이나 괴로움을 느끼다.
  өвдөх
  бэртэх ба өвчин тусаж өвдөлт, шаналлыг мэдрэх.

• -ㄴ지 : 뒤에 오는 말의 내용에 대한 막연한 이유나 판단을 나타내는 연결 어미.
  Тохирох Үг хэллэг байхгүй байна
  хойно орж байгаа агуулгын тодорхой бус учир шалтгаан буюу дүгнэлтийг
  илэрхийлдэг холбох нөхцөл.

• 잘 (дайвар үг) : 분명하고 정확하게.
  сайн
  нарийн бөгөөд тодорхой.

• 모르다 (Үйл Үг) : 사람이나 사물, 사실 등을 알지 못하거나 이해하지 못하다.
  мэдэхгүй байх, мэдэхгүй
  хүн, эд юм, үнэн зүйлийн талаар мэдээгүй буюу ойлгохгүй байх.

• -겠- : 완곡하게 말하는 태도를 나타내는 어미.
  Тохирох үг хэллэг байхгүй байна
  зөөрүүлж хэлэх хандлагыг илэрхийлдэг нөхцөл.

• -지만 : 앞에 오는 말을 인정하면서 그와 반대되거나 다른 사실을 덧붙일 때 쓰는 연결 어미.
  Тохирох үг хэллэг байхгүй байна
  өмнөх агуулгыг хүлээн зөвшөөрч байгаа хирнээ түүнтэй эсрэгцэх буюу өөр утгыг
  нэмэх үед хэрэглэдэг холбох нөхцөл.

• 어디 (төлөөний үг) : 정해져 있지 않거나 정확하게 말할 수 없는 어느 곳을 가리키는 말.
  хаана, хаашаа
  тогтоогүй эсвэл тодорхой хэлэх боломжгүй аль нэг газар.

• 를 : 동작이 직접적으로 영향을 미치는 대상을 나타내는 조사.
  -ыг/-ийг/-г
  үйл хөдлөл шууд нөлөөлж буй тусагдахууныг илэрхийлэх нөхцөл.

• 누르다 (Үйл Үг) : 물체의 전체나 부분에 대하여 위에서 아래로 힘을 주어 무게를 가하다.
  дарах
  эд зүйлийг бүхэлд нь буюу хэсэгчлэн дээрээс доош нь хүчлэн дарах.

• -어 보다 : 앞의 말이 나타내는 행동을 시험 삼아 함을 나타내는 표현.
  Тохирох үг хэллэг байхгүй байна
  өмнөх үгийн илэрхийлж буй үйлдлийг туршиж үзэх явдлыг илэрхийлдэг үг хэллэг.

- -아도 : 앞에 오는 말을 가정하거나 인정하지만 뒤에 오는 말에는 관계가 없거나 영향을 끼치지 않음을 나타내는 연결 어미.

  **Тохирох Үг хэллэг байхгүй байна**

  өмнөх агуулгыг тооцоолох буюу хүлээн зөвшөөрч байгаа боловч, ардах агуулгад нь хамааралгүй буюу нөлөө үзүүлэхгүй болохыг илэрхийлдэг холбох нөхцөл.

- **아프다 (тэмдэг нэр)** : 다치거나 병이 생겨 통증이나 괴로움을 느끼다.

  **өвдөх**

  бэртэх ба өвчин тусаж өвдөлт, шаналлыг мэдрэх.

- -아 죽다 : 앞의 말이 나타내는 상태의 정도가 매우 심함을 나타내는 표현.

  **Тохирох Үг хэллэг байхгүй байна**

  өмнөх үгийн илэрхийлж буй байдал буюу мэдрэмжийн хэмжээ маш ноцтой болохыг илэрхийлдэг үг хэллэг.

- -겠- : 완곡하게 말하는 태도를 나타내는 어미.

  **Тохирох Үг хэллэг байхгүй байна**

  зөрүүлж хэлэх хандлагыг илэрхийлдэг нөхцөл.

- -어요 : (두루높임으로) 어떤 사실을 서술하거나 질문, 명령, 권유함을 나타내는 종결 어미.

  **Тохирох Үг хэллэг байхгүй байна**

  (хүндэтгэлийн энгийн үг хэллэг) ямар нэгэн зүйлийг хүүрнэх, асуух, тушаах, уриалах явдлыг илэрхийлдэг төгсгөх нөхцөл.

---

> **환자 : 제발 좀 찾+[아 주]+세요.**
>
> **찾아 주세요**

---

- **제발 (дайвар үг)** : 간절히 부탁하는데.

  **гуйя, хичээнгүйлэн гуйя**

  чин сэтгэлээсээ хүсэхэд.

- **좀 (дайвар үг)** : 주로 부탁이나 동의를 구할 때 부드러운 느낌을 주기 위해 넣는 말.

  **жаахан**

  ихэвчлэн гуйлт, зөвшөөрөл хүсэх үед зөөлөн мэдрэмж төрүүлэх гэж хэрэглэдэг үг.

- **찾다 (үйл үг)** : 모르는 것을 알아내려고 노력하다. 또는 모르는 것을 알아내다.

  **эрэх, хайх, олох**

  мэдэхгүй юмаа олж мэдэх гэж хичээх. мөн мэдэхгүйгээ олж мэдэх.

- -아 주다 : 남을 위해 앞의 말이 나타내는 행동을 함을 나타내는 표현.

  **Тохирох Үг хэллэг байхгүй байна**

  бусдад зориулж өмнөх үгийн илэрхийлж буй үйлдлийг хийх явдлыг илэрхийлдэг үг хэллэг.

• **-세요** : (두루높임으로) 설명, 의문, 명령, 요청의 뜻을 나타내는 종결 어미.

Тохирох Үг хэллэг байхгүй байна

(хүндэтгэлийн энгийн үг хэллэг) тайлбар, асуулт, тушаал, хүсэлтийн утгыг
илэрхийлдэг төгсгөх нөхцөл.

---

> 한의사 선생님+은 <u>의미심장하+ㄴ</u> 표정+을 <u>짓(지)+으며</u> <u>말하+였+다</u>.
>               **의미심장한**               **지으며**       **말했다**

---

• **한의사 (нэр үг)** : 우리나라 전통 의술로 치료하는 의사.

солонгос ардын эмнэлгийн эмч, солонгос ардын эмч

солонгосын уламжлалт анагаах ухаанаар эмчилгээ хийдэг эмч.

• **선생님 (нэр үг)** : 어떤 사람의 성이나 직업에 붙여 그 사람을 높이는 말.

гуай

хэн нэгэн хүний овог, мэргэжилд залган хэлдэг тухайн хүнийг хүндэтгэсэн үг.

• **은** : 문장 속에서 어떤 대상이 화제임을 나타내는 조사.

Тохирох үг хэллэг байхгүй байна

өгүүлбэрт ямар зүйл ярианы сэдэв болж буйг илэрхийлдэг нөхцөл.

• **의미심장하다 (тэмдэг нэр)** : 뜻이 매우 깊다.

гүн утгатай, гүнзгий утгатай, утга учиртай, гүнзгий агуулгатай

маш гүнзгий утгатай.

• **-ㄴ** : 앞의 말이 관형어의 기능을 하게 만들고 현재의 상태를 나타내는 어미.

Тохирох үг хэллэг байхгүй байна

өмнөх үгийг тодотгол гишүүний үүрэгтэй болгож, одоогийн байдлыг илэрхийлдэг
нөхцөл.

• **표정 (нэр үг)** : 마음속에 품은 감정이나 생각 등이 얼굴에 드러남. 또는 그런 모습.

нүүрний хувирал

сэтгэлдээ тээж буй сэтгэл хөдлөл, бодол санаа зэрэг нүүрэнд тодрох явдал. мөн
тийм дүр төрх.

• **을** : 동작이 직접적으로 영향을 미치는 대상을 나타내는 조사.

-ыг/-ийг/-г

үйл хөдлөл шууд нөлөөлж буй тусагдахууныг илэрхийлэх нөхцөл.

• **짓다 (үйл үг)** : 어떤 표정이나 태도 등을 얼굴이나 몸에 나타내다.

гаргах, үзүүлэх, илэрхийлэх

аливаа дүр төрх буюу хандлага нүүр болон биеэр илрэх.

- -으며 : 두 가지 이상의 동작이나 상태가 함께 일어남을 나타내는 연결 어미.

  **Тохирох Үг хэллэг байхгүй байна**

  хоёроос дээш үйл хөдлөл буюу байр байдал зэрэг болж буйг илэрхийлдэг холбох нөхцөл.

- **말하다 (Үйл Үг)** : 어떤 사실이나 자신의 생각 또는 느낌을 말로 나타내다.

  **ярих, өгүүлэх, хэлэх, өчих**

  ямар нэгэн бодит зүйлийн талаар болон өөрийн бодол санаа, мэдрэмжийг үгээр илэрхийлэх.

- -였- : 사건이 과거에 일어났음을 나타내는 어미.

  **Тохирох Үг хэллэг байхгүй байна**

  үйл явдал өнгөрсөн цагт өрнөснийг илэрхийлдэг төгсгөх нөхцөл.

- -다 : 어떤 사건이나 사실, 상태를 서술함을 나타내는 종결 어미.

  **Тохирох Үг хэллэг байхгүй байна**

  одоогийн хэрэг явдал буюу үнэн явлыг хүүрнэхийг илэрхийлдэг төгсгөх нөхцөл.

---

**한의사 : 손가락+이 <u>부러지+시+었+군요</u>!**
**부러지셨군요**

---

- **손가락 (нэр Үг)** : 사람의 손끝의 다섯 개로 갈라진 부분.

  **гарын хуруу**

  хүний гарын төгсгөл хэсэгт байх таван салаа бүхий хэсэг.

- 이 : 어떤 상태나 상황의 대상이나 동작의 주체를 나타내는 조사.

  **Тохирох Үг хэллэг байхгүй байна**

  ямар нэгэн төлөв, байдлын субьект, мөн үйл хөдлөлийн эзэн болохыг илэрхийлэх нөхцөл.

- **부러지다 (Үйл Үг)** : 단단한 물체가 꺾여 둘로 겹쳐지거나 동강이 나다.

  **хугарах, хуга үсрэх**

  хатуу биет хоёр хэсэг болон огтлогдох, хуваагдах.

- -시- : 높이고자 하는 인물과 관계된 소유물이나 신체의 일부가 문장의 주어일 때 그 인물을 높이는 뜻을 나타내는 어미.

  **Тохирох Үг хэллэг байхгүй байна**

  хүндэтгэх гэсэн хүн, холбогдолтой өмч, биеийн нэг хэсэг нь ямар нэгэн үйлдлийн байдал буюу эзэн бие болоход түүнийг хүнлэтгэх утга илэрхийлдэг нөхцөл.

- -었- : 어떤 사건이 과거에 완료되었거나 그 사건의 결과가 현재까지 지속되는 상황을 나타내는 어미.
  **Тохирох Үг хэллэг байхгҮй байна**
  ямар нэгэн хэрэг явдал өнгөрсөн Үед болж өнгөрсөн буюу тухайн Үйлийн Үр дҮн өнөөг хҮртэл Үргэлжилж буй нөхцөл байдлыг илэрхийлдэг нөхцөл.

- -군요 : (두루높임으로) 새롭게 알게 된 사실에 주목하거나 감탄함을 나타내는 표현.
  **Тохирох Үг хэллэг байхгҮй байна**
  (хҮндэтгэлийн энгийн Үг хэллэг) ямар нэгэн зҮйлийн талаар шинээр магадлах буюу ухаараад гайхан шагшрахад хэрэглэдэг илэрхийлэл.

# < 8 단원(бγлэг хичээл) >

제목 : 소는 왜 안 보이니?

# ● 본문 (эх бичиг)

어느 초등학교 미술 시간이었다.

선생님 : 여러분! 지금은 미술 시간이에요.

　　　　오늘은 목장 풍경을 한번 그려 보세요.

시간이 한참 지난 후에 선생님께서는 아이들 자리를 돌아다니며 그림을 살펴보았다.

선생님 : 소가 참 한가로워 보이네요.

　　　　잘 그렸어요.

이렇게 선생님께서는 학생들의 그림을 보면서 칭찬을 해 주셨다.

그런데 한 학생의 스케치북은 백지상태 그대로였다.

선생님 : 넌 어떤 그림을 그린 거니?

학생 : 풀을 뜯고 있는 소를 그렸어요.

선생님 : 그런데 풀은 어디 있니?

학생 : 소가 이미 다 먹어 버렸어요.

선생님 : 그럼 소는 왜 안 보이니?

학생 : 선생님도 참, 소가 풀을 다 먹었는데 여기에 있겠어요?

# ● 발음 (дуудлага)

어느 초등학교 미술 시간이었다.
어느 초등학꾜 미술 시가니얻따.
eoneu chodeunghaggyo misul siganieotda.


선생님 : 여러분! 지금은 미술 시간이에요.
선생님 : 여러분! 지그믄 미술 시가니에요.
seonsaengnim : yeoreobun! jigeumeun misul siganieyo.


　　　　오늘은 목장 풍경을 한번 그려 보세요.
　　　　오느른 목짱 풍경을 한번 그려 보세요.
　　　　oneureun mokjang punggyeongeul hanbeon geuryeo boseyo.

시간이 한참 지난 후에 선생님께서는 아이들 자리를 돌아다니며 그림을 살펴보았다.
시가니 한참 지난 후에 선생님께서는 아이들 자리를 도라다니며 그리믈 살펴보얃따.
sigani hancham jinan hue seonsaengnimkkeseoneun aideul jarireul doradanimyeo geurimeul salpyeoboatda.

선생님 : 소가 참 한가로워 보이네요.
선생님 : 소가 참 한가로워 보이네요.
seonsaengnim : soga cham hangarowo boineyo.


　　　　잘 그렸어요.
　　　　잘 그려써요.
　　　　jal geuryeosseoyo.

이렇게 선생님께서는 학생들의 그림을 보면서 칭찬을 해 주셨다.
이러케 선생님께서는 학쌩드레 그리믈 보면서 칭차늘 해 주셛따.
ireoke seonsaengnimkkeseoneun haksaengdeurui(haksaengdeure) geurimeul bomyeonseo chingchaneul hae jusyeotda.

그런데 한 학생의 스케치북은 백지상태 그대로였다.
그런데 한 학쌩에 스케치부근 백찌상태 그대로엳따.
geureonde han haksaengui(haksaenge) seukechibugeun baekjisangtae geudaeroyeotda.

선생님 : 넌 어떤 그림을 그린 거니?
선생님 : 넌 어떤 그리믈 그린 거니?
seonsaengnim : neon eotteon geurimeul geurin geoni?

학생 : 풀을 뜯고 있는 소를 그렸어요.

학쌩 : 푸를 뜯꼬 인는 소를 그려써요.

haksaeng : pureul tteutgo inneun soreul geuryeosseoyo.


선생님 : 그런데 풀은 어디 있니?

선생님 : 그런데 푸른 어디 인니?

seonsaengnim : geureonde pureun eodi inni?


학생 : 소가 이미 다 먹어 버렸어요.

학쌩 : 소가 이미 다 머거 버려써요.

haksaeng : soga imi da meogeo beoryeosseoyo.


선생님 : 그럼 소는 왜 안 보이니?

선생님 : 그럼 소는 왜 안 보이니?

seonsaengnim : geureom soneun wae an boini?


학생 : 선생님도 참, 소가 풀을 다 먹었는데 여기에 있겠어요?

학쌩 : 선생님도 참, 소사 푸를 다 머건는데 여기에 인께써요?

haksaeng : seonsaengnimdo cham, soga pureul da meogeonneunde yeogie itgesseoyo?

# ● 어휘 (Үгс) / 문법 (хэлзүй)

어느 초등학교 미술 시간+이+었+다.

선생님 : 여러분! 지금+은 미술 시간+이+에요.

　　　　오늘+은 목장 풍경+을 한번 그리+<u>어 보</u>+세요.

시간+이 한참 지나+<u>ㄴ 후에</u> 선생님+께서+는 아이+들 자리+를 돌아다니+며 그림+을 살펴보+았+다.

선생님 : 소+가 참 한가롭(한가로우)+<u>어 보이</u>+네요.

　　　　잘 그리+었+어요.

이렇+게 선생님+께서+는 학생+들+의 그림+을 보+면서 칭찬+을 하+<u>여 주</u>+시+었+다.

그런데 한 학생+의 스케치북+은 백지상태 그대로+이+었+다.

선생님 : 너+는 어떤 그림+을 그리+<u>ㄴ 것(거)</u>+(이)+니?

학생 : 풀+을 뜯+<u>고 있</u>+는 소+를 그리+었+어요.

선생님 : 그런데 풀+은 어디 있+니?

학생 : 소+가 이미 다 먹+<u>어 버리</u>+었+어요.

선생님 : 그럼 소+는 왜 안 보이+니?

학생 : 선생님+도 참, 소+가 풀+을 다 먹+었+는데 여기+에 있+겠+어요?

> 어느 초등학교 미술 시간+이+었+다.

- **어느 (тодотгол Үг)** : 확실하지 않거나 분명하게 말할 필요가 없는 사물, 사람, 때, 곳 등을 가리키는 말.

  нэг, нэгэн, ямар ч

  баттай бус ба тодорхой хэлэх шаардлагагүй зүйл, хүн, цаг үе, газрыг заасан үг.

- **초등학교 (нэр Үг)** : 학교 교육의 첫 번째 단계로 만 여섯 살에 입학하여 육 년 동안 기본 교육을 받는 학교.

  бага сургууль

  ерөнхий боловсролын эхний үе шат бөгөөд 6 настай сурагч элсэн ороод, 6 жилийн турш ерөнхий боловсрол эзэмших сургууль.

- **미술 (нэр Үг)** : 그림이나 조각처럼 눈으로 볼 수 있는 아름다움을 표현한 예술.

  дүрслэх урлаг

  уран зураг, баримал зэрэг гоо сайхныг нүдээр харж мэдэрч болох урлаг.

- **시간 (нэр Үг)** : 어떤 일이 시작되어 끝날 때까지의 동안.

  хугацаа, цаг

  ямар нэг юм эхлээд дуусах хүртэлх үе.

- **이다** : 주어가 지시하는 대상의 속성이나 부류를 지정하는 뜻을 나타내는 서술격 조사.

  Тохирох Үг хэллэг байхгүй байна

  эзэн биеийн зааж буй обьектын шинж чанар, төрөл зүйлийг тодорхойлох утгыг илэрхийлэх өгүүлэхүүний тийн ялгалын нөхцөл.

- **-었-** : 사건이 과거에 일어났음을 나타내는 어미.

  Тохирох Үг хэллэг байхгүй байна

  үйл явдал өнгөрсөн үед болсныг илэрхийлдэг төгсгөх нөхцөл.

- **-다** : 어떤 사건이나 사실, 상태를 서술함을 나타내는 종결 어미.

  Тохирох Үг хэллэг байхгүй байна

  одоогийн хэрэг явдал буюу үнэн явлыг хүүрнэхийг илэрхийлдэг төгсгөх нөхцөл.

> **선생님** : 여러분! 지금+은 미술 시간+이+에요.

- **여러분 (төлөөний Үг)** : 듣는 사람이 여러 명일 때 그 사람들을 높여 이르는 말.

  та нар, та бүхэн, та нөхөд

  сонсож байгаа хүмүүс нь олон байх үед тэр хүмүүсийг хүндэтгэн хэлэх үг.

- 지금 (нэр Yг) : 말을 하고 있는 바로 이때.

  одоо, одоо цаг

  юм ярьж буй энэ цаг мөч.

- 은 : 문장 속에서 어떤 대상이 화제임을 나타내는 조사.

  Тохирох Yг хэллэг байхгYй байна

  өгYYлбэрт ямар зYйл ярианы сэдэв болж буйг илэрхийлдэг нөхцөл.

- 미술 (нэр Yг) : 그림이나 조각처럼 눈으로 볼 수 있는 아름다움을 표현한 예술.

  дYрслэх урлаг

  уран зураг, баримал зэрэг гоо сайхныг нYдээр харж мэдэрч болох урлаг.

- 시간 (нэр Yг) : 어떤 일이 시작되어 끝날 때까지의 동안.

  хугацаа, цаг

  ямар нэг юм эхлээд дуусах хYртэлх Yе.

- 이다 : 주어가 지시하는 대상의 속성이나 부류를 지정하는 뜻을 나타내는 서술격 조사.

  Тохирох Yг хэллэг байхгYй байна

  эзэн биеийн зааж буй обьектын шинж чанар, төрөл зYйлийг тодорхойлох утгыг илэрхийлэх өгYYлэхYYний тийн ялгалын нөхцөл.

- -에요 : (두루높임으로) 어떤 사실을 서술하거나 질문함을 나타내는 종결 어미.

  Тохирох Yг хэллэг байхгYй байна

  (хYндэтгэлийн энгийн Yг хэллэг) ямар нэгэн зYйлийг хYYрнэх, асуух явдлыг илэрхийлдэг төгсгөх нөхцөл.

---

> **선생님 :** 오늘+은 목장 풍경+을 한번 <u>그리+[어 보]+세요</u>.
>
> 그려 보세요

---

- 오늘 (нэр Yг) : 지금 지나가고 있는 이날.

  өнөөдөр

  одоо өнгөрөн одож буй энэ өдөр.

- 은 : 문장 속에서 어떤 대상이 화제임을 나타내는 조사.

  Тохирох Yг хэллэг байхгYй байна

  өгYYлбэрт ямар зYйл ярианы сэдэв болж буйг илэрхийлдэг нөхцөл.

- 목장 (нэр Yг) : 우리와 풀밭 등을 갖추어 소나 말이나 양 등을 놓아기르는 곳.

  ферм, аж ахуй

  саравч хашаа, өвсний талбай бYхий Yхэр, морь, хонь зэргийг YржYYлдэг газар.

• **풍경 (нэр үг)** : 감정을 불러일으키는 경치나 상황.
гоо үзэмж, үзэсгэлэнт байдал

сэтгэл хөдөлгөсөн байгалийн үзэмж юм уу нөхцөл байдал.

• **을** : 동작이 직접적으로 영향을 미치는 대상을 나타내는 조사.
-ыг/-ийг/-г

үйл хөдлөл шууд нөлөөлж буй тусгагдахууныг илэрхийлэх нөхцөл.

• **한번 (дайвар үг)** : 어떤 일을 시험 삼아 시도함을 나타내는 말.
Тохирох үг хэллэг байхгүй байна

Аливаа юмыг оролдоод үзээд байгааг илтгэх үг.

• **그리다 (үйл үг)** : 연필이나 붓 등을 이용하여 사물을 선이나 색으로 나타내다.
зурах, дүрслэх, буулгах

харандаа, бийр мэтээр аливаа зүйлийг зураас, өнгөөр илэрхийлэх.

• **-어 보다** : 앞의 말이 나타내는 행동을 시험 삼아 함을 나타내는 표현.
Тохирох үг хэллэг байхгүй байна

өмнөх үгийн илэрхийлж буй үйлдлийг туршиж үзэх явдлыг илэрхийлдэг үг хэллэг.

• **-세요** : (두루높임으로) 설명, 의문, 명령, 요청의 뜻을 나타내는 종결 어미.
Тохирох үг хэллэг байхгүй байна

(хүндэтгэлийн энгийн үг хэллэг) тайлбар, асуулт, тушаал, хүсэлтийн утгыг
илэрхийлдэг төгсгөх нөхцөл.

---

시간+이 한참 <u>지나+[ㄴ 후에]</u> 선생님+께서+는 아이+들 자리+를 돌아다니+며 그림+을 살펴보+았+다.
                    **지난 후에**

---

• **시간 (нэр үг)** : 자연히 지나가는 세월.
цаг хугацаа

аяндаа өнгөрөх цаг хугацаа.

• **이** : 어떤 상태나 상황의 대상이나 동작의 주체를 나타내는 조사.
Тохирох үг хэллэг байхгүй байна

ямар нэгэн төлөв, байдлын субьект, мөн үйл хөдлөлийн эзэн болохыг илэрхийлэх
нөхцөл.

• **한참 (нэр үг)** : 시간이 꽤 지나는 동안.
нэлээд удаан хугацаа

цаг хугацаа нэлээд өнгөрөх хооронд.

• **지나다 (Үйл Үг)** : 시간이 흘러 그 시기에서 벗어나다.

өнгөрөх

цаг хугацаа өнгөрч тухайн Үе ард хоцрох.

• **-ㄴ 후에** : 앞에 오는 말이 나타내는 행동을 하고 시간적으로 뒤에 다른 행동을 함을 나타내는 표현.

Тохирох Үг хэллэг байхгҮй байна

ямар нэгэн Үйлдлийг хийгээд цаг хугацааны хувьд дараа нь өөр Үйлдэл хийх явдлыг илэрхийлдэг Үг хэллэг.

• **선생님 (нэр Үг)** : (높이는 말로) 학생을 가르치는 사람.

багш

(хҮндэтгэх Үг) сурагч оюутанд зааж сургадаг хҮн.

• **께서** : (높임말로) 가. 이. 어떤 동작의 주체가 높여야 할 대상임을 나타내는 조사.

Тохирох Үг хэллэг байхгҮй байна

(хҮндэтгэлт Үг) Үйлийн эзнийг хҮндэтгэж буйг илэрхийлдэг нөхцөл.

• **는** : 문장 속에서 어떤 대상이 화제임을 나타내는 조사.

Тохирох Үг хэллэг байхгҮй байна

өгҮҮлбэрт ямар зҮйл ярианы сэдэв болж буйг илэрхийлдэг нөхцөл.

• **아이 (нэр Үг)** : 나이가 어린 사람.

хҮҮхэд

нас бага хҮҮхэд.

• **들** : '복수'의 뜻을 더하는 접미사.

Тохирох Үг хэллэг байхгҮй байна

олон тооны утга нэмдэг дагавар.

• **자리 (нэр Үг)** : 사람이 앉을 수 있도록 만들어 놓은 곳.

суудал

хҮн сууж болохуйц хийсэн газар.

• **를** : 동작의 도착지나 동작이 이루어지는 장소를 나타내는 조사.

аар (-ээр, -оор, -өөр)

Үйл хөдлөлийн хҮрэх цэг болон Үйл хөдөлгөөн болж буй газрыг илэрхийлэх нөхцөл.

• **돌아다니다 (Үйл Үг)** : 여기저기를 두루 다니다.

хэрэн явах, хэсэх

ийшээ тийшээ хэсэн явах.

• **-며** : 두 가지 이상의 동작이나 상태가 함께 일어남을 나타내는 연결 어미.

Тохирох Үг хэллэг байхгҮй байна

хоёроос дээш Үйлдэл буюу байдал хамт бий болох явдлыг илэрхийлдэг холбох нөхцөл.

- **그림 (нэр Үг)** : 선이나 색채로 사물의 모양이나 이미지 등을 평면 위에 나타낸 것.

  зураг

  юмны дҮрс байдлыг зураас, будгаар хавтгай гадаргуу дээр дҮрслэн гаргасан зҮйл.

- **을** : 동작이 직접적으로 영향을 미치는 대상을 나타내는 조사.

  -ыг/-ийг/-г

  Үйл хөдлөл шууд нөлөөлж буй тусагдахууныг илэрхийлэх нөхцөл.

- **살펴보다 (Үйл Үг)** : 여기저기 빠짐없이 자세히 보다.

  эргэцҮҮлж харах

  энд тэндгҮй нэгд нэггҮй нягтлан харах.

- **-았-** : 사건이 과거에 일어났음을 나타내는 어미.

  Тохирох Үг хэллэг байхгҮй байна

  Үйл явдал өнгөрсөн Үед болсныг илэрхийлдэг төгсгөх нөхцөл.

- **-다** : 어떤 사건이나 사실, 상태를 서술함을 나타내는 종결 어미.

  Тохирох Үг хэллэг байхгҮй байна

  одоогийн хэрэг явдал буюу Үнэн явлыг хҮҮрнэхийг илэрхийлдэг төгсгөх нөхцөл.

---

> **선생님 : 소+가 참 한가롭(한가로우)+[어 보이]+네요.**
>
> ## 한가로워 보이네요

---

- **소 (нэр Үг)** : 몸집이 크고 갈색이나 흰색과 검은색의 털이 있으며, 젖을 짜 먹거나 고기를 먹기 위해 기르는 짐승.

  Үхэр

  бие нь том, хҮрэн бөгөөд цагаан, хар өнгийн Үстэй, сҮҮг нь сааж уух болон махыг нь идэх гэж өсгөдөг амьтан.

- **가** : 어떤 상태나 상황에 놓인 대상이나 동작의 주체를 나타내는 조사.

  Тохирох Үг хэллэг байхгҮй байна

  ямар нэгэн төлөв, байдлын субьект, мөн Үйл хөдлөлийн эзэн болохыг илэрхийлэх нөхцөл.

- **참 (дайвар Үг)** : 사실이나 이치에 조금도 어긋남이 없이 정말로.

  Үнэхээр

  Үнэн байдал, ёс зҮйгээс огтхон ч гажаагҮй Үнэхээр.

- **한가롭다 (тэмдэг нэр)** : 바쁘지 않고 여유가 있는 듯하다.

  завтай, чөлөөтэй

  завтай чөлөөтэй байх.

• -어 보이다 : 겉으로 볼 때 앞의 말이 나타내는 것처럼 느껴지거나 추측됨을 나타내는 표현.

**Тохирох Үг хэллэг байхгүй байна**

гаднаас нь харахад өмнөх Үг нь илэрхийлж буй мэт мэдрэгдэх буюу багцаалж буйг илэрхийлдэг Үг хэллэг.

• -네요 : (두루높임으로) 말하는 사람이 직접 경험하여 새롭게 알게 된 사실에 대해 감탄함을 나타낼 때 쓰는 표현.

**Тохирох Үг хэллэг байхгүй байна**

(хҮндэтгэлийн энгийн Үг хэллэг) өгҮҮлэгч өөрийн биеэр Үзэж өнгөрҮҮлж, шинээр мэдсэн зҮйлийнхээ талаар гайхан биширч байгааг илэрхийлэхэд хэрэглэдэг хэлбэр.

---

> 선생님 : 잘 <u>그리+었+어요</u>.
>                 **그렸어요**

---

• **잘 (дайвар Үг)** : 익숙하고 솜씨 있게.

**сайн**

чадварлаг бөгөөд сурмаг.

• **그리다 (Үйл Үг)** : 연필이나 붓 등을 이용하여 사물을 선이나 색으로 나타내다.

**зурах, дҮрслэх, буулгах**

харандаа, бийр мэтээр аливаа зҮйлийг зураас, өнгөөр илэрхийлэх.

• **-었-** : 어떤 사건이 과거에 완료되었거나 그 사건의 결과가 현재까지 지속되는 상황을 나타내는 어미.

**Тохирох Үг хэллэг байхгүй байна**

ямар нэгэн хэрэг явдал өнгөрсөн Үед болж өнгөрсөн буюу тухайн Үйлийн Үр дҮн өнөөг хҮртэл Үргэлжилж буй нөхцөл байдлыг илэрхийлдэг нөхцөл.

• **-어요** : (두루높임으로) 어떤 사실을 서술하거나 질문, 명령, 권유함을 나타내는 종결 어미.

**Тохирох Үг хэллэг байхгүй байна**

(хҮндэтгэлийн энгийн Үг хэллэг) ямар нэгэн зҮйлийг хҮҮрнэх, асуух, тушаах, уриалах явдлыг илэрхийлдэг төгсгөх нөхцөл.

---

> 이렇+게 선생님+께서+는 학생+들+의 그림+을 보+면서 칭찬+을 <u>하+[여 주]+시+었+다</u>.
>                                                         **해 주셨다**

---

• **이렇다 (тэмдэг нэр)** : 상태, 모양, 성질 등이 이와 같다.

**ийм, иймэрхҮҮ**

байдал, төрх, шинж чанар зэрэг одоо ҮҮнтэй адилхан байх.

•-게 : 앞의 말이 뒤에서 가리키는 일의 목적이나 결과, 방식, 정도 등이 됨을 나타내는 연결 어미.

**Тохирох үг хэллэг байхгүй байна**

өмнөх агуулга ард нь зааж буй байдал, зорилго, үр дүн, арга барил, хэмжээ зэрэг болохыг илэрхийлдэг холбох нөхцөл.

•선생님 (нэр үг) : (높이는 말로) 학생을 가르치는 사람.

багш

(хүндэтгэх үг) сурагч оюутанд зааж сургадаг хүн.

•께서 : (높임말로) 가. 이. 어떤 동작의 주체가 높여야 할 대상임을 나타내는 조사.

**Тохирох үг хэллэг байхгүй байна**

(хүндэтгэлт үг) үйлийн эзнийг хүндэтгэж буйг илэрхийлдэг нөхцөл.

•는 : 문장 속에서 어떤 대상이 화제임을 나타내는 조사.

**Тохирох үг хэллэг байхгүй байна**

өгүүлбэрт ямар зүйл ярианы сэдэв болж буйг илэрхийлдэг нөхцөл.

•학생 (нэр үг) : 학교에 다니면서 공부하는 사람.

сурагч, оюутан

сургуульд явж суралцаж буй хүн.

•들 : '복수'의 뜻을 더하는 접미사.

**Тохирох үг хэллэг байхгүй байна**

олон тооны утга нэмдэг дагавар.

•의 : 앞의 말이 뒤의 말에 대하여 소유, 소속, 소재, 관계, 기원, 주체의 관계를 가짐을 나타내는 조사.

-н/-ийн/-ын/-ий/-ы

өмнөх үг хойдох үгтэй эзэмшил, харьяа, хэрэглэгдэхүүн, сэдвийн хамааралтай болохыг илэрхийлсэн нөхцөл.

•그림 (нэр үг) : 선이나 색채로 사물의 모양이나 이미지 등을 평면 위에 나타낸 것.

зураг

юмны дүрс байдлыг зураас, будгаар хавтгай гадаргуу дээр дүрслэн гаргасан зүйл.

•을 : 동작이 직접적으로 영향을 미치는 대상을 나타내는 조사.

-ыг/-ийг/-г

үйл хөдлөл шууд нөлөөлж буй тусагдахууныг илэрхийлэх нөхцөл.

•보다 (үйл үг) : 책이나 신문, 지도 등의 글자나 그림, 기호 등을 읽고 내용을 이해하다.

унших, үзэх, харах

ном, сонин, газрын зураг зэргийн үсэг, зураг, тэмдэг дохиог унших утгыг нь ойлгох.

• -면서 : 두 가지 이상의 동작이나 상태가 함께 일어남을 나타내는 연결 어미.
  Тохирох Үг хэллэг байхгҮй байна
  хоёр төрлөөс дээш Үйлдэл ба байдал хамт болох явдлыг илэрхийлэхэд хэрэглэдэг
  холбох нөхцөл.

• 칭찬 (нэр Үг) : 좋은 점이나 잘한 일 등을 매우 훌륭하게 여기는 마음을 말로 나타냄. 또는 그런 말.
  магтаал, сайшаал, магтах, сайшаах
  сайн тал болон сайн хийсэн Үйл зэргийг ихэд гайхалтайд тооцсон сэтгэлээ Үгээр
  илэрхийлэх явдал. мөн тухайн Үг хэллэг.

• 을 : 동작이 직접적으로 영향을 미치는 대상을 나타내는 조사.
  -ыг/-ийг/-г
  Үйл хөдлөл шууд нөлөөлж буй тусагдахууныг илэрхийлэх нөхцөл.

• 하다 (Үйл Үг) : 어떤 행동이나 동작, 활동 등을 행하다.
  Үйлдэх, хийх, гҮйцэтгэх
  аливаа Үйл хөдлөл, хөдөлгөөн, ажиллагаа зэргийг гҮйцэтгэх.

• -여 주다 : 남을 위해 앞의 말이 나타내는 행동을 함을 나타내는 표현.
  Тохирох Үг хэллэг байхгҮй байна
  бусдад зориулж өмнөх Үгийн илэрхийлж буй Үйлдлийг хийх явдлыг илэрхийлдэг Үг
  хэллэг.

• -시- : 어떤 동작이나 상태의 주체를 높이는 뜻을 나타내는 어미.
  Тохирох Үг хэллэг байхгҮй байна
  ямар нэгэн Үйлдэл буюу байдлын эзэн биеийг хҮндэтгэх утгыг илэрхийлдэг нөхцөл.

• -었- : 사건이 과거에 일어났음을 나타내는 어미.
  Тохирох Үг хэллэг байхгҮй байна
  Үйл явдал өнгөрсөн Үед болсныг илэрхийлдэг төгсгөх нөхцөл.

• -다 : 어떤 사건이나 사실, 상태를 서술함을 나타내는 종결 어미.
  Тохирох Үг хэллэг байхгҮй байна
  одоогийн хэрэг явдал буюу Үнэн явлыг хҮҮрнэхийг илэрхийлдэг төгсгөх нөхцөл.

---

그런데 한 학생+의 스케치북+은 백지상태 <u>그대로+이+었+다</u>.
**그대로였다**

---

• 그런데 (дайвар Үг) : 이야기를 앞의 내용과 관련시키면서 다른 방향으로 바꿀 때 쓰는 말.
  гэхдээ
  яриаг өмнөх агуулгатай холбонгоо өөр тийш нь хандуулахад хэрэглэдэг Үг.

• 한 (тодотгол үг) : 여럿 중 하나인 어떤.

нэг

олон зүйлийн дундаас ямар нэгэн.


• 학생 (нэр үг) : 학교에 다니면서 공부하는 사람.

сурагч, оюутан

сургуульд явж суралцаж буй хүн.


• 의 : 앞의 말이 뒤의 말에 대하여 소유, 소속, 소재, 관계, 기원, 주체의 관계를 가짐을 나타내는 조사.

-н/-ийн/-ын/-ий/-ы

өмнөх үг хойдох үгтэй эзэмшил, харьяа, хэрэглэгдэхүүн, сэдвийн хамааралтай болохыг илэрхийлсэн нөхцөл.


• 스케치북 (нэр үг) : 그림을 그릴 수 있는 하얀 도화지를 여러 장 묶어 놓은 책.

зургийн дэвтэр

зураг зурдаг цагаан өнгийн цаасыг олноор нь үдэж хийсэн зүйл.


• 은 : 문장 속에서 어떤 대상이 화제임을 나타내는 조사.

Тохирох үг хэллэг байхгүй байна

өгүүлбэрт ямар зүйл ярианы сэдэв болж буйг илэрхийлдэг нөхцөл.


• 백지상태 (нэр үг) : 종이에 아무것도 쓰지 않은 상태.

цав цагаан

цаасан дээр юу ч бичээгүй байдал


• 그대로 (нэр үг) : 그것과 똑같은 것.

тэр чигээрээ, -аараа4

түүнтэй яг адилхан.


• 이다 : 주어가 지시하는 대상의 속성이나 부류를 지정하는 뜻을 나타내는 서술격 조사.

Тохирох үг хэллэг байхгүй байна

эзэн биеийн зааж буй обьектын шинж чанар, төрөл зүйлийг тодорхойлох утгыг илэрхийлэх өгүүлэхүүний тийн ялгалын нөхцөл.


• -었- : 사건이 과거에 일어났음을 나타내는 어미.

Тохирох үг хэллэг байхгүй байна

үйл явдал өнгөрсөн үед болсныг илэрхийлдэг төгсгөх нөхцөл.


• -다 : 어떤 사건이나 사실, 상태를 서술함을 나타내는 종결 어미.

Тохирох үг хэллэг байхгүй байна

одоогийн хэрэг явдал буюу үнэн явлыг хүүрнэхийг илэрхийлдэг төгсгөх нөхцөл.

> **선생님 :** <u>너+는</u> 어떤 그림+을 <u>그리+[ㄴ 것(거)]+(이)+니?</u>
>        **넌**                      **그린 거니**

- **너 (төлөөний Үг)** : 듣는 사람이 친구나 아랫사람일 때, 그 사람을 가리키는 말.
  **чи**
  сонсогч нь найз буюу дүү байх тохиолдолд, тухайн хүнийг заадаг Үг.

- **는** : 문장 속에서 어떤 대상이 화제임을 나타내는 조사.
  **Тохирох Үг хэллэг байхгүй байна**
  өгүүлбэрт ямар зүйл ярианы сэдэв болж буйг илэрхийлдэг нөхцөл.

- **어떤 (тодотгол Үг)** : 사람이나 사물의 특징, 내용, 성격, 성질, 모양 등이 무엇인지 물을 때 쓰는 말.
  **ямар**
  хүн болон эд зүйлийн онцлог, агуулга, хэлбэр дүрс, өнгө төрх, ая зан зэрэг ямрыг тодруулан асуух Үг.

- **그림 (нэр Үг)** : 선이나 색채로 사물의 모양이나 이미지 등을 평면 위에 나타낸 것.
  **зураг**
  юмны дүрс байдлыг зураас, будгаар хавтгай гадаргуу дээр дүрслэн гаргасан зүйл.

- **을** : 서술어의 명사형 목적어임을 나타내는 조사.
  **Тохирох Үг хэллэг байхгүй байна**
  өгүүлэхүүн гишүүн нэрийн шинжтэй тусагдахуун гишүүн болохыг заах нөхцөл.

- **그리다 (Үйл Үг)** : 연필이나 붓 등을 이용하여 사물을 선이나 색으로 나타내다.
  **зурах, дүрслэх, буулгах**
  харандаа, бийр мэтээр аливаа зүйлийг зураас, өнгөөр илэрхийлэх.

- **-ㄴ 것** : 명사가 아닌 것을 문장에서 명사처럼 쓰이게 하거나 '이다' 앞에 쓰일 수 있게 할 때 쓰는 표현.
  **Тохирох Үг хэллэг байхгүй байна**
  өгүүлбэрт нэр үгийн үүргээр орж өгүүлэгдэхүүн буюу тусагдахуун гишүүний үүрэг гүйцэтгэх буюу '이다'-н өмнө ирэх боломжтой болгодог Үг хэллэг.

- **이다** : 주어가 지시하는 대상의 속성이나 부류를 지정하는 뜻을 나타내는 서술격 조사.
  **Тохирох Үг хэллэг байхгүй байна**
  эзэн биеийн зааж буй обьектын шинж чанар, төрөл зүйлийг тодорхойлох утгыг илэрхийлэх өгүүлэхүүний тийн ялгалын нөхцөл.

- **-니** : (아주낮춤으로) 물음을 나타내는 종결 어미.
  **Тохирох Үг хэллэг байхгүй байна**
  (огт хүндэтгэлгүй Үг хэллэг) асуултыг илэрхийлдэг төгсгөх нөхцөл.

> 학생 : 풀+을 뜯+[고 있]+는 소+를 <u>그리+었+어요</u>.
> **그렸어요**

• **풀 (нэр Үг)** : 줄기가 연하고, 대개 한 해를 지내면 죽는 식물.
өвс
зөөлхөн иштэй, ихэвчлэн нэг жил ургаж ганддаг ургамал.

• **을** : 동작이 직접적으로 영향을 미치는 대상을 나타내는 조사.
-ыг/-ийг/-г
Үйл хөдлөл шууд нөлөөлж буй тусагдахууныг илэрхийлэх нөхцөл.

• **뜯다 (Үйл Үг)** : 풀이나 질긴 음식을 입에 물고 떼어서 먹다.
зулгааж идэх
өвс ногоо буюу зажлууртай юмыг амаараа мөлжиж идэх.

• **-고 있다** : 앞의 말이 나타내는 행동이 계속 진행됨을 나타내는 표현.
Тохирох Үг хэллэг байхгүй байна
өмнөх Үгийн илэрхийлж буй Үйлдэл Үргэлжилж буйг илэрхийлдэг Үг хэллэг.

• **-는** : 앞의 말이 관형어의 기능을 하게 만들고 사건이나 동작이 현재 일어남을 나타내는 어미.
Тохирох Үг хэллэг байхгүй байна
өмнөх Үгийг тодотгол гишүүний Үүрэгтэй болгож, хэрэг явдал буюу Үйлдэл нь одоо өрнөж байгааг илэрхийлдэг нөхцөл.

• **소 (нэр Үг)** : 몸집이 크고 갈색이나 흰색과 검은색의 털이 있으며, 젖을 짜 먹거나 고기를 먹기 위해 기르는 짐승.
Үхэр
бие нь том, хүрэн бөгөөд цагаан, хар өнгийн Үстэй, сүүг нь сааж уух болон махыг нь идэх гэж өсгөдөг амьтан.

• **를** : 동작이 직접적으로 영향을 미치는 대상을 나타내는 조사.
-ыг/-ийг/-г
Үйл хөдлөл шууд нөлөөлж буй тусагдахууныг илэрхийлэх нөхцөл.

• **그리다 (Үйл Үг)** : 연필이나 붓 등을 이용하여 사물을 선이나 색으로 나타내다.
зурах, дүрслэх, буулгах
харандаа, бийр мэтээр аливаа зүйлийг зураас, өнгөөр илэрхийлэх.

• **-었-** : 어떤 사건이 과거에 완료되었거나 그 사건의 결과가 현재까지 지속되는 상황을 나타내는 어미.
Тохирох Үг хэллэг байхгүй байна
ямар нэгэн хэрэг явдал өнгөрсөн Үед болж өнгөрсөн буюу тухайн Үйлийн Үр дүн өнөөг хүртэл Үргэлжилж буй нөхцөл байдлыг илэрхийлдэг нөхцөл.

• -어요 : (두루높임으로) 어떤 사실을 서술하거나 질문, 명령, 권유함을 나타내는 종결 어미.

  Тохирох Үг хэллэг байхгүй байна

  (хүндэтгэлийн энгийн үг хэллэг) ямар нэгэн зүйлийг хүүрнэх, асуух, тушаах, уриалах явдлыг илэрхийлдэг төгсгөх нөхцөл.

---

**선생님 : 그런데 풀+은 어디 있+니?**

---

• 그런데 (дайвар үг) : 이야기를 앞의 내용과 관련시키면서 다른 방향으로 바꿀 때 쓰는 말.

  гэхдээ

  яриаг өмнөх агуулгатай холбонгоо өөр тийш нь хандуулахад хэрэглэдэг үг.

• 풀 (нэр үг) : 줄기가 연하고, 대개 한 해를 지내면 죽는 식물.

  өвс

  зөөлхөн иштэй, ихэвчлэн нэг жил ургаж ганддаг ургамал.

• 은 : 문장 속에서 어떤 대상이 화제임을 나타내는 조사.

  Тохирох үг хэллэг байхгүй байна

  өгүүлбэрт ямар зүйл ярианы сэдэв болж буйг илэрхийлдэг нөхцөл.

• 어디 (төлөөний үг) : 모르는 곳을 가리키는 말.

  хаана

  мэдэхгүй нэгэн газар.

• 있다 (тэмдэг нэр) : 무엇이 어떤 곳에 자리나 공간을 차지하고 존재하는 상태이다.

  байх

  ямар нэгэн зүйл аль нэг газар орон зай эзлэн орших.

• -니 : (아주낮춤으로) 물음을 나타내는 종결 어미.

  Тохирох үг хэллэг байхгүй байна

  (огт хүндэтгэлгүй үг хэллэг) асуултыг илэрхийлдэг төгсгөх нөхцөл.

---

**학생 : 소+가 이미 다 먹+[어 버리]+었+어요.**
**먹어 버렸어요**

---

• 소 (нэр үг) : 몸집이 크고 갈색이나 흰색과 검은색의 털이 있으며, 젖을 짜 먹거나 고기를 먹기 위해 기르는 짐승.

  үхэр

  бие нь том, хүрэн бөгөөд цагаан, хар өнгийн үстэй, сүүг нь сааж уух болон махыг нь идэх гэж өсгөдөг амьтан.

• **가** : 어떤 상태나 상황에 놓인 대상이나 동작의 주체를 나타내는 조사.

**Тохирох Үг хэллэг байхгүй байна**

ямар нэгэн төлөв, байдлын субьект, мөн Үйл хөдлөлийн эзэн болохыг илэрхийлэх нөхцөл.

• **이미 (дайвар Үг)** : 어떤 일이 이루어진 때가 지금 시간보다 앞서.

**хэдийн, аль түрүүн, хэзээний**

ямар нэгэн хэрэг явдал өрнөсөн Үе нь одооны цаг Үеэс өмнөх.

• **다 (дайвар Үг)** : 남거나 빠진 것이 없이 모두.

**бүгд, цөм, бүх, булт**

Үлдэж гээгдсэн зүйлгүй бүгд.

• **먹다 (Үйл Үг)** : 음식 등을 입을 통하여 배 속에 들여보내다.

**идэх**

хоол хүнс зэргийг амаар дамжуулан гэдсэндээ хийх.

• **-어 버리다** : 앞의 말이 나타내는 행동이 완전히 끝났음을 나타내는 표현.

**Тохирох Үг хэллэг байхгүй байна**

өмнөх Үгийн илэрхийлж буй Үйлдэл бүр мөсөн дуссан болохыг илэрхийлдэг Үг хэллэг.

• **-었-** : 어떤 사건이 과거에 완료되었거나 그 사건의 결과가 현재까지 지속되는 상황을 나타내는 어미.

**Тохирох Үг хэллэг байхгүй байна**

ямар нэгэн хэрэг явдал өнгөрсөн Үед болж өнгөрсөн буюу тухайн Үйлийн Үр дүн өнөөг хүртэл Үргэлжилж буй нөхцөл байдлыг илэрхийлдэг нөхцөл.

• **-어요** : (두루높임으로) 어떤 사실을 서술하거나 질문, 명령, 권유함을 나타내는 종결 어미.

**Тохирох Үг хэллэг байхгүй байна**

(хүндэтгэлийн энгийн Үг хэллэг) ямар нэгэн зүйлийг хүүрнэх, асуух, тушаах, уриалах явдлыг илэрхийлдэг төгсгөх нөхцөл.

---

**선생님** : 그럼 소+는 왜 안 보이+니?

---

• **그럼 (дайвар Үг)** : 앞의 내용을 받아들이거나 그 내용을 바탕으로 하여 새로운 주장을 할 때 쓰는 말.

**тэгвэл, тийм бол**

өмнө өгүүлсэн зүйлийг хүлээн зөвшөөрөх буюу уг зүйлд тулгуурлан шинэ бодол санаа илэрхийлэхэд хэрэглэдэг Үг.

• **소 (нэр Үг)** : 몸집이 크고 갈색이나 흰색과 검은색의 털이 있으며, 젖을 짜 먹거나 고기를 먹기 위해 기르는 짐승.

Үхэр

бие нь том, хүрэн бөгөөд цагаан, хар өнгийн үстэй, сүүг нь сааж уух болон махыг нь идэх гэж өсгөдөг амьтан.

• **는** : 문장 속에서 어떤 대상이 화제임을 나타내는 조사.

Тохирох үг хэллэг байхгүй байна

өгүүлбэрт ямар зүйл ярианы сэдэв болж буйг илэрхийлдэг нөхцөл.

• **왜 (дайвар үг)** : 무슨 이유로. 또는 어째서.

яагаад, ямар учраас

ямар шалтгаанаар. мөн яагаад.

• **안 (дайвар үг)** : 부정이나 반대의 뜻을 나타내는 말.

эс, үл, үгүй, -гүй

сөрөг буюу эсрэг утгыг илэрхийлдэг үг.

• **보이다 (үйл үг)** : 눈으로 대상의 존재나 겉모습을 알게 되다.

харагдах

нүдэнд ямар нэг зүйлийн оршихуй буюу хэлбэр дүрс харагдан мэдэгдэх.

• **-니** : (아주낮춤으로) 물음을 나타내는 종결 어미.

Тохирох үг хэллэг байхгүй байна

(огт хүндэтгэлгүй үг хэллэг) асуултыг илэрхийлдэг төгсгөх нөхцөл.

---

> **학생** : 선생님+도 참, 소+가 풀+을 다 먹+었+는데 여기+에 있+겠+어요?

---

• **선생님 (нэр үг)** : (높이는 말로) 학생을 가르치는 사람.

багш

(хүндэтгэх үг) сурагч оюутанд зааж сургадаг хүн.

• **도** : 놀라움, 감탄, 실망 등의 감정을 강조함을 나타내는 조사.

ч

гайхах, гайхашрах, урам хугарах зэрэг сэтгэлийн хөдөлгөөнийг онцолж буйг илэрхийлдэг нөхцөл.

• **참 (аялга үг)** : 어이가 없거나 난처할 때 내는 소리.

нээрээ

аргагүйтэх юмуу бантах үед гардаг авиа.

• 소 (нэр үг) : 몸집이 크고 갈색이나 흰색과 검은색의 털이 있으며, 젖을 짜 먹거나 고기를 먹기 위해
　　　　　기르는 짐승.

Үхэр

бие нь том, хүрэн бөгөөд цагаан, хар өнгийн үстэй, сүүг нь сааж уух болон махыг нь идэх гэж өсгөдөг амьтан.

• 가 : 어떤 상태나 상황에 놓인 대상이나 동작의 주체를 나타내는 조사.

Тохирох үг хэллэг байхгүй байна

ямар нэгэн төлөв, байдлын субьект, мөн үйл хөдлөлийн эзэн болохыг илэрхийлэх нөхцөл.

• 풀 (нэр үг) : 줄기가 연하고, 대개 한 해를 지내면 죽는 식물.

өвс

зөөлхөн иштэй, ихэвчлэн нэг жил ургаж ганддаг ургамал.

• 을 : 동작이 직접적으로 영향을 미치는 대상을 나타내는 조사.

-ыг/-ийг/-г

Үйл хөдлөл шууд нөлөөлж буй тусагдахууныг илэрхийлэх нөхцөл.

• 다 (дайвар үг) : 남거나 빠진 것이 없이 모두.

бүгд, цөм, бүх, булт

Үлдэж гээгдсэн зүйлгүй бүгд.

• 먹다 (үйл үг) : 음식 등을 입을 통하여 배 속에 들여보내다.

идэх

хоол хүнс зэргийг амаар дамжуулан гэдсэндээ хийх.

• -었- : 어떤 사건이 과거에 완료되었거나 그 사건의 결과가 현재까지 지속되는 상황을 나타내는 어미.

Тохирох үг хэллэг байхгүй байна

ямар нэгэн хэрэг явдал өнгөрсөн үед болж өнгөрсөн буюу тухайн үйлийн үр дүн өнөөг хүртэл үргэлжилж буй нөхцөл байдлыг илэрхийлдэг нөхцөл.

• -는데 : 뒤의 말을 하기 위하여 그 대상과 관련이 있는 상황을 미리 말함을 나타내는 연결 어미.

Тохирох үг хэллэг байхгүй байна

арын агуулгыг ярихын тулд тухайн зүйлтэй холбоотой нөхцөл байдлыг урьдчилан хэлж буйг илэрхийлдэг холбох нөхцөл.

• 여기 (төлөөний үг) : 말하는 사람에게 가까운 곳을 가리키는 말.

энэ, энд

ярьж байгаа хүн өөртөө ойр байгаа газрыг заан хэлэх үг.

• 에 : 앞말이 어떤 장소나 자리임을 나타내는 조사.

-д/-т

өмнөх үг ямар нэгэн газар буюу байр болохыг илэрхийлж буй нөхцөл.

· 있다 (Үйл Үг) : 사람이나 동물이 어느 곳에서 떠나거나 벗어나지 않고 머물다.

　байх, орших

　хүн ба амьтан ямар нэг газраас холдож явахгүй тэр газраа байх.

· -겠- : 완곡하게 말하는 태도를 나타내는 어미.

　Тохирох Үг хэллэг байхгүй байна

　зерүүлж хэлэх хандлагыг илэрхийлдэг нөхцөл.

· -어요 : (두루높임으로) 어떤 사실을 서술하거나 질문, 명령, 권유함을 나타내는 종결 어미.

　Тохирох Үг хэллэг байхгүй байна

　(хүндэтгэлийн энгийн үг хэллэг) ямар нэгэн зүйлийг хүүрнэх, асуух, тушаах, уриалах явдлыг илэрхийлдэг төгсгөх нөхцөл.

# < 9 단원(6Yлэг xичээл) >

## 제목 : 가장 큰 장애 요소는 무엇일까요?

# ● 본문 (эх бичиг)

한 중학교에서 선생님이 꿈의 중요성에 대해 이야기하고 있었다.

선생님 : 자, 여러분들에게 질문 하나 할게요.

　　　　여러분들이 꿈을 펼치려고 할 때 가장 큰 장애 요소는 무엇일까요?

　　　　잘 생각해 보세요.

　　　　힌트를 하나 줄게요.

　　　　답은 '자'로 시작하는 네 글자예요.

학생 1 : 정답은 자기 비하라고 생각합니다.

학생 2 : 정답은 자기 부정이라고 생각합니다.

선생님 : 맞아요.

　　　　자기 비하 또는 자기 부정은 꿈을 이루는 데 장애 요소가 돼요.

그때 한 학생이 천연덕스럽게 대답했다.

학생 3 : 정답은 자기 부모라고 생각합니다.

# ● 발음 (дуудлага)

한 중학교에서 선생님이 꿈의 중요성에 대해 이야기하고 있었다.
한 중학꾜에서 선생니미 꾸메 중요성에 대해 이야기하고 이썯따.
han junghakgyoeseo seonsaengnimi kkumui(kkume) jungyoseonge daehae iyagihago isseotda.


선생님 : 자, 여러분들에게 질문 하나 할게요.
선생님 : 자, 여러분드레게 질문 하나 할께요.
seonsaengnim : ja, yeoreobundeurege jilmun hana halgeyo.


　　　　여러분들이 꿈을 펼치려고 할 때 가장 큰 장애 요소는 무엇일까요?
　　　　여러분드리 꾸믈 펼치려고 할 때 가장 큰 장애 요소는 무어실까요?
　　　　yeoreobundeuri kkumeul pyeolchiryeogo hal ttae gajang keun jangae
　　　　yosoneun mueosilkkayo?


　　　　잘 생각해 보세요.
　　　　잘 생가캐 보세요.
　　　　jal saenggakae boseyo.


　　　　힌트를 하나 줄게요.
　　　　힌트를 하나 줄께요.
　　　　hinteureul hana julgeyo.


　　　　답은 '자'로 시작하는 네 글자예요.
　　　　다븐 '자'로 시자카는 네 글자예요.
　　　　dabeun 'ja'ro sijakaneun ne geuljayeyo.


학생 1 : 정답은 자기 비하라고 생각합니다.
학쌩 1 : 정다븐 자기 비하라고 생가캄니다.
haksaeng 1 : jeongdabeun jagi biharago saenggakamnida.


학생 2 : 정답은 자기 부정이라고 생각합니다.
학생 2 : 정다븐 자기 부정이라고 생가캄니다.
haksaeng 2 : jeongdabeun jagi bujeongirago saenggakamnida.

선생님 : 맞아요.
선생님 : 마자요.
seonsaengnim : majayo.

자기 비하 또는 자기 부정은 꿈을 이루는 데 장애 요소가 돼요.
자기 비하 또는 자기 부정은 꾸믈 이루는 데 장애 요소가 돼요.
jagi biha ttoneun jagi bujeongeun kkumeul iruneun de jangae yosoga dwaeyo.

그때 한 학생이 천연덕스럽게 대답했다.
그때 한 학쌩이 처년덕쓰럽께 대다팯따.
geuttae han haksaengi cheonyeondeokseureopge daedapaetda.

학생 3 : 정답은 자기 부모라고 생각합니다.
학쌩 3 : 정다븐 자기 부모라고 생가캄니다.
haksaeng 3 : jeongdabeun jagi bumorago saenggakamnida.

# ● 어휘 (Үгс) / 문법 (хэлзүй)

한 중학교+에서 선생님+이 꿈+의 중요성+에 대하+여 이야기하+<u>고 있</u>+었+다.

**선생님** : 자, 여러분+들+에게 질문 하나 하+ㄹ게요.

여러분+들+이 꿈+을 펼치+<u>려고 하</u>+<u>ㄹ 때</u> 가장 크+ㄴ 장애 요소+는

무엇+이+ㄹ까요?

잘 생각하+<u>여 보</u>+세요.

힌트+를 하나 주+ㄹ게요.

답+은 '자'+로 시작하+는 네 글자+이+에요.

**학생 1** : 정답+은 자기 비하+(이)+라고 생각하+ㅂ니다.

**학생 2** : 정답+은 자기 부정+이+라고 생각하+ㅂ니다.

**선생님** : 맞+아요.

자기 비하 또는 자기 부정+은 꿈+을 이루+는 데 장애 요소+가 되+어요.

그때 한 학생+이 천연덕스럽+게 대답하+였+다.

**학생 3** : 정답+은 자기 부모+(이)+라고 생각하+ㅂ니다.

---

한 중학교+에서 선생님+이 꿈+의 중요성+에 <u>대하</u>+여 이야기하+[고 있]+었+다.
**대해**

---

- **한 (тодотгол Үг)** : 여럿 중 하나인 어떤.
  **нэг**
  олон зүйлийн дундаас ямар нэгэн.

- **중학교 (нэр Үг)** : 초등학교를 졸업하고 중등 교육을 받기 위해 다니는 학교.
  **дунд сургууль**
  бага сургууль төгсөөд дунд боловсрол эзэмшихээр элсэн орох сургууль.

- **에서** : 앞말이 행동이 이루어지고 있는 장소임을 나타내는 조사.
  **-аас(-ээс, -оос, -өөс)**
  өмнөх Үг нь Үйлдэл нь биелж буй газар болохыг илэрхийлдэг нөхцөл.

- **선생님 (нэр Үг)** : (높이는 말로) 학생을 가르치는 사람.
  **багш**
  (хүндэтгэх Үг) сурагч оюутанд зааж сургадаг хүн.

- **이** : 어떤 상태나 상황의 대상이나 동작의 주체를 나타내는 조사.
  **Тохирох Үг хэллэг байхгүй байна**
  ямар нэгэн төлөв, байдлын субьект, мөн Үйл хөдлөлийн эзэн болохыг илэрхийлэх нөхцөл.

- **꿈 (нэр Үг)** : 앞으로 이루고 싶은 희망이나 목표.
  **мөрөөдөл, хүсэл, тэмүүлэл, эрмэлзэл**
  цаашид биелүүлэхийг хүсч буй хүсэл тэмүүлэл, зорилго.

- **의** : 앞의 말이 뒤의 말에 대하여 속성이나 수량을 한정하거나 같은 자격임을 나타내는 조사.
  **-н/-ийн/-ын/-ий/-ы**
  өмнөх Үг хойдох Үгийн шинж чанар, тоо хэмжээг зааглаж байгааг илэрхийлдэг нөхцөл.

- **중요성 (нэр Үг)** : 귀중하고 꼭 필요한 요소나 성질.
  **чухал шинж, эрхэм чанар, ач холбогдол**
  маш эрхэм бөгөөд заавал хэрэгтэй элемент ба чанар.

- **에** : 앞말이 말하고자 하는 특정한 대상임을 나타내는 조사.
  **-ын/-ийн/-г**
  өмнөх Үг онцгой объект болохыг илэрхийлж буй нөхцөл.

- **대하다 (Үйл Үг)** : 대상이나 상대로 삼다.
  **талаар**
  объект буюу харилцаж буй этгээдийн тухайд.

- -여 : 앞의 말이 뒤의 말보다 먼저 일어났거나 뒤의 말에 대한 방법이나 수단이 됨을 나타내는 연결 어미.

  Тохирох Үг хэллэг байхгүй байна

  өмнө ирэх үг ард ирэх үгээс түрүүлж бий болсон буюу ардах үгийн талаарх арга барил болохыг илэрхийлдэг холбох нөхцөл.

- **이야기하다 (Үйл Үг)** : 어떠한 사실이나 상태, 현상, 경험, 생각 등에 관해 누군가에게 말을 하다.

  **ярих, өгүүлэх**

  ямар нэгэн үнэн, нөхцөл байдал, үзэгдэл, туршлага, бодож санаж байгаа зүйлийнхээ тухайн хэн нэгэнд хэлж ярих.

- -고 있다 : 앞의 말이 나타내는 행동이 계속 진행됨을 나타내는 표현.

  Тохирох үг хэллэг байхгүй байна

  өмнөх үгийн илэрхийлж буй үйлдэл үргэлжилж буйг илэрхийлдэг үг хэллэг.

- -었- : 사건이 과거에 일어났음을 나타내는 어미.

  Тохирох үг хэллэг байхгүй байна

  үйл явдал өнгөрсөн үед болсныг илэрхийлдэг төгсгөх нөхцөл.

- -다 : 어떤 사건이나 사실, 상태를 서술함을 나타내는 종결 어미.

  Тохирох үг хэллэг байхгүй байна

  (огт хүндэтгэлгүй үг хэллэг) одоогийн хэрэг явдал буюу үнэн явлыг хүүрнэхийг илэрхийлдэг төгсгөх нөхцөл.

---

**선생님** : 자, 여러분+들+에게 질문 하나 <u>하</u>+ㄹ게요.

**할게요**

---

- **자 (аялга үг)** : 남의 주의를 끌려고 할 때에 하는 말.

  **за**

  бусдын анхаарлыг татах гэх үед хэлэх үг.

- **여러분 (төлөөний үг)** : 듣는 사람이 여러 명일 때 그 사람들을 높여 이르는 말.

  **та нар, та бүхэн, та нөхөд**

  сонсож байгаа хүмүүс нь олон байх үед тэр хүмүүсийг хүндэтгэн хэлэх үг.

- 들 : '복수'의 뜻을 더하는 접미사.

  **Тохирох үг хэллэг байхгүй байна**

  олон тооны утга нэмдэг дагавар.

- 에게 : 어떤 행동이 미치는 대상임을 나타내는 조사.

  **-д, -т**

  ямар нэгэн үйлдлийн нөлөөг авч буй зүйлийг илэрхийлдэг нөхцөл.

· 질문 (нэр Yг) : 모르는 것이나 알고 싶은 것을 물음.

асуулт

мэдэхгүй зүйл юмуу мэдэхийг хүссэн зүйлээ асуух явдал.

· 하나 (тооны нэр) : 숫자를 셀 때 맨 처음의 수.

нэг

тоо тооллын хамгийн эхний тоо.

· 하다 (Yйл Yг) : 어떤 행동이나 동작, 활동 등을 행하다.

Yйлдэх, хийх, гүйцэтгэх

аливаа Yйл хөдлөл, хөдөлгөөн, ажиллагаа зэргийг гүйцэтгэх.

· -ㄹ게요 : (두루높임으로) 말하는 사람이 어떤 행동을 할 것을 듣는 사람에게 약속하거나 의지를 나타내
        는 표현.

Тохирох Yг хэллэг байхгүй байна

(хүндэтгэлийн энгийн Yг хэллэг) өгүүлэгч ямар нэгэн Yйл хийхээ сонсч буй хүндээ
амлах буюу мэдэгдэж байгаагаа илэрхийлнэ.

---

선생님 : 여러분+들+이 꿈+을 펼치+[려고 하]+[ㄹ 때] 가장 크+ㄴ 장애 요소+는
                      펼치려고 할 때                 큰

         무엇+이+ㄹ까요?
            무엇일까요

---

· 여러분 (төлөөний Yг) : 듣는 사람이 여러 명일 때 그 사람들을 높여 이르는 말.

та нар, та бүхэн, та нөхөд

сонсож байгаа хүмүүс нь олон байх Yед тэр хүмүүсийг хүндэтгэн хэлэх Yг.

· 들 : '복수'의 뜻을 더하는 접미사.

Тохирох Yг хэллэг байхгүй байна

олон тооны утга нэмдэг дагавар.

· 이 : 어떤 상태나 상황의 대상이나 동작의 주체를 나타내는 조사.

Тохирох Yг хэллэг байхгүй байна

ямар нэгэн төлөв, байдлын субьект, мөн Yйл хөдлөлийн эзэн болохыг илэрхийлэх
нөхцөл.

· 꿈 (нэр Yг) : 앞으로 이루고 싶은 희망이나 목표.

мөрөөдөл, хүсэл, тэмүүлэл, эрмэлзэл

цаашид биелүүлэхийг хүсч буй хүсэл тэмүүлэл, зорилго.

• 을 : 동작이 직접적으로 영향을 미치는 대상을 나타내는 조사.

**-ыг/-ийг/-г**

Үйл хөдлөл шууд нөлөөлж буй тусагдахууныг илэрхийлэх нөхцөл.

• **펼치다 (Үйл Үг)** : 꿈이나 계획 등을 실제로 행하다.

**биелҮҮлэх**

бодол санаа, мөрөөдөл, төлөвлөгөө зэргийг бодитоор биелҮҮлэх явдал.

• **-려고 하다** : 앞의 말이 나타내는 행동을 할 의도나 의향이 있음을 나타내는 표현.

**Тохирох Үг хэллэг байхгҮй байна**

өмнөх Үгийн илэрхийлж буй Үйлдлийг хийх зорилго буйг илэрхийлдэг Үг хэллэг.

• **-ㄹ 때** : 어떤 행동이나 상황이 일어나는 동안이나 그 시기 또는 그러한 일이 일어난 경우를 나타내는
　　　　표현.

**Тохирох Үг хэллэг байхгҮй байна**

ямар нэгэн Үйл хөдлөл буюу нөхцөл байдал Үргэлжилсээр, тухайн Үйл хэрэг болсон
тохиолдлыг илэрхийлнэ.

• **가장 (дайвар Үг)** : 여럿 가운데에서 제일로.

**хамгийн**

олон дундаас тэргҮҮнд, нэгдҮгээрт, хамгаас

• **크다 (тэмдэг нэр)** : 길이, 넓이, 높이, 부피 등이 보통 정도를 넘다.

**том, их, өндөр**

урт, өргөн, өндөр, багтаамж зэрэг хэвийн хэмжээг хэтрэх.

• **-ㄴ** : 앞의 말이 관형어의 기능을 하게 만들고 현재의 상태를 나타내는 어미.

**Тохирох Үг хэллэг байхгҮй байна**

өмнөх Үгийг тодотгол гишҮҮний ҮҮрэгтэй болгож, одоогийн байдлыг илэрхийлдэг
нөхцөл.

• **장애 (нэр Үг)** : 가로막아서 어떤 일을 하는 데 거슬리거나 방해가 됨. 또는 그런 일이나 물건.

**саад тотгор**

ямар нэгэн ажлыг гҮйцэтгэхэд замд тээглэж саад болох явдал. мөн тэрхҮҮ ажил
хэрэг ба зҮйл.

• **요소 (нэр Үг)** : 무엇을 이루는 데 반드시 있어야 할 중요한 성분이나 조건.

**хҮчин зҮйл**

ямар нэг зҮйлийг бий болгоход зайлшгҮй байх ёстой чухал найрлага, нөхцөл.

• **는** : 문장 속에서 어떤 대상이 화제임을 나타내는 조사.

**Тохирох Үг хэллэг байхгҮй байна**

өгҮҮлбэрт ямар зҮйл ярианы сэдэв болж буйг илэрхийлдэг нөхцөл.

• 무엇 (төлөөний Үг) : 모르는 사실이나 사물을 가리키는 말.

   хэн, юу

   мэдэхгүй эд зүйлийг заан нэрлэсэн Үг.

• 이다 : 주어가 지시하는 대상의 속성이나 부류를 지정하는 뜻을 나타내는 서술격 조사.

   Тохирох Үг хэллэг байхгүй байна

   эзэн биеийн зааж буй обьектын шинж чанар, төрөл зүйлийг тодорхойлох утгыг
   илэрхийлэх өгүүлэхүүний тийн ялгалын нөхцөл.

• -ㄹ까요 : (두루높임으로) 아직 일어나지 않았거나 모르는 일에 대해서 말하는 사람이 추측하며 질문할
         때 쓰는 표현.

   Тохирох Үг хэллэг байхгүй байна

   (хүндэтгэлийн энгийн Үг хэллэг) хараахан болоогүй буюу мэдэхгүй ажил хэргийн
   талаар өгүүлэгч таамаглан асуухад хэрэглэдэг илэрхийлэл.

---

선생님 : 잘 생각하+[여 보]+세요.
         생각해 보세요

         힌트+를 하나 주+ㄹ게요.
         줄게요

---

• 잘 (дайвар Үг) : 생각이 매우 깊고 조심스럽게.

   зөв, сайн

   сайтар тунгаан бодож, болгоомжтой.

• 생각하다 (Үйл Үг) : 사람이 머리를 써서 판단하거나 인식하다.

   бодох, эргэцүүлэх

   хүн толгойгоо ажиллуулж, юмыг ялгаж салган дүгнэх.

• -여 보다 : 앞의 말이 나타내는 행동을 시험 삼아 함을 나타내는 표현.

   Тохирох Үг хэллэг байхгүй байна

   өмнөх Үгийн илэрхийлж буй Үйлдлийг туршиж үзэх явдлыг илэрхийлдэг Үг хэллэг.

• -세요 : (두루높임으로) 설명, 의문, 명령, 요청의 뜻을 나타내는 종결 어미.

   Тохирох Үг хэллэг байхгүй байна

   (хүндэтгэлийн энгийн Үг хэллэг) тайлбар, асуулт, тушаал, хүсэлтийн утгыг
   илэрхийлдэг төгсгөх нөхцөл.

• 힌트 (нэр Үг) : 문제를 풀거나 일을 해결하는 데 도움이 되는 것.

   дохио, сануулга, хинт

   Ямарваа нэгэн асуудлын гогцоог тайлах болон ажил хэргийг шийдвэрлэхэд тус дөхөм
   болох зүйл.

• 를 : 동작이 직접적으로 영향을 미치는 대상을 나타내는 조사.

**-ыг/-ийг/-г**

Үйл хөдлөл шууд нөлөөлж буй тусагдахууныг илэрхийлэх нөхцөл.

• 하나 (тооны нэр) : 숫자를 셀 때 맨 처음의 수.

**нэг**

тоо тооллын хамгийн эхний тоо.

• 주다 (Үйл Үг) : 남에게 경고, 암시 등을 하여 어떤 내용을 알 수 있게 하다.

**өгөх**

бусдад анхааруулга, сануулга зэрэг зүйлийг өгөх.

• -ㄹ게요 : (두루높임으로) 말하는 사람이 어떤 행동을 할 것을 듣는 사람에게 약속하거나 의지를 나타내
  는 표현.

**Тохирох Үг хэллэг байхгүй байна**

(хүндэтгэлийн энгийн үг хэллэг) өгүүлэгч ямар нэгэн үйл хийхээ сонсч буй хүндээ амлах буюу мэдэгдэж байгаагаа илэрхийлнэ.

---

> ## 선생님 : 답+은 '자'+로 시작하+는 네 글자+이+에요.
> ### 글자예요

---

• 답 (нэр Үг) : 질문이나 문제가 요구하는 것을 밝혀 말함. 또는 그런 말.

**бодлогын хариу, хариулт, шийд**

асуулт буюу бодлогын тайлалыг мэдэж хэлэх явдал. мөн тэр үг.

• 은 : 문장 속에서 어떤 대상이 화제임을 나타내는 조사.

**Тохирох Үг хэллэг байхгүй байна**

өгүүлбэрт ямар зүйл ярианы сэдэв болж буйг илэрхийлдэг нөхцөл.

• 로 : 움직임의 방향을 나타내는 조사.

**-руу/-рүү, -луу/-лүү**

хөдөлгөөний зүг чигийг илэрхийлж буй нөхцөл.

• 시작하다 (Үйл Үг) : 어떤 일이나 행동의 처음 단계를 이루거나 이루게 하다.

**эхлэх, эхлүүлэх**

ямар нэгэн ажил буюу үйлдлийн эхний үе шатыг гүйцэтгэх буюу гүйцэлдүүлэх.

• -는 : 앞의 말이 관형어의 기능을 하게 만들고 사건이나 동작이 현재 일어남을 나타내는 어미.

**Тохирох Үг хэллэг байхгүй байна**

өмнөх үгийг тодотгол гишүүний үүрэгтэй болгож, хэрэг явдал буюу үйлдэл нь одоо өрнөж байгааг илэрхийлдэг нөхцөл.

- 네 (тодотгол Үг) : 넷의.
  дөрвөн
  дөрвөн.

- 글자 (нэр Үг) : 말을 적는 기호.
  Үсэг
  Үг яриаг тэмдэглэдэг дохио тэмдэг.

- 이다 : 주어가 지시하는 대상의 속성이나 부류를 지정하는 뜻을 나타내는 서술격 조사.
  Тохирох Үг хэллэг байхгҮй байна
  эзэн биеийн зааж буй обьектын шинж чанар, төрөл зҮйлийг тодорхойлох утгыг илэрхийлэх өгҮҮлэхҮҮний тийн ялгалын нөхцөл.

- -에요 : (두루높임으로) 어떤 사실을 서술하거나 질문함을 나타내는 종결 어미.
  Тохирох Үг хэллэг байхгҮй байна
  (хҮндэтгэлийн энгийн Үг хэллэг) ямар нэгэн зҮйлийг хҮҮрнэх, асуух явдлыг илэрхийлдэг төгсгөх нөхцөл.

---

학생 1 : 정답+은 <u>자기 비하+(이)</u>+라고 <u>생각하</u>+ㅂ니다.
　　　　　　　자기 비하라고　　　생각합니다

---

- 정답 (нэр Үг) : 어떤 문제나 질문에 대한 옳은 답.
  зөв хариулт
  ямар нэг асуудал, асуултын Үнэн зөв хариулт.

- 은 : 문장 속에서 어떤 대상이 화제임을 나타내는 조사.
  Тохирох Үг хэллэг байхгҮй байна
  өгҮҮлбэрт ямар зҮйл ярианы сэдэв болж буйг илэрхийлдэг нөхцөл.

- 자기 (нэр Үг) : 그 사람 자신.
  өөрөө, бие хҮн
  тухайн хҮний бие.

- 비하 (нэр Үг) : 자기 자신을 낮춤.
  дарах
  өөрөө өөрийгөө дарах явдал.

- 이다 : 주어가 지시하는 대상의 속성이나 부류를 지정하는 뜻을 나타내는 서술격 조사.
  Тохирох Үг хэллэг байхгҮй байна
  эзэн биеийн зааж буй обьектын шинж чанар, төрөл зҮйлийг тодорхойлох утгыг илэрхийлэх өгҮҮлэхҮҮний тийн ялгалын нөхцөл.

- -라고 : 다른 사람에게서 들은 내용을 간접적으로 전달하거나 주어의 생각, 의견 등을 나타내는 표현.
  **Тохирох Үг хэллэг байхгүй байна**
  бусдаас сонссон зүйлийг дам дамжуулах буюу эзэн биеийн бодол, санаа зэргийг илэрхийлдэг үг хэллэг.

- **생각하다 (Үйл Үг)** : 사람이 머리를 써서 판단하거나 인식하다.
  **бодох, эргэцүүлэх**
  хүн толгойгоо ажиллуулж, юмыг ялгаж салган дүгнэх.

- -ㅂ니다 : (아주높임으로) 현재의 동작이나 상태, 사실을 정중하게 설명함을 나타내는 종결 어미.
  **Тохирох Үг хэллэг байхгүй байна**
  (дээдлэн хүндэтгэх үг хэллэг) одоогийн үйлдэл буюу байдлыг ёсорхог байдлаар тайлбарлах явдлыг илэрхийлдэг төгсгөх нөхцөл.

---

> **학생 2 : 정답+은 자기 부정+이+라고 생각하+ㅂ니다.**
> **생각합니다**

---

- **정답 (нэр Үг)** : 어떤 문제나 질문에 대한 옳은 답.
  **зөв хариулт**
  ямар нэг асуудал, асуултын үнэн зөв хариулт.

- 은 : 문장 속에서 어떤 대상이 화제임을 나타내는 조사.
  **Тохирох Үг хэллэг байхгүй байна**
  өгүүлбэрт ямар зүйл ярианы сэдэв болж буйг илэрхийлдэг нөхцөл.

- **자기 (нэр Үг)** : 그 사람 자신.
  **өөрөө, бие хүн**
  тухайн хүний бие.

- **부정 (нэр Үг)** : 그렇지 않다고 판단하여 결정하거나 옳지 않다고 반대함.
  **үгүйсгэл, няцаалт**
  тийм бус хэмээн үзэж шийдвэрлэх ба зөв зүйтэй бус хэмээн үзэж эсэргүүцэх явдал.

- 이다 : 주어가 지시하는 대상의 속성이나 부류를 지정하는 뜻을 나타내는 서술격 조사.
  **Тохирох Үг хэллэг байхгүй байна**
  эзэн биеийн зааж буй обьектын шинж чанар, төрөл зүйлийг тодорхойлох утгыг илэрхийлэх өгүүлэхүүний тийн ялгалын нөхцөл.

- -라고 : 다른 사람에게서 들은 내용을 간접적으로 전달하거나 주어의 생각, 의견 등을 나타내는 표현.
  **Тохирох Үг хэллэг байхгүй байна**
  бусдаас сонссон зүйлийг дам дамжуулах буюу эзэн биеийн бодол, санаа зэргийг илэрхийлдэг үг хэллэг.

- **생각하다 (Үйл Үг)** : 사람이 머리를 써서 판단하거나 인식하다.

  **бодох, эргэцҮҮлэх**

  хҮн толгойгоо ажиллуулж, юмыг ялгаж салган дҮгнэх.

- **-ㅂ니다** : (아주높임으로) 현재의 동작이나 상태, 사실을 정중하게 설명함을 나타내는 종결 어미.

  **Тохирох Үг хэллэг байхгҮй байна**

  (дээдлэн хҮндэтгэх Үг хэллэг) одоогийн Үйлдэл буюу байдлыг ёсорхог байдлаар тайлбарлах явдлыг илэрхийлдэг төгсгөх нөхцөл.

---

| 선생님 : 맞+아요. |
| --- |

---

- **맞다 (Үйл Үг)** : 문제에 대한 답이 틀리지 않다.

  **зөв, оновчтой**

  асуултын хариулт алдаагҮй байх.

- **-아요** : (두루높임으로) 어떤 사실을 서술하거나 질문, 명령, 권유함을 나타내는 종결 어미.

  **Тохирох Үг хэллэг байхгҮй байна**

  (хҮндэтгэлийн энгийн Үг хэллэг) ямар нэгэн зҮйлийг хҮҮрнэх, асуух, тушаах, уриалах явдлыг илэрхийлдэг төгсгөх нөхцөл.

---

| 선생님 : 자기 비하 또는 자기 부정+은 꿈+을 이루+는 데 장애 요소+가 되+어요. |
| --- |
| 돼요 |

---

- **자기 (нэр Үг)** : 그 사람 자신.

  **өөрөө, бие хҮн**

  тухайн хҮний бие.

- **비하 (нэр Үг)** : 자기 자신을 낮춤.

  **дарах**

  өөрөө өөрийгөө дарах явдал.

- **또는 (дайвар Үг)** : 그렇지 않으면.

  **биш бол**

  ҮгҮй бол.

- **자기 (нэр Үг)** : 그 사람 자신.

  **өөрөө, бие хҮн**

  тухайн хҮний бие.

• **부정 (нэр үг)** : 그렇지 않다고 판단하여 결정하거나 옳지 않다고 반대함.
  **Үгүйсгэл, няцаалт**
  тийм бус хэмээн үзэж шийдвэрлэх ба зөв зүйтэй бус хэмээн үзэж эсэргүүцэх явдал.

• **은** : 문장 속에서 어떤 대상이 화제임을 나타내는 조사.
  **Тохирох үг хэллэг байхгүй байна**
  өгүүлбэрт ямар зүйл ярианы сэдэв болж буйг илэрхийлдэг нөхцөл.

• **꿈 (нэр үг)** : 앞으로 이루고 싶은 희망이나 목표.
  **мөрөөдөл, хүсэл, тэмүүлэл, эрмэлзэл**
  цаашид биелүүлэхийг хүсч буй хүсэл тэмүүлэл, зорилго.

• **을** : 동작이 직접적으로 영향을 미치는 대상을 나타내는 조사.
  **-ыг/-ийг/-г**
  үйл хөдлөл шууд нөлөөлж буй тусагдахууныг илэрхийлэх нөхцөл.

• **이루다 (үйл үг)** : 뜻대로 되어 바라는 결과를 얻다.
  **биелүүлэх, бүтээх, хүрэх**
  хүссэн зүйл ёсоор болж найдаж байсан үр дүнд хүрэх.

• **-는** : 앞의 말이 관형어의 기능을 하게 만들고 사건이나 동작이 현재 일어남을 나타내는 어미.
  **Тохирох үг хэллэг байхгүй байна**
  өмнөх үгийг тодотгол гишүүний үүрэгтэй болгож, хэрэг явдал буюу үйлдэл нь одоо өрнөж байгааг илэрхийлдэг нөхцөл.

• **데 (нэр үг)** : 일이나 것.
  **зүйл**
  ажил хэрэг буюу зүйл, юм.

• **장애 (нэр үг)** : 가로막아서 어떤 일을 하는 데 거슬리거나 방해가 됨. 또는 그런 일이나 물건.
  **саад тотгор**
  ямар нэгэн ажлыг гүйцэтгэхэд замд тээглэж саад болох явдал. мөн тэрхүү ажил хэрэг ба зүйл.

• **요소 (нэр үг)** : 무엇을 이루는 데 반드시 있어야 할 중요한 성분이나 조건.
  **хүчин зүйл**
  ямар нэг зүйлийг бий болгоход зайлшгүй байх ёстой чухал найрлага, нөхцөл.

• **가** : 바뀌게 되는 대상이나 부정하는 대상임을 나타내는 조사.
  **Тохирох үг хэллэг байхгүй байна**
  өөрчлөгдсөн, мөн үгүйсгэсэн зүйл болохыг илэрхийлдэг нэрийн нөхцөл.

• **되다 (үйл үг)** : 어떤 특별한 뜻을 가지는 상태에 놓이다.
  **болох**
  ямар нэгэн онцгой утгатай болох.

• -어요 : (두루높임으로) 어떤 사실을 서술하거나 질문, 명령, 권유함을 나타내는 종결 어미.

**Тохирох Үг хэллэг байхгүй байна**

(хүндэтгэлийн энгийн Үг хэллэг) ямар нэгэн зүйлийг хүүрнэх, асуух, тушаах, уриалах явдлыг илэрхийлдэг төгсгөх нөхцөл.

---

| |
|---|
| 그때 한 학생+이 천연덕스럽+게 <u>대답하</u>+<u>였</u>+<u>다</u>. |
| **대답했다** |

---

• **그때** (нэр Үг) : 앞에서 이야기한 어떤 때.

тэр Үед, тэгэхэд

өмнө нь ярьсан тэр Үе.

• **한** (тодотгол Үг) : 여럿 중 하나인 어떤.

нэг

олон зүйлийн дундаас ямар нэгэн.

• **학생** (нэр Үг) : 학교에 다니면서 공부하는 사람.

сурагч, оюутан

сургуульд явж суралцаж буй хүн.

• **이** : 어떤 상태나 상황의 대상이나 동작의 주체를 나타내는 조사.

**Тохирох Үг хэллэг байхгүй байна**

ямар нэгэн төлөв, байдлын субьект, мөн Үйл хөдлөлийн эзэн болохыг илэрхийлэх нөхцөл.

• **천연덕스럽다** (тэмдэг нэр) : 생긴 그대로 조금도 거짓이나 꾸밈이 없고 자연스러운 데가 있다.

жирийн, ёсорхолгүй, байгаагаараа

төрөлх байдлаараа өчүүхэн ч худал хуурмаг юмуу нэмэр хачиргүй байгалиараа байгаа.

• **-게** : 앞의 말이 뒤에서 가리키는 일의 목적이나 결과, 방식, 정도 등이 됨을 나타내는 연결 어미.

**Тохирох Үг хэллэг байхгүй байна**

өмнөх агуулга ард нь зааж буй байдал, зорилго, Үр дүн, арга барил, хэмжээ зэрэг болохыг илэрхийлдэг холбох нөхцөл.

• **대답하다** (Үйл Үг) : 묻거나 요구하는 것에 해당하는 것을 말하다.

хариулах

асууж шаардсан зүйлд хариу хэлэх.

• **-였-** : 사건이 과거에 일어났음을 나타내는 어미.

**Тохирох Үг хэллэг байхгүй байна**

Үйл явдал өнгөрсөн Үед болсныг илэрхийлдэг төгсгөх нөхцөл.

• -다 : 어떤 사건이나 사실, 상태를 서술함을 나타내는 종결 어미.

Тохирох Үг хэллэг байхгүй байна

(огт хүндэтгэлгүй үг хэллэг) одоогийн хэрэг явдал буюу үнэн явлыг хүүрнэхийг

илэрхийлдэг төгсгөх нөхцөл.

---

> **학생 3** : 정답+은 자기 부모+(이)+라고 생각하+ㅂ니다.
>                   자기 부모라고      생각합니다

---

• **정답 (нэр үг)** : 어떤 문제나 질문에 대한 옳은 답.

зөв хариулт

ямар нэг асуудал, асуултын үнэн зөв хариулт.

• 은 : 문장 속에서 어떤 대상이 화제임을 나타내는 조사.

Тохирох үг хэллэг байхгүй байна

өгүүлбэрт ямар зүйл ярианы сэдэв болж буйг илэрхийлдэг нөхцөл.

• **자기 (нэр үг)** : 그 사람 자신.

өөрөө, бие хүн

тухайн хүний бие.

• **부모 (нэр үг)** : 아버지와 어머니.

эцэг эх

аав ба ээж.

• 이다 : 주어가 지시하는 대상의 속성이나 부류를 지정하는 뜻을 나타내는 서술격 조사.

Тохирох үг хэллэг байхгүй байна

эзэн биеийн зааж буй обьектын шинж чанар, төрөл зүйлийг тодорхойлох утгыг

илэрхийлэх өгүүлэхүүний тийн ялгалын нөхцөл.

• -라고 : 다른 사람에게서 들은 내용을 간접적으로 전달하거나 주어의 생각, 의견 등을 나타내는 표현.

Тохирох үг хэллэг байхгүй байна

бусдаас сонссон зүйлийг дам дамжуулах буюу эзэн биеийн бодол, санаа зэргийг

илэрхийлдэг үг хэллэг.

• **생각하다 (үйл үг)** : 사람이 머리를 써서 판단하거나 인식하다.

бодох, эргэцүүлэх

хүн толгойгоо ажиллуулж, юмыг ялгаж салган дүгнэх.

• -ㅂ니다 : (아주높임으로) 현재의 동작이나 상태, 사실을 정중하게 설명함을 나타내는 종결 어미.

Тохирох үг хэллэг байхгүй байна

(дээдлэн хүндэтгэх үг хэллэг) одоогийн үйлдэл буюу байдлыг ёсорхог байдлаар

тайлбарлах явдлыг илэрхийлдэг төгсгөх нөхцөл.

# < 10 단원(бүлэг хичээл) >

제목 : 뭐, 없어진 물건이라도 있으세요?

## ● 본문 (эх бичиг)

북적거리는 쇼핑몰에서 한 여성이 핸드백을 잃어버렸다.

핸드백을 주운 정직한 소년은 그 여성에게 가방을 돌려줬다.

건네받은 핸드백 안을 이리저리 살펴보던 여자가 말했다.

여자 : 핸드백에 중요한 것이 많아서 못 찾을까 봐 걱정했는데 너무 고맙구나.

　　　그런데 음, 이상한 일이구나.

소년 : 뭐, 없어진 물건이라도 있으세요?

여자 : 그건 아니고, 지갑 안에 분명히 오만 원짜리 지폐 한 장이 들어 있었는데

　　　지금은 만 원짜리 다섯 장이 들어 있네.

　　　거참, 신기하네.

소년 : 아, 그거요.

　　　저번에 제가 어떤 여자분 지갑을 찾아 줬는데 그분이 잔돈이 없다고

　　　사례금을 안 주셨거든요.

# ● 발음 (дуудлага)

북적거리는 쇼핑몰에서 한 여성이 핸드백을 잃어버렸다.
북쩍꺼리는 쇼핑모례서 한 여성이 핸드배글 이러버렫따.
bukjeokgeorineun syopingmoreseo han yeoseongi haendeubaegeul ireobeoryeotda.

핸드백을 주운 정직한 소년은 그 여성에게 가방을 돌려줬다.
핸드배글 주운 정지칸 소녀는 그 여성에게 가방을 돌려줠따.
haendeubaegeul juun jeongjikan sonyeoneun geu yeoseongege gabangeul dollyeojwotda.

건네받은 핸드백 안을 이리저리 살펴보던 여자가 말했다.
건네바든 핸드백 아늘 이리저리 살펴보던 여자가 말핻따.
geonnebadeun haendeubaek aneul irijeori salpyeobodeon yeojaga malhaetda.

**여자** : 핸드백에 중요한 것이 많아서 못 찾을까 봐 걱정했는데 너무 고맙구나.
**여자** : 핸드배게 중요한 거시 마나서 몯 차즐까 봐 걱쩡핸는데 너무 고맙꾸나.
yeoja : haendeubaege jungyohan geosi manaseo mot chajeulkka bwa geokjeonghaenneunde neomu gomapguna.

　　　그런데 음, 이상한 일이구나.
　　　그런데 음, 이상한 이리구나.
　　　geureonde eum, isanghan iriguna.

**소년** : 뭐, 없어진 물건이라도 있으세요?
**소년** : 뭐, 업써진 물거니라도 이쓰세요?
sonyeon : mwo, eopseojin mulgeonirado isseuseyo?

**여자** : 그건 아니고, 지갑 안에 분명히 오만 원짜리 지폐 한 장이 들어 있었는데
**여자** : 그건 아니고, 지갑 아네 분명히 오만 원짜리 지폐 한 장이 드러 이썬는데
yeoja : geugeon anigo, jigap ane bunmyeonghi oman wonjjari jipye(jipe) han
　　　 jangi deureo isseonneunde

　　　지금은 만 원짜리 다섯 장이 들어 있네.
　　　지그믄 만 원짜리 다섣 장이 드러 인네.
　　　jigeumeun man wonjjari daseot jangi deureo inne.

거참, 신기하네.

거참, 신기하네.

geocham, singihane.


소년 : 아, 그거요.

소년 : 아, 그거요.

sonyeon : a, geugeoyo.


저번에 제가 어떤 여자분 지갑을 찾아 줬는데 그분이 잔돈이 없다고

저버네 제가 어떤 여자분 지가블 차자 줜는데 그부니 잔도니 업따고

jeobeone jega eotteon yeojabun jigabeul chaja jwonneunde geubuni jandoni eopdago


사례금을 안 주셨거든요.

사례그믈 안 주셧꺼드뇨.

saryegeumeul an jusyeotgeodeunyo.

# ● 어휘 (Үгс) / 문법 (хэлзүй)

북적거리+는 쇼핑몰+에서 한 여성+이 핸드백+을 잃어버리+었+다.

핸드백+을 줍(주우)+ㄴ 정직하+ㄴ 소년+은 그 여성+에게 가방+을 돌려주+었+다.

건네받+은 핸드백 안+을 이리저리 살펴보+던 여자+가 말하+였+다.


**여자** : 핸드백+에 중요하+<u>ㄴ 것</u>+이 많+아서 못 찾+<u>을까 보</u>+아 걱정하+였+는데 너무

고맙+구나.

그런데 음, 이상하+ㄴ 일+이+구나.

**소년** : 뭐, 없어지+ㄴ 물건+이라도 있+으세요?

**여자** : 그것(그거)+은 아니+고, 지갑 안+에 분명히 오만 원+짜리 지폐 한 장+이

들+<u>어 있</u>+었+는데 지금+은 만 원+짜리 다섯 장+이 들+<u>어 있</u>+네.

거참, 신기하+네.

**소년** : 아, 그거+요.

저번+에 제+가 어떤 여자+분 지갑+을 찾+<u>아 주</u>+었+는데 그분+이 잔돈+이

없+다고 사례금+을 안 주+시+었+거든요.

> 북적거리+는 쇼핑몰+에서 한 여성+이 핸드백+을 <u>잃어버리+었+다</u>.
> **잃어버렸다**

- **북적거리다 (Үйл Үг)** : 많은 사람이 한곳에 모여 매우 어수선하고 시끄럽게 자꾸 떠들다.
  *бужигнах, хөлхөх, хөл ихтэй, хөл хөдөлгөөн ихтэй*
  олон хүн нэг дор цуглаж ихэд хөл хөдөлгөөнтэй байх, байнга чимээ шуугиан тарих.

- **-는** : 앞의 말이 관형어의 기능을 하게 만들고 사건이나 동작이 현재 일어남을 나타내는 어미.
  *Тохирох Үг хэллэг байхгүй байна*
  өмнөх үгийг тодотгол гишүүний үүрэгтэй болгож, хэрэг явдал буюу үйлдэл нь одоо өрнөж байгааг илэрхийлдэг нөхцөл.

- **쇼핑몰 (нэр Үг)** : 여러 가지 물건을 파는 상점들이 모여 있는 곳.
  *худалдааны төв*
  төрөл бүрийн бараа зарах дэлгүүрүүд төвлөрсөн газар.

- **에서** : 앞말이 행동이 이루어지고 있는 장소임을 나타내는 조사.
  *-aac(-ээс, -оос, -өөс)*
  өмнөх үг нь үйлдэл нь биелж буй газар болохыг илэрхийлдэг нөхцөл.

- **한 (тодотгол Үг)** : 여럿 중 하나인 어떤.
  *нэг*
  олон зүйлийн дундаас ямар нэгэн.

- **여성 (нэр Үг)** : 어른이 되어 아이를 낳을 수 있는 여자.
  *эмэгтэй, бүсгүй хүн*
  насанд хүрч хүүхэд гаргаж чадах эмэгтэй.

- **이** : 어떤 상태나 상황의 대상이나 동작의 주체를 나타내는 조사.
  *Тохирох Үг хэллэг байхгүй байна*
  ямар нэгэн төлөв, байдлын субьект, мөн үйл хөдлөлийн эзэн болохыг илэрхийлэх нөхцөл.

- **핸드백 (нэр Үг)** : 여자들이 손에 들거나 한쪽 어깨에 메는 작은 가방.
  *гар цүнх*
  эмэгтэйчүүүд гартаа барих болон мөрөндөө үүрч явдаг жижиг цүнх.

- **을** : 동작이 직접적으로 영향을 미치는 대상을 나타내는 조사.
  *-ыг/-ийг/-г*
  үйл хөдлөл шууд нөлөөлж буй тусагдахууныг илэрхийлэх нөхцөл.

- **잃어버리다 (Үйл Үг)** : 가졌던 물건을 흘리거나 놓쳐서 더 이상 갖지 않게 되다.
  *хаях, гээх*
  өөрт байсан зүйлийг хаяж үрэгдүүлэн байхгүй болгох.

• -었- : 사건이 과거에 일어났음을 나타내는 어미.

**Тохирох Үг хэллэг байхгүй байна**

Үйл явдал өнгөрсөн үед болсныг илэрхийлдэг төгсгөх нөхцөл.

• -다 : 어떤 사건이나 사실, 상태를 서술함을 나타내는 종결 어미.

**Тохирох Үг хэллэг байхгүй байна**

одоогийн хэрэг явдал буюу үнэн явлыг хүүрнэхийг илэрхийлдэг төгсгөх нөхцөл.

---

> 핸드백+을 줍(주우)+ㄴ 정직하+ㄴ 소년+은 그 여성+에게 가방+을 돌려주+었+다.
>         주운       정직한                       돌려졌다

---

• **핸드백 (нэр үг)** : 여자들이 손에 들거나 한쪽 어깨에 메는 작은 가방.

**гар цүнх**

эмэгтэйчүүдэд гартаа барих болон мөрөндөө үүрч явдаг жижиг цүнх.

• **을** : 동작이 직접적으로 영향을 미치는 대상을 나타내는 조사.

**-ыг/-ийг/-г**

үйл хөдлөл шууд нөлөөлж буй тусагдахууныг илэрхийлэх нөхцөл.

• **줍다 (үйл үг)** : 남이 잃어버린 물건을 집다.

**олж авах**

бусдын гээсэн зүйлийг олж авах.

• -ㄴ : 앞의 말이 관형어의 기능을 하게 만들고 사건이나 동작이 완료되어 그 상태가 유지되고 있음을
　　　나타내는 어미.

**Тохирох үг хэллэг байхгүй байна**

өмнөх үгийг тодотгол гишүүний үүрэгтэй болгож, хэрэг явдал буюу үйлдэл нь бүрэн
төгс болсон, тухайн байдал үргэлжилж буйг илэрхийлдэг нөхцөл.

• **정직하다 (тэмдэг нэр)** : 마음에 거짓이나 꾸밈이 없고 바르고 곧다.

**үнэнч шударга**

сэтгэлдээ худал хуурмаг зүйлгүй чин үнэнч.

• -ㄴ : 앞의 말이 관형어의 기능을 하게 만들고 현재의 상태를 나타내는 어미.

**Тохирох үг хэллэг байхгүй байна**

өмнөх үгийг тодотгол гишүүний үүрэгтэй болгож, одоогийн байдлыг илэрхийлдэг
нөхцөл.

• **소년 (нэр үг)** : 아직 어른이 되지 않은 어린 남자아이.

**эрэгтэй хүүхэд, хөвгүүн**

хараахан насанд хүрээгүй, бага насны эрэгтэй хүүхэд.

• 은 : 문장 속에서 어떤 대상이 화제임을 나타내는 조사.

**Тохирох Үг хэллэг байхгүй байна**

өгүүлбэрт ямар зүйл ярианы сэдэв болж буйг илэрхийлдэг нөхцөл.

• 그 (тодотгол Үг) : 앞에서 이미 이야기한 대상을 가리킬 때 쓰는 말.

**тэр, нөгөө**

өмнө нь ярьж дурдсан зүйлийг заах үед хэрэглэдэг үг.

• 여성 (нэр Үг) : 어른이 되어 아이를 낳을 수 있는 여자.

**эмэгтэй, бүсгүй хүн**

насанд хүрч хүүхэд гаргаж чадах эмэгтэй.

• 에게 : 어떤 행동이 미치는 대상임을 나타내는 조사.

**-д, -т**

ямар нэгэн үйлдлийн нөлөөг авч буй зүйлийг илэрхийлдэг нөхцөл.

• 가방 (нэр Үг) : 물건을 넣어 손에 들거나 어깨에 멜 수 있게 만든 것.

**цүнх**

эд зүйлсийг агуулж, гартаа барих буюу мөрөндөө үүрч явахаар хийгдсэн сав.

• 을 : 동작이 직접적으로 영향을 미치는 대상을 나타내는 조사.

**-ыг/-ийг/-г**

үйл хөдлөл шууд нөлөөлж буй тусагдахууныг илэрхийлэх нөхцөл.

• 돌려주다 (үйл Үг) : 빌리거나 뺏거나 받은 것을 주인에게 도로 주거나 갚다.

**буцааж өгөх, төлөх, эргүүлж өгөх**

түр зээлэх юм уу булаан авсан бусдын эд зүйлийг эзэнд нь эргүүлж өгөх юм уу төлөх.

• -었- : 사건이 과거에 일어났음을 나타내는 어미.

**Тохирох Үг хэллэг байхгүй байна**

үйл явдал өнгөрсөн үед болсныг илэрхийлдэг төгсгөх нөхцөл.

• -다 : 어떤 사건이나 사실, 상태를 서술함을 나타내는 종결 어미.

**Тохирох Үг хэллэг байхгүй байна**

одоогийн хэрэг явдал буюу үнэн явлыг хүүрнэхийг илэрхийлдэг төгсгөх нөхцөл.

---

| 건네받+은 핸드백 안+을 이리저리 살펴보+던 여자+가 말하+였+다. |
| :---: |
| **말했다** |

---

• 건네받다 (үйл Үг) : 다른 사람으로부터 어떤 것을 옮기어 받다.

**авах, шилжүүлэн авах, шилжүүлэх, дамжуулах**

ямар нэгэн юмыг бусдаас шилжүүлэн авах.

- -은 : 앞의 말이 관형어의 기능을 하게 만들고 사건이나 동작이 완료되어 그 상태가 유지되고 있음을 나타내는 어미.

  **Тохирох үг хэллэг байхгүй байна**

  өмнөх үгийг тодотгол гишүүний үүрэгтэй болгож үйл хөдлөл дуусан тэр байдал хадгалагдаж буйг илэрхийлдэг нөхцөл.

- **핸드백 (нэр үг)** : 여자들이 손에 들거나 한쪽 어깨에 메는 작은 가방.

  **гар цүнх**

  эмэгтэйчүүүд гартаа барих болон мөрөндөө үүрч явдаг жижиг цүнх.

- **안 (нэр үг)** : 어떤 물체나 공간의 둘레에서 가운데로 향한 쪽. 또는 그러한 부분.

  **дотор**

  ямар нэгэн биет буюу орон зайн зах хүрээнээс гол руу нь чиглэсэн тал. мөн тийм хэсэг.

- 을 : 동작이 직접적으로 영향을 미치는 대상을 나타내는 조사.

  **-ыг/-ийг/-г**

  үйл хөдлөл шууд нөлөөлж буй тусагдахууныг илэрхийлэх нөхцөл.

- **이리저리 (дайвар үг)** : 방향을 정하지 않고 이쪽저쪽으로.

  **нааш цааш, ийш тийш, үүгээр түүгээр**

  зүг чиггүй, ийшээ тийшээ.

- **살펴보다 (үйл үг)** : 무엇을 찾거나 알아보다.

  **хайх**

  ямар нэг зүйл хайх болон эрж сурах.

- -던 : 앞의 말이 관형어의 기능을 하게 만들고 사건이나 동작이 과거에 완료되지 않고 중단되었음을 나타내는 어미.

  **Тохирох үг хэллэг байхгүй байна**

  өмнөх үгийг тодотгол гишүүний үүрэгтэй болгож, хэрэг явдал буюу үйлдэл өнгөрсөн үед дуусаагүй түр завсарласан болохыг илэрхийлдэг нөхцөл.

- **여자 (нэр үг)** : 여성으로 태어난 사람.

  **эмэгтэй**

  эм хүйстэй болж төрсөн хүн.

- 가 : 어떤 상태나 상황에 놓인 대상이나 동작의 주체를 나타내는 조사.

  **Тохирох үг хэллэг байхгүй байна**

  ямар нэгэн төлөв, байдлын субьект, мөн үйл хөдлөлийн эзэн болохыг илэрхийлэх нөхцөл.

• 말하다 (Үйл Үг) : 어떤 사실이나 자신의 생각 또는 느낌을 말로 나타내다.

ярих, өгүүлэх, хэлэх, өчих

ямар нэгэн бодит зүйлийн талаар болон өөрийн бодол санаа, мэдрэмжийг үгээр илэрхийлэх.

• -였- : 사건이 과거에 일어났음을 나타내는 어미.

Тохирох үг хэллэг байхгүй байна

Үйл явдал өнгөрсөн үед болсныг илэрхийлдэг төгсгөх нөхцөл.

• -다 : 어떤 사건이나 사실, 상태를 서술함을 나타내는 종결 어미.

Тохирох үг хэллэг байхгүй байна

одоогийн хэрэг явдал буюу үнэн явлыг хүүрнэхийг илэрхийлдэг төгсгөх нөхцөл.

---

여자 : 핸드백+에 중요하+[ㄴ 것]+이 많+아서 못 찾+[을까 보]+아 걱정하+였+는데
　　　　　　　중요한 것이　　　　　　　　찾을까 봐　　걱정했는데

　　너무 고맙+구나.

---

• 핸드백 (нэр үг) : 여자들이 손에 들거나 한쪽 어깨에 메는 작은 가방.

гар цүнх

эмэгтэйчүүд гартаа барих болон мөрөндөө үүрч явдаг жижиг цүнх.

• 에 : 앞말이 어떤 장소나 자리임을 나타내는 조사.

-д/-т

өмнөх үг ямар нэгэн газар буюу байр болохыг илэрхийлж буй нөхцөл.

• 중요하다 (тэмдэг нэр) : 귀중하고 꼭 필요하다.

чухал, эрхэм

маш эрхэм бөгөөд заавал хэрэгтэй.

• -ㄴ 것 : 명사가 아닌 것을 문장에서 명사처럼 쓰이게 하거나 '이다' 앞에 쓰일 수 있게 할 때 쓰는 표현.

Тохирох үг хэллэг байхгүй байна

өгүүлбэрт нэр үгийн үүргээр орж өгүүлэгдэхүүн буюу тусагдахуун гишүүний үүрэг гүйцэтгэх буюу '<ида>(байх)'-н өмнө ирэх боломжтой болгодог үг хэллэг.

• 이 : 어떤 상태나 상황의 대상이나 동작의 주체를 나타내는 조사.

Тохирох үг хэллэг байхгүй байна

ямар нэгэн төлөв, байдлын субьект, мөн үйл хөдлөлийн эзэн болохыг илэрхийлэх нөхцөл.

- **많다 (тэмдэг нэр)** : 수나 양, 정도 등이 일정한 기준을 넘다.

  олон, их, арвин

  тоо хэмжээ, түвшин тодорхой нэг хэмжээг давах.


- **-아서** : 이유나 근거를 나타내는 연결 어미.

  Тохирох үг хэллэг байхгүй байна

  учир шалтгаан буюу үндэслэлийг илэрхийлдэг холбох нөхцөл.


- **못 (дайвар үг)** : 동사가 나타내는 동작을 할 수 없게.

  -гүй байх

  үйл үг илэрхийлж буй хөдөлгөөнийг хийж чадахгүй байх.


- **찾다 (үйл үг)** : 무엇을 얻거나 누구를 만나려고 여기저기를 살피다. 또는 그것을 얻거나 그 사람을 만나다.

  хайх, олох

  ямар нэгэн юмыг олох буюу хэн нэгэнтэй уулзахаар энд тэндхийг ажиглах. мөн түүнийгээ олох буюу уулзах.


- **-을까 보다** : 앞에 오는 말이 나타내는 상황이 될 것을 걱정하거나 두려워함을 나타내는 표현.

  Тохирох үг хэллэг байхгүй байна

  өмнөх үгийн илэрхийлж буй нөхцөл байдал үүсэхээс санаа зовох буюу айх явдлыг илэрхийлдэг үг хэллэг.


- **-아** : 앞에 오는 말이 뒤에 오는 말에 대한 원인이나 이유임을 나타내는 연결 어미.

  Тохирох үг хэллэг байхгүй байна

  өмнө ирэх үг ард ирэх үгийн талаарх учир шалтгаан болохыг илэрхийлдэг холбох нөхцөл.


- **걱정하다 (үйл үг)** : 좋지 않은 일이 있을까 봐 두려워하고 불안해하다.

  санаа зовох

  ямар нэг муу зүйл болох вий гэж сэтгэл зовиурлан шаналах.


- **-였-** : 어떤 사건이 과거에 완료되었거나 그 사건의 결과가 현재까지 지속되는 상황을 나타내는 어미.

  Тохирох үг хэллэг байхгүй байна

  ямар нэгэн үйл явдал өнгөрсөн цагт төгссөн буюу тухайн үйл явдлын үр дүн өнөөг хүртэл үргэлжилж буй байдлыг илэрхийлдэг нөхцөл.


- **-는데** : 뒤의 말을 하기 위하여 그 대상과 관련이 있는 상황을 미리 말함을 나타내는 연결 어미.

  Тохирох үг хэллэг байхгүй байна

  арын агуулгыг ярихын тулд тухайн зүйлтэй холбоотой нөхцөл байдлыг урьдчилан хэлж буйг илэрхийлдэг холбох нөхцөл.


- **너무 (дайвар үг)** : 일정한 정도나 한계를 훨씬 넘어선 상태로.

  дэндүү, хэтэрхий, хэт

  тогтсон хэмжээ болон хязгаарыг маш их хэтэрсэн байдал.

• **고맙다 (тэмдэг нэр)** : 남이 자신을 위해 무엇을 해주어서 마음이 흐뭇하고 보답하고 싶다.
**баярлах**
өөр хүн өөрийнх нь төлөө ямар нэгэн зүйлийг хийж өгсөнд талархан баярлаж ачийг хариулах сэтгэл төрөх.

• **-구나** : (아주낮춤으로) 새롭게 알게 된 사실에 어떤 느낌을 실어 말함을 나타내는 종결 어미.
**Тохирох үг хэллэг байхгүй байна**
(огт хүндэтгэлгүй үг хэллэг) шинээр олж мэдсэн зүйлийн талаар ямар нэгэн мэдрэмжийг нэмэн хэлэх явдлыг илэрхийлдэг төгсгөх нөхцөл.

---

> **여자 : 그런데 음, <u>이상하+ㄴ</u> 일+이+구나.**
> **이상한**

---

• **그런데 (дайвар үг)** : 이야기를 앞의 내용과 관련시키면서 다른 방향으로 바꿀 때 쓰는 말.
**гэхдээ**
яриаг өмнөх агуулгатай холбонгоо өөр тийш нь хандуулахад хэрэглэдэг үг.

• **음 (аялга үг)** : 믿지 못할 때 내는 소리.
**Мм**
итгэхгүй үед гаргадаг дуу чимээ.

• **이상하다 (тэмдэг нэр)** : 원래 알고 있던 것과 달리 별나거나 색다르다.
**сонин байх, хачин байх, хачирхалтай байх, жигтэй байх, эвгүй байх**
угийн мэдэж байсан зүйлээс өөр сонин хачин, ер бус байх.

• **-ㄴ** : 앞의 말이 관형어의 기능을 하게 만들고 현재의 상태를 나타내는 어미.
**Тохирох үг хэллэг байхгүй байна**
өмнөх үгийг тодотгол гишүүний үүрэгтэй болгож, одоогийн байдлыг илэрхийлдэг нөхцөл.

• **일 (нэр үг)** : 어떤 내용을 가진 상황이나 사실.
**зүйл, явдал**
ямар нэг утга агуулга бүхий нөхцөл байдал буюу үнэн.

• **이다** : 주어가 지시하는 대상의 속성이나 부류를 지정하는 뜻을 나타내는 서술격 조사.
**Тохирох үг хэллэг байхгүй байна**
эзэн биеийн зааж буй обьектын шинж чанар, төрөл зүйлийг тодорхойлох утгыг илэрхийлэх өгүүлэхүүний тийн ялгалын нөхцөл.

• -구나 : (아주낮춤으로) 새롭게 알게 된 사실에 어떤 느낌을 실어 말함을 나타내는 종결 어미.

**Тохирох Үг хэллэг байхгүй байна**

(огт хүндэтгэлгүй Үг хэллэг) шинээр олж мэдсэн зүйлийн талаар ямар нэгэн мэдрэмжийг нэмэн хэлэх явдлыг илэрхийлдэг төгсгөх нөхцөл.

---

> 소년 : 뭐, <u>없어지+ㄴ</u> 물건+이라도 있+으세요?
>         없어진

---

• 뭐 (аялга Үг) : 놀랐을 때 내는 소리.

**юу?**

гайхахдаа гаргадаг дуу авиа.

• 없어지다 (Үйл Үг) : 사람, 사물, 현상 등이 어떤 곳에 자리나 공간을 차지하고 존재하지 않게 되다.

**алга болох, устах, дуусах, алга болох, хаачсан нь мэдэгдэхгүй**

хүн, эд зүйл, нөхцөл байдал зэрэг ямар нэгэн газар байр суурь юм уу орон зайг эзлэн байхаа болих.

• -ㄴ : 앞의 말이 관형어의 기능을 하게 만들고 사건이나 동작이 완료되어 그 상태가 유지되고 있음을 나타내는 어미.

**Тохирох Үг хэллэг байхгүй байна**

өмнөх Үгийг тодотгол гишүүний үүрэгтэй болгож, хэрэг явдал буюу үйлдэл нь бүрэн төгс болсон, тухайн байдал үргэлжилж буйг илэрхийлдэг нөхцөл.

• 물건 (нэр Үг) : 일정한 모양을 갖춘 어떤 물질.

**эд зүйл**

тодорхой нэг хэлбэр бүхий материаллаг зүйл.

• 이라도 : 불확실한 사실에 대한 말하는 이의 의심이나 의문을 나타내는 조사.

**ч**

тодорхой бус зүйлийн талаар өгүүлж байгаа хүний эргэлзээг илэрхийлж буй нөхцөл.

• 있다 (тэмдэг нэр) : 무엇이 어떤 곳에 자리나 공간을 차지하고 존재하는 상태이다.

**байх**

ямар нэгэн зүйл аль нэг газар орон зай эзлэн орших.

• -으세요 : (두루높임으로) 설명, 의문, 명령, 요청의 뜻을 나타내는 종결 어미.

**Тохирох Үг хэллэг байхгүй байна**

(хүндэтгэлийн энгийн Үг хэллэг) тайлбар, асуулт, тушаал, шаардлага зэрэг утгыг илэрхийлдэг төгсгөх нөхцөл.

> 여자 : <u>그것(그거)+은</u> 아니+고, 지갑 안+에 분명히 오만 원+짜리 지폐 한 장+이
>        그건
>
> 들+[어 있]+었+는데 지금+은 만 원+짜리 다섯 장+이 들+[어 있]+네.

- **그것 (төлөөний үг)** : 앞에서 이미 이야기한 대상을 가리키는 말.
  **тэр, нөгөө**
  өмнө нь ярьж хэлсэн зүйлийг заадаг үг.

- **은** : 문장 속에서 어떤 대상이 화제임을 나타내는 조사.
  **Тохирох үг хэллэг байхгүй байна**
  өгүүлбэрт ямар зүйл ярианы сэдэв болж буйг илэрхийлдэг нөхцөл.

- **아니다 (тэмдэг нэр)** : 어떤 사실이나 내용을 부정하는 뜻을 나타내는 말.
  **биш, үгүй**
  ямар нэгэн үнэн зүйл болон агуулгыг үгүйсгэх утга заана.

- **-고** : 두 가지 이상의 대등한 사실을 나열할 때 쓰는 연결 어미.
  **Тохирох үг хэллэг байхгүй байна**
  хоёроос дээш тооны хэрэг явдлыг зэрэгцүүлэн холбоход хэрэглэдэг холбох нөхцөл.

- **지갑 (нэр үг)** : 돈, 카드, 명함 등을 넣어 가지고 다닐 수 있게 가죽이나 헝겊 등으로 만든 물건.
  **түрийвч**
  мөнгө, карт, нэрийн хуудас зэргийг агуулж биедээ авч явах савхи болон даавуугаар хийсэн зүйл.

- **안 (нэр үг)** : 어떤 물체나 공간의 둘레에서 가운데로 향한 쪽. 또는 그러한 부분.
  **дотор**
  ямар нэгэн биет буюу орон зайн зах хүрээнээс гол руу нь чиглэсэн тал. мөн тийм хэсэг.

- **에** : 앞말이 어떤 장소나 자리임을 나타내는 조사.
  **-д/-т**
  өмнөх үг ямар нэгэн газар буюу байр болохыг илэрхийлж буй нөхцөл.

- **분명히 (дайвар үг)** : 어떤 사실이 틀림이 없이 확실하게.
  **тодорхой, гарцаагүй**
  ямар нэг үнэн явдал гарцаагүй тодорхой.

- **오만** : 50,000

- **원 (нэр Үг)** : 한국의 화폐 단위.
  **вон**
  Солонгосын мөнгөний нэгж.

- **짜리** : '그만한 수나 양을 가진 것' 또는 '그만한 가치를 가진 것'의 뜻을 더하는 접미사.
  **Тохирох Үг хэллэг байхгүй байна**
  'тиймэрхүү тоо буюу хэмжээтэй' мөн 'тиймэрхүү үнэ цэнэтэй' гэсэн утгыг нэмдэг
  дагавар.

- **지폐 (нэр Үг)** : 종이로 만든 돈.
  **мөнгөн дэвсгэрт**
  цаасаар хийсэн мөнгө.

- **한 (тодотгол Үг)** : 하나의.
  **нэг**
  нэгэн.

- **장 (нэр Үг)** : 종이나 유리와 같이 얇고 넓적한 물건을 세는 단위.
  **хуудас, ширхэг**
  цаас, шил зэрэг нарийн нимгэн зүйлийг тоолох нэгж.

- **이** : 어떤 상태나 상황의 대상이나 동작의 주체를 나타내는 조사.
  **Тохирох Үг хэллэг байхгүй байна**
  ямар нэгэн төлөв, байдлын субьект, мөн үйл хөдлөлийн эзэн болохыг илэрхийлэх
  нөхцөл.

- **들다 (Үйл Үг)** : 안에 담기거나 그 일부를 이루다.
  **байх, агуулах**
  дотор агуулагдах буюу түүний нэг хэсгийг бий болгох.

- **-어 있다** : 앞의 말이 나타내는 상태가 계속됨을 나타내는 표현.
  **Тохирох Үг хэллэг байхгүй байна**
  өмнөх үгийн илэрхийлж буй байдал үргэлжлэх явдлыг илэрхийлдэг Үг хэллэг.

- **-었-** : 어떤 사건이 과거에 완료되었거나 그 사건의 결과가 현재까지 지속되는 상황을 나타내는 어미.
  **Тохирох Үг хэллэг байхгүй байна**
  ямар нэгэн хэрэг явдал өнгөрсөн үед болж өнгөрсөн буюу тухайн үйлийн үр дүн
  өнөөг хүртэл үргэлжилж буй нөхцөл байдлыг илэрхийлдэг нөхцөл.

- **-는데** : 뒤의 말을 하기 위하여 그 대상과 관련이 있는 상황을 미리 말함을 나타내는 연결 어미.
  **Тохирох Үг хэллэг байхгүй байна**
  арын агуулгыг ярихын тулд тухайн зүйлтэй холбоотой нөхцөл байдлыг урьдчилан
  хэлж буйг илэрхийлдэг холбох нөхцөл.

• **지금 (нэр Үг)** : 말을 하고 있는 바로 이때.
одоо, одоо цаг
юм ярьж буй энэ цаг мөч.

• **은** : 문장 속에서 어떤 대상이 화제임을 나타내는 조사.
**Тохирох Үг хэллэг байхгүй байна**
өгүүлбэрт ямар зүйл ярианы сэдэв болж буйг илэрхийлдэг нөхцөл.

• **만** : 10,000

• **원 (нэр Үг)** : 한국의 화폐 단위.
вон
Солонгосын мөнгөний нэгж.

• **짜리** : '그만한 수나 양을 가진 것' 또는 '그만한 가치를 가진 것'의 뜻을 더하는 접미사.
**Тохирох Үг хэллэг байхгүй байна**
'тиймэрхүү тоо буюу хэмжээтэй' мөн 'тиймэрхүү үнэ цэнэтэй' гэсэн утгыг нэмдэг
дагавар.

• **다섯 (тодотгол Үг)** : 넷에 하나를 더한 수의.
таван
дөрөв дээр нэгийг нэмсэн тооны.

• **장 (нэр Үг)** : 종이나 유리와 같이 얇고 넓적한 물건을 세는 단위.
хуудас, ширхэг
цаас, шил зэрэг нарийн нимгэн зүйлийг тоолох нэгж.

• **이** : 어떤 상태나 상황의 대상이나 동작의 주체를 나타내는 조사.
**Тохирох Үг хэллэг байхгүй байна**
ямар нэгэн төлөв, байдлын субьект, мөн үйл хөдлөлийн эзэн болохыг илэрхийлэх
нөхцөл.

• **들다 (Үйл Үг)** : 안에 담기거나 그 일부를 이루다.
байх, агуулах
дотор агуулагдах буюу түүний нэг хэсгийг бий болгох.

• **-어 있다** : 앞의 말이 나타내는 상태가 계속됨을 나타내는 표현.
**Тохирох Үг хэллэг байхгүй байна**
өмнөх үгийн илэрхийлж буй байдал үргэлжлэх явдлыг илэрхийлдэг үг хэллэг.

• **-네** : (아주낮춤으로) 지금 깨달은 일에 대하여 말함을 나타내는 종결 어미.
**Тохирох Үг хэллэг байхгүй байна**
(огт хүндэтгэлгүй үг хэллэг) одоо ойлгож ухаарсан зүйлийнхээ талаар ярьж байгааг
илэрхийлдэг төгсгөх нөхцөл.

---

**여자 : 거참, 신기하+네.**

---

· **거참 (аялга Үг)** : 안타까움이나 아쉬움, 놀라움의 뜻을 나타낼 때 하는 말.
  **Үнэхээр, ёстой, нээрээ**
  харамсах, харуусах, гайхах утга илэрхийлэхэд хэрэглэдэг Үг.

· **신기하다 (тэмдэг нэр)** : 믿을 수 없을 정도로 색다르고 이상하다.
  **гайхалтай, гайхамшигтай, гойд сонин, хачин сонин**
  итгэж чадахааргҮй хэмжээний сонин хачин.

· **-네** : (아주낮춤으로) 지금 깨달은 일에 대하여 말함을 나타내는 종결 어미.
  **Тохирох Үг хэллэг байхгҮй байна**
  (огт хҮндэтгэлгҮй Үг хэллэг) одоо ойлгож ухаарсан зҮйлийнхээ талаар ярьж байгааг илэрхийлдэг төгсгөх нөхцөл.

---

**소년 : 아, 그거+요.**

---

· **아 (аялга Үг)** : 남에게 말을 걸거나 주의를 끌 때, 말에 앞서 내는 소리.
  **аа**
  хҮнд ямар нэг зҮйл ярьж хэлэхийн өмнө буюу анхаарлыг нь өөрийн зҮгт хандуулах Үед Үг хэлэхийн өмнө гаргадаг авиа.

· **그거 (төлөөний Үг)** : 앞에서 이미 이야기한 대상을 가리키는 말.
  **тэр, нөгөө**
  өмнө нь ярьж хэлсэн зҮйлийг заадаг Үг.

· **요** : 높임의 대상인 상대방에게 존대의 뜻을 나타내는 조사.
  **Тохирох Үг хэллэг байхгҮй байна**
  эсрэг хҮнээ хҮндэтгэж буй утгыг илэрхийлдэг нөхцөл.

---

**소년 : 저번+에 제+가 어떤 여자+분 지갑+을 찾+[아 주]+었+는데 그분+이 잔돈+이**
**                              찾아 줬는데**

**없+다고 사례금+을 안 주+시+었+거든요.**
**                          주셨거든요**

- **저번** (нэр үг) : 말하고 있는 때 이전의 지나간 차례나 때.

  **өмнө, өмнөх**

  өгүүлж байгаа үеийн өмнө өнгөрсөн үе буюу ээлж дараа.


- **에** : 앞말이 시간이나 때임을 나타내는 조사.

  **-д/-т**

  өмнөх үг цаг хугацаа болохыг илэрхийлж буй нөхцөл.


- **제** (төлөөний үг) : 말하는 사람이 자신을 낮추어 가리키는 말인 '저'에 조사 '가'가 붙을 때의 형태.

  **би**

  ярьж буй хүн өөрийгөө доошлуулж хэлдэг үг '저' дээр нөхцөл '가' залгасан хэлбэр.


- **가** : 어떤 상태나 상황에 놓인 대상이나 동작의 주체를 나타내는 조사.

  **Тохирох үг хэллэг байхгүй байна**

  ямар нэгэн төлөв, байдлын субьект, мөн үйл хөдлөлийн эзэн болохыг илэрхийлэх нөхцөл.


- **어떤** (тодотгол үг) : 굳이 말할 필요가 없는 대상을 뚜렷하게 밝히지 않고 나타낼 때 쓰는 말.

  **нэг, нэгэн, ямар нэг**

  яг тэр гэж хэлэх шаардлагагүй зүйлийг илэрхийлэхэд хэрэглэдэг үг.


- **여자** (нэр үг) : 여성으로 태어난 사람.

  **эмэгтэй**

  эм хүйстэй болж төрсөн хүн.


- **분** : '높임'의 뜻을 더하는 접미사.

  **Тохирох үг хэллэг байхгүй байна**

  'хүндлэх' угта нэмдэг дагавар.


- **지갑** (нэр үг) : 돈, 카드, 명함 등을 넣어 가지고 다닐 수 있게 가죽이나 헝겊 등으로 만든 물건.

  **түрийвч**

  мөнгө, карт, нэрийн хуудас зэргийг агуулж биедээ авч явах савхи болон даавуугаар хийсэн зүйл.


- **을** : 동작이 직접적으로 영향을 미치는 대상을 나타내는 조사.

  **-ыг/-ийг/-г**

  үйл хөдлөл шууд нөлөөлж буй тусагдахууныг илэрхийлэх нөхцөл.


- **찾다** (үйл үг) : 무엇을 얻거나 누구를 만나려고 여기저기를 살피다. 또는 그것을 얻거나 그 사람을 만나다.

  **хайх, олох**

  ямар нэгэн юмыг олох буюу хэн нэгэнтэй уулзахаар энд тэндхийг ажиглах. мөн түүнийгээ олох буюу уулзах.

• -아 주다 : 남을 위해 앞의 말이 나타내는 행동을 함을 나타내는 표현.
**Тохирох Үг хэллэг байхгүй байна**
бусдад зориулж өмнөх Үгийн илэрхийлж буй Үйлдлийг хийх явдлыг илэрхийлдэг Үг
хэллэг.

• -었- : 사건이 과거에 일어났음을 나타내는 어미.
**Тохирох Үг хэллэг байхгүй байна**
Үйл явдал өнгөрсөн Үед болсныг илэрхийлдэг төгсгөх нөхцөл.

• -는데 : 뒤의 말을 하기 위하여 그 대상과 관련이 있는 상황을 미리 말함을 나타내는 연결 어미.
**Тохирох Үг хэллэг байхгүй байна**
арын агуулгыг ярихын тулд тухайн зүйлтэй холбоотой нөхцөл байдлыг урьдчилан
хэлж буйг илэрхийлдэг холбох нөхцөл.

• **그분 (төлөөний Үг)** : (아주 높이는 말로) 그 사람.
**тэр эрхэм**
(дээдлэн хүндэтгэх Үг) тэр хүн.

• 이 : 어떤 상태나 상황의 대상이나 동작의 주체를 나타내는 조사.
**Тохирох Үг хэллэг байхгүй байна**
ямар нэгэн төлөв, байдлын субьект, мөн Үйл хөдлөлийн эзэн болохыг илэрхийлэх
нөхцөл.

• **잔돈 (нэр Үг)** : 단위가 작은 돈.
**задгай мөнгө**
нэгж хэмжээ нь бага мөнгө.

• 이 : 어떤 상태나 상황의 대상이나 동작의 주체를 나타내는 조사.
**Тохирох Үг хэллэг байхгүй байна**
ямар нэгэн төлөв, байдлын субьект, мөн Үйл хөдлөлийн эзэн болохыг илэрхийлэх
нөхцөл.

• **없다 (тэмдэг нэр)** : 사람, 사물, 현상 등이 어떤 곳에 자리나 공간을 차지하고 존재하지 않는 상태이
다.
**байхгүй, -гүй, хэн ч байхгүй, юу ч байхгүй, алга байх**
хүн, эд зүйл, Үзэгдэл зэрэг ямар нэгэн газар байр суудал юм уу орон зай эзлэн
оршдоггүй байдал.

• -다고 : 어떤 행위의 목적, 의도를 나타내거나 어떤 상황의 이유, 원인을 나타내는 연결 어미.
**Тохирох Үг хэллэг байхгүй байна**
ямар нэгэн Үйлдлийн санаа зорилгыг илэрхийлэх буюу ямар нэгэн нөхцөл байдлын
учир шалтгаан, Үндэслэлийг илэрхийлдэг холбох нөхцөл.

• **사례금 (нэр Үг)** : 고마운 뜻을 나타내려고 주는 돈.

шан хөлс, харамж

талархсан сэтгэлээ илэрхийлэх гэж өгдөг мөнгө.

• **을** : 동작이 직접적으로 영향을 미치는 대상을 나타내는 조사.

-ыг/-ийг/-г

Үйл хөдлөл шууд нөлөөлж буй тусагдахууныг илэрхийлэх нөхцөл.

• **안 (дайвар Үг)** : 부정이나 반대의 뜻을 나타내는 말.

эс, Үл, ҮгҮй, -гҮй

сөрөг буюу эсрэг утгыг илэрхийлдэг Үг.

• **주다 (Үйл Үг)** : 물건 등을 남에게 건네어 가지거나 쓰게 하다.

өгөх

эд юм зэргийг бусдад дамжуулан өгөх ба хэрэглҮҮлэх.

• **-시-** : 어떤 동작이나 상태의 주체를 높이는 뜻을 나타내는 어미.

Тохирох Үг хэллэг байхгҮй байна

ямар нэгэн Үйлдэл буюу байдлын эзэн биеийг хҮндэтгэх утгыг илэрхийлдэг нөхцөл.

• **-었-** : 사건이 과거에 일어났음을 나타내는 어미.

Тохирох Үг хэллэг байхгҮй байна

Үйл явдал өнгөрсөн Үед болсныг илэрхийлдэг төгсгөх нөхцөл.

• **-거든요** : (두루높임으로) 앞의 내용에 대해 말하는 사람이 생각한 이유나 원인, 근거를 나타내는 표현.

Тохирох Үг хэллэг байхгҮй байна

(хҮндэтгэлийн энгийн Үг хэллэг) өмнөх агуулгын талаар өгҮҮлж байгаа хҮний бодсон учир шалтгаан, Үндэслэлийг илэрхийлнэ.

# < 11 단원(бүлэг хичээл) >

제목 : 새에 대한 논문을 쓰고 계시나 보죠?

# ● 본문 (эх бичиг)

강의 준비를 하기 위해 교수님 한 분이 컴퓨터를 켜고 있었다.

그런데 컴퓨터가 바이러스에 걸렸는지 작동되지 않아 수리 기사를 부르게 되었다.

수리공이 컴퓨터를 고치다가 저장된 파일을 보니 독수리, 참새, 앵무새, 까치, 비둘기, 제비 등 모두 새

이름으로 되어 있었다.

수리 기사는 궁금증을 참다못해 교수님에게 물었다.

수리 기사 : 교수님, 파일 이름을 모두 새 이름으로 지으셨네요.

　　　　　 요즘 새에 대한 논문을 쓰고 계시나 보죠?

교수님이 울상을 지으면서 말했다.

교수님 : 아니에요.

　　　　 실은 그것 때문에 짜증이 나서 미치겠어요.

　　　　 파일 저장할 때마다 '새 이름으로 저장'이라고 나오는데 이제 생각나는

　　　　 새 이름도 없는데.

# ● 발음 (дуудлага)

강의 준비를 하기 위해 교수님 한 분이 컴퓨터를 켜고 있었다.
강의 준비를 하기 위해 교수님 한 부니 컴퓨터를 켜고 이썯따.
gangui junbireul hagi wihae gyosunim han buni keompyuteoreul kyeogo isseotda.

그런데 컴퓨터가 바이러스에 걸렸는지 작동되지 않아 수리 기사를 부르게 되었다.
그런데 컴퓨터가 바이러스에 걸련는지 작똥되지 아나 수리 기사를 부르게 되얻따.
geureonde keompyuteoga baireoseue geollyeonneunji jakdongdoeji ana suri gisareul bureuge doeeotda.

수리공이 컴퓨터를 고치다가 저장된 파일을 보니 독수리, 참새, 앵무새, 까치, 비둘기, 제비 등 모두 새
수리공이 컴퓨터를 고치다가 저장된 파이를 보니 독쑤리, 참새, 앵무새, 까치, 비둘기, 제비 등 모두 새
surigongi keompyuteoreul gochidaga jeojangdoen paireul boni doksuri, chamsae, aengmusae, kkachi, bidulgi, jebi deung modu sae

이름으로 되어 있었다.
이르므로 되어 이썯따.
ireumeuro doeeo isseotda.

수리 기사는 궁금증을 참다못해 교수님에게 물었다.
수리 기사는 궁금쯩을 참따모태 교수니메게 무럳따.
suri gisaneun gunggeumjeungeul chamdamotae gyosunimege mureotda.

**수리 기사 : 교수님, 파일 이름을 모두 새 이름으로 지으셨네요.**
수리 기사 : 교수님, 파일 이르믈 모두 새 이르므로 지으션네요.
suri gisa : gyosunim, pail ireumeul modu sae ireumeuro jieusyeonneyo.

**요즘 새에 대한 논문을 쓰고 계시나 보죠?**
요즘 새에 대한 논무늘 쓰고 게시나 보죠?
yojeum saee daehan nonmuneul sseugo gyesina(gesina) bojyo?

교수님이 울상을 지으면서 말했다.
교수니미 울쌍을 지으면서 말핻따.
gyosunimi ulsangeul jieumyeonseo malhaetda.

**교수님 : 아니에요.**
교수님 : 아니에요.
gyosunim : anieyo.

실은 그것 때문에 짜증이 나서 미치겠어요.
시른 그걷 때무네 짜증이 나서 미치게써요.
sireun geugeot ttaemune jjajeungi naseo michigesseoyo.

파일 저장할 때마다 '새 이름으로 저장'이라고 나오는데 이제 생각나는
파일 저장할 때마다 '새 이르므로 저장'이라고 나오는데 이제 생강나는
pail jeojanghal ttaemada 'sae ireumeuro jeojang'irago naoneunde ije
saenggangnaneun

새 이름도 없는데.
새 이름도 엄는데.
sae ireumdo eomneunde.

# ● 어휘 (Үгс) / 문법 (хэлзүй)

강의 준비+를 하+기 위해서 교수+님 한 분+이 컴퓨터+를 켜+고 있+었+다.

그런데 컴퓨터+가 바이러스+에 걸리+었+는지 작동되+지 않+아 수리 기사+를 부르+게 되+었+다.

수리공+이 컴퓨터+를 고치+다가 저장되+ㄴ 파일+을 보+니 독수리, 참새, 앵무새, 까치, 비둘기, 제비 등

모두 새 이름+으로 되+어 있+었+다.

수리 기사+는 궁금증+을 참다못하+여 교수+님+에게 묻(물)+었+다.

**수리 기사** : 교수+님, 파일 이름+을 모두 새 이름+으로 짓(지)+으시+었+네요.

　　　　　　요즘 새+에 대한 논문+을 쓰+고 계시+나 보+지요?

교수+님+이 울상+을 짓(지)+으면서 말하+였+다.

**교수님** : 아니+에요.

　　　　실은 그것 때문+에 짜증+이 나+(아)서 미치+겠+어요.

　　　　파일 저장하+ㄹ 때+마다 '새 이름+으로 저장'+이라고 나오+는데

　　　　이제 생각나+는 새 이름+도 없+는데.

강의 준비+를 하+[기 위해서] 교수+님 한 분+이 컴퓨터+를 켜+[고 있]+었+다.

- **강의 (нэр Үг)** : 대학이나 학원, 기관 등에서 지식이나 기술 등을 체계적으로 가르침.
  **хичээл, лекц**
  их сургууль, дамжаа, байгууллага зэрэгт мэдлэг, технологи зэргийг тогтолцоотойгоор заах явдал.

- **준비 (нэр Үг)** : 미리 마련하여 갖춤.
  **бэлтгэл**
  урьдчилан бэлтгэх явдал.

- **를** : 동작이 직접적으로 영향을 미치는 대상을 나타내는 조사.
  **-ыг/-ийг/-г**
  Үйл хөдлөл шууд нөлөөлж буй тусагдахууныг илэрхийлэх нөхцөл.

- **하다 (Үйл Үг)** : 어떤 행동이나 동작, 활동 등을 행하다.
  **Үйлдэх, хийх, гҮйцэтгэх**
  аливаа Үйл хөдлөл, хөдөлгөөн, ажиллагаа зэргийг гҮйцэтгэх.

- **-기 위해서** : 어떤 일을 하는 목적인 의도를 나타내는 표현.
  **Тохирох Үг хэллэг байхгҮй байна**
  ямар нэгэн Үйлийн зорилго болох санааг илэрхийлнэ.

- **교수 (нэр Үг)** : 대학에서 학문을 연구하고 가르치는 일을 하는 사람. 또는 그 직위.
  **их дээд сургуулийн багш**
  их дээд сургуульд эрдэм шинжилгээний судалгаа хийжзааж сургах Үйлийг эрхлэх хҮн.мөн тухайн албан тушаал.

- **님** : '높임'의 뜻을 더하는 접미사.
  **Тохирох Үг хэллэг байхгҮй байна**
  'хҮндэтгэх' хэмээх утга нэмдэг дагавар.

- **한 (тодотгол Үг)** : 하나의.
  **нэг**
  нэгэн.

- **분 (нэр Үг)** : 사람을 높여서 세는 단위.
  **хҮн**
  хҮнийг хҮндэтгэж тоолох нэгж.

- **이** : 어떤 상태나 상황의 대상이나 동작의 주체를 나타내는 조사.
  **Тохирох Үг хэллэг байхгҮй байна**
  ямар нэгэн төлөв, байдлын субьект, мөн Үйл хөдлөлийн эзэн болохыг илэрхийлэх нөхцөл.

- **컴퓨터 (нэр үг)** : 전자 회로를 이용하여 문서, 사진, 영상 등의 대량의 데이터를 빠르고 정확하게 처리
하는 기계.

  **компьютер, цахим тооцоолуур**

  цахилгаан гүйдэл ашиглан бичиг баримт, гэрэл зураг, дүрс бичлэг зэргийн их
хэмжээний мэдээллийг хурдан бөгөөд нарийн тодорхой боловсруулдаг техник.

- **를** : 동작이 직접적으로 영향을 미치는 대상을 나타내는 조사.

  **-ыг/-ийг/-г**

  Үйл хөдлөл шууд нөлөөлж буй тусагдахууныг илэрхийлэх нөхцөл.

- **켜다 (үйл үг)** : 전기 제품 등을 작동하게 만들다.

  **асаах**

  цахилгаан хэрэгсэл зэргийг асаах.

- **-고 있다** : 앞의 말이 나타내는 행동이 계속 진행됨을 나타내는 표현.

  **Тохирох үг хэллэг байхгүй байна**

  өмнөх үгийн илэрхийлж буй үйлдэл үргэлжилж буйг илэрхийлдэг үг хэллэг.

- **-었-** : 사건이 과거에 일어났음을 나타내는 어미.

  **Тохирох үг хэллэг байхгүй байна**

  Үйл явдал өнгөрсөн үед болсныг илэрхийлдэг төгсгөх нөхцөл.

- **-다** : 어떤 사건이나 사실, 상태를 서술함을 나타내는 종결 어미.

  **Тохирох үг хэллэг байхгүй байна**

  одоогийн хэрэг явдал буюу үнэн явлыг хүүрнэхийг илэрхийлдэг төгсгөх нөхцөл.

---

그런데 컴퓨터+가 바이러스+에 <u>걸리+었+는지</u> 작동되+[지 않]+아 수리 기사+를
**걸렸는지**

부르+[게 되]+었+다.

---

- **그런데 (дайвар үг)** : 이야기를 앞의 내용과 관련시키면서 다른 방향으로 바꿀 때 쓰는 말.

  **гэхдээ**

  яриаг өмнөх агуулгатай холбонгоо өөр тийш нь хандуулахад хэрэглэдэг үг.

- **컴퓨터 (нэр үг)** : 전자 회로를 이용하여 문서, 사진, 영상 등의 대량의 데이터를 빠르고 정확하게 처리
하는 기계.

  **компьютер, цахим тооцоолуур**

  цахилгаан гүйдэл ашиглан бичиг баримт, гэрэл зураг, дүрс бичлэг зэргийн их
хэмжээний мэдээллийг хурдан бөгөөд нарийн тодорхой боловсруулдаг техник.

• **가** : 어떤 상태나 상황에 놓인 대상이나 동작의 주체를 나타내는 조사.

Тохирох Үг хэллэг байхгүй байна

ямар нэгэн төлөв, байдлын субьект, мөн Үйл хөдлөлийн эзэн болохыг илэрхийлэх нөхцөл.

• **바이러스 (нэр Үг)** : 컴퓨터를 비정상적으로 작용하게 만드는 프로그램.

компьютерын вирус

компьютерын Үйлдлийн системийг эвдэлдэг нэг төрлийн программ.

• **에** : 앞말이 무엇의 조건, 환경, 상태 등임을 나타내는 조사.

-д/-т

өмнөх Үг ямар нэгэн зҮйлийн болзол, орчин, нөхцөл болохыг илэрхийлж буй нөхцөл.

• **걸리다 (Үйл Үг)** : 어떤 상태에 빠지게 되다.

автах

ямар нэгэн байдалд автах.

• **-었-** : 사건이 과거에 일어났음을 나타내는 어미.

Тохирох Үг хэллэг байхгүй байна

Үйл явдал өнгөрсөн Үед болсныг илэрхийлдэг төгсгөх нөхцөл.

• **-는지** : 뒤에 오는 말의 내용에 대한 막연한 이유나 판단을 나타내는 연결 어미.

Тохирох Үг хэллэг байхгүй байна

хойно орж байгаа агуулгын тодорхой бус учир шалтгаан буюу шийдвэрийг илэрхийлдэг холбох нөхцөл.

• **작동되다 (Үйл Үг)** : 기계 등이 움직여 일하다.

ажиллах, асах

машин техник зэрэг хөдөлж ажиллах.

• **-지 않다** : 앞의 말이 나타내는 행위나 상태를 부정하는 뜻을 나타내는 표현.

Тохирох Үг хэллэг байхгүй байна

өмнөх Үгийн илэрхийлж буй Үйлдэл буюу байдлыг ҮгҮйсгэх утгыг илэрхийлдэг Үг хэллэг.

• **-아** : 앞에 오는 말이 뒤에 오는 말에 대한 원인이나 이유임을 나타내는 연결 어미.

Тохирох Үг хэллэг байхгүй байна

өмнө ирэх Үг ард ирэх Үгийн талаарх учир шалтгаан болохыг илэрхийлдэг холбох нөхцөл.

• **수리 (нэр Үг)** : 고장 난 것을 손보아 고침.

засвар

эвдэрсэн зҮйлийг гараар засаж янзлах явдал.

- **기사 (нэр Yг)** : 국가나 단체가 인정한 기술 자격증을 가진 기술자.
  **мэргэжилтэн**
  улс болон байгууллагаас хYлээн зөвшөөрсөн ур чадварын Yнэмлэхтэй нарийн мэргэжилтэй хYн.

- **를** : 동작이 직접적으로 영향을 미치는 대상을 나타내는 조사.
  **-ыг/-ийг/-г**
  Yйл хөдлөл шууд нөлөөлж буй тусагдахууныг илэрхийлэх нөхцөл.

- **부르다 (Yйл Yг)** : 부탁하여 오게 하다.
  **дуудах**
  хэн нэгнийг ирYYлэх.

- **-게 되다** : 앞의 말이 나타내는 상태나 상황이 됨을 나타내는 표현.
  **Тохирох Yг хэллэг байхгYй байна**
  өмнөх Yгийн илэрхийлж буй нөхцөл байдал YYсэх буюу тийм байдалд хYрэх явдлыг илэрхийлдэг Yг хэллэг.

- **-었-** : 사건이 과거에 일어났음을 나타내는 어미.
  **Тохирох Yг хэллэг байхгYй байна**
  Yйл явдал өнгөрсөн Yед болсныг илэрхийлдэг төгсгөх нөхцөл.

- **-다** : 어떤 사건이나 사실, 상태를 서술함을 나타내는 종결 어미.
  **Тохирох Yг хэллэг байхгYй байна**
  одоогийн хэрэг явдал буюу Yнэн явлыг хYYрнэхийг илэрхийлдэг төгсгөх нөхцөл.

---

수리공+이 컴퓨터+를 고치+다가 저장되+ㄴ 파일+을 보+니 독수리, 참새, 앵무새, 까치, 비둘기, 제비
**저장된**

등 모두 새 이름+으로 되+[어 있]+었+다.

---

- **수리공 (нэр Yг)** : 고장 난 것을 고치는 일을 하는 사람.
  **засварчин**
  эвдэрч хэмхэрсэн зYйлийг засах ажил хийдэг хYн.

- **이** : 어떤 상태나 상황의 대상이나 동작의 주체를 나타내는 조사.
  **Тохирох Yг хэллэг байхгYй байна**
  ямар нэгэн төлөв, байдлын субьект, мөн Yйл хөдлөлийн эзэн болохыг илэрхийлэх нөхцөл.

- **컴퓨터 (нэр Үг)** : 전자 회로를 이용하여 문서, 사진, 영상 등의 대량의 데이터를 빠르고 정확하게 처리 하는 기계.

  **компьютер, цахим тооцоолуур**

  цахилгаан гүйдэл ашиглан бичиг баримт, гэрэл зураг, дүрс бичлэг зэргийн их хэмжээний мэдээллийг хурдан бөгөөд нарийн тодорхой боловсруулдаг техник.

- **를** : 동작이 직접적으로 영향을 미치는 대상을 나타내는 조사.

  **-ыг/-ийг/-г**

  Үйл хөдлөл шууд нөлөөлж буй тусагдахууныг илэрхийлэх нөхцөл.

- **고치다 (Үйл Үг)** : 고장이 나거나 못 쓰게 된 것을 손질하여 쓸 수 있게 하다.

  **засах**

  эвдэрч гэмтсэн зүйлийг сэлбэж янзлан хэвийн байдалд нь эргээж оруулах.

- **-다가** : 어떤 행동이 진행되는 중에 다른 행동이 나타남을 나타내는 연결 어미.

  **Тохирох Үг хэллэг байхгүй байна**

  ямар нэгэн үйл хөдлөл үргэлжлэн өрнөх явцад өөр үйл хөдлөл илэрч гарч ирж байгаа илэрхийлэх холбох нөхцөл.

- **저장되다 (Үйл Үг)** : 물건이나 재화 등이 모아져서 보관되다.

  **хадгалах, нөөцлөх, агуулах**

  эд зүйл, бараа бүтээгдэхүүнийг цуглуулан хадгалах.

- **-ㄴ** : 앞의 말이 관형어의 기능을 하게 만들고 사건이나 동작이 완료되어 그 상태가 유지되고 있음을 나타내는 어미.

  **Тохирох Үг хэллэг байхгүй байна**

  өмнөх үгийг тодотгол гишүүний үүрэгтэй болгож, хэрэг явдал буюу үйлдэл нь бүрэн төгс болсон, тухайн байдал үргэлжилж буйг илэрхийлдэг нөхцөл.

- **파일 (нэр Үг)** : 컴퓨터의 기억 장치에 일정한 단위로 저장된 정보의 묶음.

  **файл**

  компьютерын санах ойн төхөөрөмжид тодорхой нэгжээр хадгалагдсан мэдээллийн цуглуулга.

- **을** : 동작이 직접적으로 영향을 미치는 대상을 나타내는 조사.

  **-ыг/-ийг/-г**

  Үйл хөдлөл шууд нөлөөлж буй тусагдахууныг илэрхийлэх нөхцөл.

- **보다 (Үйл Үг)** : 대상의 내용이나 상태를 알기 위하여 살피다.

  **харах**

  ямар нэг зүйлийн агуулга буюу төлөв байдлыг мэдэхийн тулд ажиглах.

- 200 -

- -니 : 앞에서 이야기한 내용과 관련된 다른 사실을 이어서 설명할 때 쓰는 연결 어미.
  **Тохирох Үг хэллэг байхгүй байна**
  өмнө нь ярьсан агуулгатай холбоотой өөр зүйлийг залгаж тайлбарлахад хэрэглэдэг холбох нөхцөл.

- **독수리 (нэр үг)** : 갈고리처럼 굽은 날카로운 부리와 발톱을 가지고 있으며 빛깔이 검은 큰 새.
  **бүргэд**
  дэгээ шиг тахийсан хурц хошуу болон сарвуутай хар өнгийн том шувуу.

- **참새 (нэр үг)** : 주로 사람이 사는 곳 근처에 살며, 몸은 갈색이고 배는 회백색인 작은 새.
  **болжмор**
  голдуу хүн амьдарч буй газрын орчимд амьдардаг, бие нь бор, гэдэс нь цагаан саарал өнгийн жижигхэн шувуу.

- **앵무새 (нэр үг)** : 사람의 말을 잘 흉내 내며 여러 빛깔을 가진 새.
  **тоть**
  хүний үгийг давтаж хэлэхдээ сайн, олон өнгийн өдтэй шувуу.

- **까치 (нэр үг)** : 머리에서 등까지는 검고 윤이 나며 어깨와 배는 흰, 사람의 집 근처에 사는 새.
  **шаазгай**
  толгойноосоо нуруу хүртлээ хар өнгөтэй бөгөөд мөр болоод гэдэс нь цагаан, хүний гэрийн ойролцоо амьдардаг шувуу.

- **비둘기 (нэр үг)** : 공원이나 길가 등에서 흔히 볼 수 있는, 다리가 짧고 날개가 큰 회색 혹은 하얀색의 새.
  **тагтаа, хүүрзгэнэ**
  цэцэрлэгт хүрээлэн буюу зам гудамд элбэг тохиолдох, богино хөлтэй, том далавчтай саарал буюу цагаан өнгийн шувуу.

- **제비 (нэр үг)** : 등은 검고 배는 희며 매우 빠르게 날고, 봄에 한국에 날아왔다가 가을에 남쪽으로 날아가는 작은 여름 철새.
  **хараацай**
  нуруу нь хар, хэвлий нь цагаан маш хурдан нисдэг, хавар солонгост ирээд намар өмнө зүг рүү буцдаг жижиг биетэй нүүдлийн шувуу.

- **등 (нэр үг)** : 앞에서 말한 것 외에도 같은 종류의 것이 더 있음을 나타내는 말.
  **гэх мэт, гэх зэрэг**
  өмнө өгүүлсэн зүйлтэй адил төрөлд багтах бусад зүйл илүү буйг илэрхийлдэг үг.

- **모두 (дайвар үг)** : 빠짐없이 다.
  **бүгд, бүгдээрээ, цөмөөрөө, хамт**
  юу ч үлдэлгүй бүгд хамт.

• **새 (нэр Үг)** : 몸에 깃털과 날개가 있고 날 수 있으며 다리가 둘인 동물.

шувуу

өдөн бүрхүүлтэй далавч бүхий хоёр хөлтэй нисдэг амьтан.

• **이름 (нэр Үг)** : 다른 것과 구별하기 위해 동물, 사물, 현상 등에 붙여서 부르는 말.

нэр

өөр бусад зүйлээс ялгахын тулд амьтан, эд юмс, үзэгдэл зэрэгт оноо占 өгсөн үг.

• **으로** : 어떤 일의 방법이나 방식을 나타내는 조사.

-аар (-ээр, -оор, -өөр)

ямар нэгэн үйл хэргийн арга барилыг илэрхийлж буй нөхцөл.

• **되다 (Үйл Үг)** : 어떤 형태나 구조로 이루어지다.

-тай

ямар нэгэн хэлбэр болон бүтцээс тогтох.

• **-어 있다** : 앞의 말이 나타내는 상태가 계속됨을 나타내는 표현.

**Тохирох Үг хэллэг байхгүй байна**

өмнөх үгийн илэрхийлж буй байдал үргэлжлэх явдлыг илэрхийлдэг үг хэллэг.

• **-었-** : 사건이 과거에 일어났음을 나타내는 어미.

**Тохирох Үг хэллэг байхгүй байна**

үйл явдал өнгөрсөн үед болсныг илэрхийлдэг төгсгөх нөхцөл.

• **-다** : 어떤 사건이나 사실, 상태를 서술함을 나타내는 종결 어미.

**Тохирох Үг хэллэг байхгүй байна**

одоогийн хэрэг явдал буюу үнэн явлыг хүүрнэхийг илэрхийлдэг төгсгөх нөхцөл.

---

| 수리 기사+는 궁금증+을 참다못하+여 교수+님+에게 묻(물)+었+다. |
|:---:|
| 참다못해          물었다 |

---

• **수리 (нэр Үг)** : 고장 난 것을 손보아 고침.

засвар

эвдэрсэн зүйлийг гараар засаж янзлах явдал.

• **기사 (нэр Үг)** : 국가나 단체가 인정한 기술 자격증을 가진 기술자.

мэргэжилтэн

улс болон байгууллагаас хүлээн зөвшөөрсөн ур чадварын үнэмлэхтэй нарийн мэргэжилтэй хүн.

• **는** : 문장 속에서 어떤 대상이 화제임을 나타내는 조사.

**Тохирох Үг хэллэг байхгүй байна**

өгүүлбэрт ярианы сэдэв болж буйг илэрхийлдэг нөхцөл.

- 궁금증 (нэр Үг) : 몹시 궁금한 마음.

  **сониуч зан, саваагҮй зан, сониучирхал**

  ихэд мэдэхийг хҮссэн сэтгэл.


- 을 : 동작이 직접적으로 영향을 미치는 대상을 나타내는 조사.

  **-ыг/-ийг/-г**

  Үйл хөдлөл шууд нөлөөлж буй тусагдахууныг илэрхийлэх нөхцөл.


- 참다못하다 (Үйл Үг) : 참을 수 있는 만큼 참다가 더 이상 참지 못하다.

  **тэвчихээ байх, тэсэхээ болих, тэсвэрлэхээ болих**

  тэвчихийн дээдээр тэвчиж байгаад цаашид тэвчиж чадахҮй болох.


- -여 : 앞의 말이 뒤의 말보다 먼저 일어났거나 뒤의 말에 대한 방법이나 수단이 됨을 나타내는 연결 어미.

  **Тохирох Үг хэллэг байхгҮй байна**

  өмнө ирэх Үг ард ирэх Үгээс тҮрҮҮлж бий болсон буюу ардах Үгийн талаарх арга барил болохыг илэрхийлдэг холбох нөхцөл.


- 교수 (нэр Үг) : 대학에서 학문을 연구하고 가르치는 일을 하는 사람. 또는 그 직위.

  **их дээд сургуулийн багш**

  их дээд сургуульд эрдэм шинжилгээний судалгаа хийжзааж сургах Үйлийг эрхлэх хҮн.мөн тухайн албан тушаал.


- 님 : '높임'의 뜻을 더하는 접미사.

  **Тохирох Үг хэллэг байхгҮй байна**

  'хҮндэтгэх' хэмээх утга нэмдэг дагавар.


- 에게 : 어떤 행동이 미치는 대상임을 나타내는 조사.

  **-д, -т**

  ямар нэгэн Үйлдлийн нөлөөг авч буй зҮйлийг илэрхийлдэг нөхцөл.


- 묻다 (Үйл Үг) : 대답이나 설명을 요구하며 말하다.

  **асуух, шалгаах**

  хариулт буюу тайлбар хҮсэн хэлэх.


- -었- : 사건이 과거에 일어났음을 나타내는 어미.

  **Тохирох Үг хэллэг байхгҮй байна**

  Үйл явдал өнгөрсөн Үед болсныг илэрхийлдэг төгсгөх нөхцөл.


- -다 : 어떤 사건이나 사실, 상태를 서술함을 나타내는 종결 어미.

  **Тохирох Үг хэллэг байхгҮй байна**

  одоогийн хэрэг явдал буюу Үнэн явлыг хҮҮрнэхийг илэрхийлдэг төгсгөх нөхцөл.

> **수리 기사** : 교수+님, 파일 이름+을 모두 새 이름+으로 <u>짓(지)</u>+으시+었+네요.
> 지으셨네요

- **교수 (нэр Үг)** : 대학에서 학문을 연구하고 가르치는 일을 하는 사람. 또는 그 직위.
  **их дээд сургуулийн багш**
  их дээд сургуульд эрдэм шинжилгээний судалгаа хийжзааж сургах Үйлийг эрхлэх хҮн.мөн тухайн албан тушаал.

- **님** : '높임'의 뜻을 더하는 접미사.
  **Тохирох Үг хэллэг байхгҮй байна**
  'хҮндэтгэх' хэмээх утга нэмдэг дагавар.

- **파일 (нэр Үг)** : 컴퓨터의 기억 장치에 일정한 단위로 저장된 정보의 묶음.
  **файл**
  компьютерын санах ойн төхөөрөмжид тодорхой нэгжээр хадгалагдсан мэдээллийн цуглуулга.

- **이름 (нэр Үг)** : 다른 것과 구별하기 위해 동물, 사물, 현상 등에 붙여서 부르는 말.
  **нэр**
  өөр бусад зҮйлээс ялгахын тулд амьтан, эд юмс, Үзэгдэл зэрэгт онооҗ өгсөн Үг.

- **을** : 동작이 직접적으로 영향을 미치는 대상을 나타내는 조사.
  **-ыг/-ийг/-г**
  Үйл хөдлөл шууд нөлөөлҗ буй тусагдахууныг илэрхийлэх нөхцөл.

- **모두 (дайвар Үг)** : 빠짐없이 다.
  **бҮгд, бҮгдээрээ, цөмөөрөө, хамт**
  юу ч ҮлдэлгҮй бҮгд хамт.

- **새 (нэр Үг)** : 몸에 깃털과 날개가 있고 날 수 있으며 다리가 둘인 동물.
  **шувуу**
  өдөн бҮрхҮҮлтэй далавч бҮхий хоёр хөлтэй нисдэг амьтан.

- **이름 (нэр Үг)** : 다른 것과 구별하기 위해 동물, 사물, 현상 등에 붙여서 부르는 말.
  **нэр**
  өөр бусад зҮйлээс ялгахын тулд амьтан, эд юмс, Үзэгдэл зэрэгт онооҗ өгсөн Үг.

- **으로** : 어떤 일의 방법이나 방식을 나타내는 조사.
  **-аар (-ээр, -оор, -өөр)**
  ямар нэгэн Үйл хэргийн арга барилыг илэрхийлҗ буй нөхцөл.

- **짓다 (Үйл Үг)** : 이름 등을 정하다.
  өгөх

  нэр зэргийг тогтох.

- **-으시-** : 어떤 동작이나 상태의 주체를 높이는 뜻을 나타내는 어미.
  Тохирох Үг хэллэг байхгүй байна

  ямар нэгэн Үйл буюу байдлын эзнийг хүндэтгэж буйг илэрхийлдэг нөхцөл.

- **-었-** : 어떤 사건이 과거에 완료되었거나 그 사건의 결과가 현재까지 지속되는 상황을 나타내는 어미.
  Тохирох Үг хэллэг байхгүй байна

  ямар нэгэн хэрэг явдал өнгөрсөн үед болж өнгөрсөн буюу тухайн Үйлийн үр дүн
  өнөөг хүртэл үргэлжилж буй нөхцөл байдлыг илэрхийлдэг нөхцөл.

- **-네요** : (두루높임으로) 말하는 사람이 직접 경험하여 새롭게 알게 된 사실에 대해 감탄함을 나타낼 때
  쓰는 표현.
  Тохирох Үг хэллэг байхгүй байна

  (хүндэтгэлийн энгийн Үг хэллэг) өгүүлэгч өөрийн биеэр үзэж өнгөрүүлж, шинээр
  мэдсэн зүйлийнхээ талаар гайхан биширч байгааг илэрхийлэхэд хэрэглэдэг хэлбэр.

---

> **수리 기사** : 요즘 새+[에 대한] 논문+을 <u>쓰+[고 계시]+[나 보]+지요</u>?
> **쓰고 계시나 보죠**

---

- **요즘 (нэр үг)** : 아주 가까운 과거부터 지금까지의 사이.
  саяхан, сүүлийн үе, ойрмогхон

  өнгөрөөд удаагүй байгаа цагаас одоог хүртлэх хугацааны хооронд.

- **새 (нэр үг)** : 몸에 깃털과 날개가 있고 날 수 있으며 다리가 둘인 동물.
  шувуу

  өдөн бүрхүүлтэй далавч бүхий хоёр хөлтэй нисдэг амьтан.

- **에 대한** : 뒤에 오는 명사를 수식하며 앞에 오는 명사를 뒤에 오는 명사의 대상으로 함을 나타내는 표
  현.
  -ны/ний тухай, -ны/ний талаар

  ардаа орох нэр үгийг чимэглэн өмнөө орох нэр үгийг ард орох нэр үгийн ообект
  болгохыг илэрхийлдэг илэрхийлэл.

- **논문 (нэр үг)** : 어떠한 주제에 대한 학술적인 연구 결과를 일정한 형식에 맞추어 체계적으로 쓴 글.
  судалгааны ажил, илтгэл

  ямар нэгэн сэдвийн талаарх шинжлэх ухаанч судалгааны үр дүнг тодорхой хэв
  загварт оруулан бичсэн бичлэг.

• 을 : 동작이 직접적으로 영향을 미치는 대상을 나타내는 조사.

**-ыг/-ийг/-г**

Үйл хөдлөл шууд нөлөөлж буй тусагдахууныг илэрхийлэх нөхцөл.

• **쓰다 (Үйл Үг)** : 머릿속의 생각이나 느낌 등을 종이 등에 글로 적어 나타내다.

**бичих, зохиох**

толгой доторх бодол санаа, мэдрэмж зэргийг цаасан дээр бичиж илэрхийлэх.

• -고 계시다 : (높임말로) 앞의 말이 나타내는 행동이 계속 진행됨을 나타내는 표현.

**Тохирох Үг хэллэг байхгҮй байна**

(хҮндэтгэлт Үг) өмнөх Үгийн илэрхийлж буй Үйлдэл Үргэлжилж буйг илэрхийлдэг Үг хэллэг.

• -나 보다 : 앞의 말이 나타내는 사실을 추측함을 나타내는 표현.

**Тохирох Үг хэллэг байхгҮй байна**

өмнөх Үгийн илэрхийлж буй Үйлдэл буюу байдлыг таамаглаж буй явдлыг илэрхийлдэг Үг хэллэг.

• -지요 : (두루높임으로) 말하는 사람이 듣는 사람에게 친근함을 나타내며 물을 때 쓰는 종결 어미.

**Тохирох Үг хэллэг байхгҮй байна**

(хҮндэтгэлийн энгийн Үг хэллэг) өгҮҮлэгч этгээд сонсогч этгээдээс найрсгаар хандан асуухад хэрэглэдэг төгсгөх нөхцөл.

---

교수+님+이 울상+을 <u>짓(지)</u>+으면서 <u>말하</u>+였+다.
**지으면서      말했다**

---

• **교수 (нэр Үг)** : 대학에서 학문을 연구하고 가르치는 일을 하는 사람. 또는 그 직위.

**их дээд сургуулийн багш**

их дээд сургуульд эрдэм шинжилгээний судалгаа хийжзааж сургах Үйлийг эрхлэх хҮн.мөн тухайн албан тушаал.

• 님 : '높임'의 뜻을 더하는 접미사.

**Тохирох Үг хэллэг байхгҮй байна**

'хҮндэтгэх' хэмээх утга нэмдэг дагавар.

• 이 : 어떤 상태나 상황의 대상이나 동작의 주체를 나타내는 조사.

**Тохирох Үг хэллэг байхгҮй байна**

ямар нэгэн төлөв, байдлын субьект, мөн Үйл хөдлөлийн эзэн болохыг илэрхийлэх нөхцөл.

• **울상 (нэр Үг)** : 울려고 하는 얼굴 표정.

**уйлагнасан царай**

уйлах гэж байгаа царай төрх.

- 을 : 동작이 직접적으로 영향을 미치는 대상을 나타내는 조사.
  -ыг/-ийг/-г
  Үйл хөдлөл шууд нөлөөлж буй тусагдахууныг илэрхийлэх нөхцөл.

- 짓다 (Үйл Үг) : 어떤 표정이나 태도 등을 얼굴이나 몸에 나타내다.
  гаргах, Үзүүлэх, илэрхийлэх
  аливаа дүр төрх буюу хандлага нүүр болон биеэр илрэх.

- -으면서 : 두 가지 이상의 동작이나 상태가 함께 일어남을 나타내는 연결 어미.
  Тохирох Үг хэллэг байхгүй байна
  хоёр төрлөөс дээш Үйлдэл буюу нөхцөл байдал хамт болох явдлыг хэрэглэдэг холбох нөхцөл.

- 말하다 (Үйл Үг) : 어떤 사실이나 자신의 생각 또는 느낌을 말로 나타내다.
  ярих, өгүүлэх, хэлэх, өчих
  ямар нэгэн бодит зүйлийн талаар болон өөрийн бодол санаа, мэдрэмжийг Үгээр илэрхийлэх.

- -였- : 사건이 과거에 일어났음을 나타내는 어미.
  Тохирох Үг хэллэг байхгүй байна
  Үйл явдал өнгөрсөн үед болсныг илэрхийлдэг төгсгөх нөхцөл.

- -다 : 어떤 사건이나 사실, 상태를 서술함을 나타내는 종결 어미.
  Тохирох Үг хэллэг байхгүй байна
  одоогийн хэрэг явдал буюу үнэн явлыг хүүрнэхийг илэрхийлдэг төгсгөх нөхцөл.

> 교수님 : 아니+에요.
>
> 실은 그것 때문+에 짜증+이 나+(아)서 미치+겠+어요.
> **나서**

- 아니다 (тэмдэг нэр) : 어떤 사실이나 내용을 부정하는 뜻을 나타내는 말.
  биш, Үгүй
  ямар нэгэн үнэн зүйл болон агуулгыг үгүйсгэх утга заана.

- -에요 : (두루높임으로) 어떤 사실을 서술하거나 질문함을 나타내는 종결 어미.
  Тохирох Үг хэллэг байхгүй байна
  (хүндэтгэлийн энгийн Үг хэллэг) ямар нэгэн зүйлийг хүүрнэх, асуух явдлыг илэрхийлдэг төгсгөх нөхцөл.

· **실은 (дайвар Үг)** : 사실을 말하자면. 실제로는.
  Үнэндээ
  Үнэндээ бол.

· **그것 (төлөөний Үг)** : 앞에서 이미 이야기한 대상을 가리키는 말.
  тэр юм, тэр
  өмнө нь ярьсан объектыг заах Үг.

· **때문 (нэр Үг)** : 어떤 일의 원인이나 이유.
  болох, болж, болсон
  ямар нэгэн зҮйлийн учир шалтгаан.

· **에** : 앞말이 어떤 일의 원인임을 나타내는 조사.
  -д/-т
  өмнөх Үг ямар нэгэн Үйл хэргийн учир шалтгаан болохыг илэрхийлж буй нөхцөл.

· **짜증 (нэр Үг)** : 마음에 들지 않아서 화를 내거나 싫은 느낌을 겉으로 드러내는 일. 또는 그런 성미.
  уур уцаар
  сэтгэлд нийцэхгҮй уур хҮрэх юмуу дургҮйцэх мэдрэмжээ гадагш ил гаргах явдал.
  мөн тийм зан байдал.

· **이** : 어떤 상태나 상황의 대상이나 동작의 주체를 나타내는 조사.
  Тохирох Үг хэллэг байхгҮй байна
  ямар нэгэн төлөв, байдлын субьект, мөн Үйл хөдлөлийн эзэн болохыг илэрхийлэх нөхцөл.

· **나다 (Үйл Үг)** : 어떤 감정이나 느낌이 생기다.
  төрөх, хҮрэх
  ямар нэг сэтгэл хөдлөл мэдрэмж бий болох.

· **-아서** : 이유나 근거를 나타내는 연결 어미.
  Тохирох Үг хэллэг байхгҮй байна
  учир шалтгаан буюу Үндэслэлийг илэрхийлдэг холбох нөхцөл.

· **미치다 (Үйл Үг)** : 어떤 상태가 너무 심해서 정신이 없어질 정도로 괴로워하다.
  галзуурах
  ямар нэгэн байдал дэндҮҮ хурцдаж ухаан сэхээгээ алдтал шаналах.

· **-겠-** : 완곡하게 말하는 태도를 나타내는 어미.
  Тохирох Үг хэллэг байхгҮй байна
  зөрҮҮлж хэлэх хандлагыг илэрхийлдэг нөхцөл.

- -어요 : (두루높임으로) 어떤 사실을 서술하거나 질문, 명령, 권유함을 나타내는 종결 어미.

  **Тохирох Үг хэллэг байхгүй байна**

  (хүндэтгэлийн энгийн үг хэллэг) ямар нэгэн зүйлийг хүүрнэх, асуух, тушаах, уриалах явдлыг илэрхийлдэг төгсгөх нөхцөл.

---

**교수님 : 파일 <u>저장하</u>+[ㄹ 때]+마다 '새 이름+으로 저장'+이라고 나오+는데**
  **저장할 때**

  **이제 생각나+는 새 이름+도 없+는데.**

---

- **파일 (нэр үг)** : 컴퓨터의 기억 장치에 일정한 단위로 저장된 정보의 묶음.

  **файл**

  компьютерын санах ойн төхөөрөмжид тодорхой нэгжээр хадгалагдсан мэдээллийн цуглуулга.

- **저장하다 (үйл үг)** : 물건이나 재화 등을 모아서 보관하다.

  **хадгалах, нөөцлөх, агуулах**

  эд зүйл, бараа бүтээгдэхүүнийг цуглуулан хадгалах.

- -ㄹ 때 : 어떤 행동이나 상황이 일어나는 동안이나 그 시기 또는 그러한 일이 일어난 경우를 나타내는 표현.

  **Тохирох үг хэллэг байхгүй байна**

  ямар нэгэн үйл хөдлөл буюу нөхцөл байдал үргэлжилсээр, тухайн үйл хэрэг болсон тохиолдлыг илэрхийлнэ.

- **마다** : 하나하나 빠짐없이 모두의 뜻을 나타내는 조사.

  **бүр, болгон**

  нэг нь ч дуталгүй бүгд хэмээх утгыг илэрхийлэх нөхцөл.

- **새 (тодотгол үг)** : 생기거나 만든 지 얼마 되지 않은.

  **шинэ**

  бий болох буюу хийгээд удаагүй.

- **이름 (нэр үг)** : 다른 것과 구별하기 위해 동물, 사물, 현상 등에 붙여서 부르는 말.

  **нэр**

  өөр бусад зүйлээс ялгахын тулд амьтан, эд юмс, үзэгдэл зэрэгт оноо917 өгсөн үг.

- **으로** : 어떤 일의 방법이나 방식을 나타내는 조사.

  **-аар (-ээр, -оор, -өөр)**

  ямар нэгэн үйл хэргийн арга барилыг илэрхийлж буй нөхцөл.

- 저장 (нэр Үг) : 물건이나 재화 등을 모아서 보관함.

  хадгалах, нөөцлөх, агуулах

  эд зүйл, бараа бүтээгдэхүүнийг цуглуулан хадгалах явдал.

- 이라고 : 앞의 말이 원래 말해진 그대로 인용됨을 나타내는 조사.

  гэж

  өмнөх үг нь угийн ярьсны дагуу тухайн хэвээрээ иш татагдсан болохыг илэрхийлдэг нөхцөл.

- 나오다 (Үйл Үг) : 책, 신문, 방송 등에 글이나 그림 등이 실리거나 어떤 내용이 나타나다.

  гарах, хэвлэгдэх, нийтлэгдэх

  ном сонинд бичвэр зураг мэт зүйл хэвлэгдэх буюу нэвтрүүлэгээр гарах, мөн ямар нэгэн зүйл гарч харагдах.

- -는데 : 뒤의 말을 하기 위하여 그 대상과 관련이 있는 상황을 미리 말함을 나타내는 연결 어미.

  Тохирох үг хэллэг байхгүй байна

  арын агуулгыг ярихын тулд тухайн зүйлтэй холбоотой нөхцөл байдлыг урьдчилан хэлж буйг илэрхийлдэг холбох нөхцөл.

- 이제 (дайвар үг) : 말하고 있는 바로 이때에.

  одоо

  хэлж байгаа яг тэр мөчид.

- 생각나다 (Үйл Үг) : 새로운 생각이 머릿속에 떠오르다.

  санаанд орох, санаа төрөх

  шинэ бодол толгойд орж ирэх.

- -는 : 앞의 말이 관형어의 기능을 하게 만들고 사건이나 동작이 현재 일어남을 나타내는 어미.

  Тохирох үг хэллэг байхгүй байна

  өмнөх үгийг тодотгол гишүүний үүрэгтэй болгож, хэрэг явдал буюу үйлдэл нь одоо өрнөж байгааг илэрхийлдэг нөхцөл.

- 새 (нэр үг) : 몸에 깃털과 날개가 있고 날 수 있으며 다리가 둘인 동물.

  шувуу

  өдөн бүрхүүлтэй далавч бүхий хоёр хөлтэй нисдэг амьтан.

- 이름 (нэр үг) : 다른 것과 구별하기 위해 동물, 사물, 현상 등에 붙여서 부르는 말.

  нэр

  өөр бусад зүйлээс ялгахын тулд амьтан, эд юмс, үзэгдэл зэрэгт онооthen өгсөн үг.

- 도 : 이미 있는 어떤 것에 다른 것을 더하거나 포함함을 나타내는 조사.

  ч

  нэгэнт байгаа зүйл дээр өөр зүйлийг нэмэх буюу хамруулсныг илэрхийлж буй нөхцөл.

• 없다 (тэмдэг нэр) : 어떤 물건을 가지고 있지 않거나 자격이나 능력 등을 갖추지 않은 상태이다.

**байхгҮй**

ямар нэгэн эд зҮйл байхгҮй юм уу, эрх болон чадвар зэргийг эзэмшээгҮй байдал.

• -는데 : (두루낮춤으로) 듣는 사람의 반응을 기대하며 어떤 일에 대해 감탄함을 나타내는 종결 어미.

**Тохирох Үг хэллэг байхгҮй байна**

(хҮндэтгэлийн бус энгийн Үг хэллэг) сонсож буй хҮний хариу Үйлдэлд найдан ямар нэгэн зҮйлийн талаар гайхан шагширч буйг илэрхийлсэн тɵгсгɵх нɵхцɵл.

# < 12 단원(бүлэг хичээл) >

제목 : 이 늦은 시간에 여기서 뭐 하고 계세요?

# ● 본문 (эх бичиг)

늦은 밤 담력 훈련에 참가한 두 여자가 마지막 코스인 공동묘지를 지나가고 있었다.

그녀들은 무서웠지만 애써 태연한 모습으로 걸어가고 있었는데 갑자기 '톡탁톡탁' 하는 소리가 들려오기 시작했다.

깜짝 놀란 두 여자는 공포에 질려 가까스로 천천히 발걸음을 내딛고 있었다.

그때 눈앞에 망치를 들고 정으로 묘비를 쪼고 있는 노인의 모습이 희미하게 보였다.

순간 두 여자는 안도의 한숨을 내쉬며 말했다.

여자 1 : 할아버지, 귀신인 줄 알고 깜짝 놀랐잖아요.

　　　　그런데 이 늦은 시간에 여기서 뭐 하고 계세요?

여자 2 : 내일 밝을 때 하시는 게 좋을 것 같아요.

　　　　지금은 어두워서 위험하세요.

할아버지 : 음, 오늘 안에 빨리 끝내야 돼.

여자 1 : 그런데 묘비에 무슨 문제라도 있나요?

할아버지 : 글쎄, 어떤 멍청한 녀석들이 묘비에 내 이름을 잘못 써 놨잖아.

# ● 발음 (дуудлага)

늦은 밤 담력 훈련에 참가한 두 여자가 마지막 코스인 공동묘지를 지나가고 있었다.
느즌 밤 담녁 훌려네 참가한 두 여자가 마지막 코스인 공동묘지를 지나가고 이썯따.
neujeun bam damnyeok hullyeone chamgahan du yeojaga majimak koseuin gongdongmyojireul jinagago isseotda.

그녀들은 무서웠지만 애써 태연한 모습으로 걸어가고 있었는데 갑자기 '톡탁톡탁' 하는 소리가 들려오기
그녀드른 무서월찌만 애써 태연한 모스브로 거러가고 이썬는데 갑짜기 '톡탁톡탁' 하는 소리가 들려오기
geunyeodeureun museowotjiman aesseo taeyeonhan moseubeuro georeogago isseonneunde gapjagi 'toktaktoktak' haneun soriga deullyeoogi

시작했다.
시자캗따.
sijakaetda.

깜짝 놀란 두 여자는 공포에 질려 가까스로 천천히 발걸음을 내딛고 있었다.
깜짝 놀란 두 여자는 공포에 질려 가까스로 천천히 발꺼르믈 내딛꼬 이썯따.
kkamjjak nollan du yeojaneun gongpoe jillyeo gakkaseuro cheoncheonhi balgeoreumeul naeditgo isseotda.

그때 눈앞에 망치를 들고 정으로 묘비를 쪼고 있는 노인의 모습이 희미하게 보였다.
그때 누나페 망치를 들고 정으로 묘비를 쪼고 인는 노이네 모스비 히미하게 보엳따.
geuttae nunape mangchireul deulgo jeongeuro myobireul jjogo inneun noinui(noine) moseubi huimihage(himihage) boyeotda.

순간 두 여자는 안도의 한숨을 내쉬며 말했다.
순간 두 여자는 안도에 한수믈 내쉬며 말핻따.
sungan du yeojaneun andoui(andoe) hansumeul naeswimyeo malhaetda.


**여자 1 : 할아버지, 귀신인 줄 알고 깜짝 놀랐잖아요.**
**여자 1 : 하라버지, 귀시닌 줄 알고 깜짝 놀랃짜나요.**
yeoja 1 : harabeoji, gwisinin jul algo kkamjjak nollatjanayo.

**그런데 이 늦은 시간에 여기서 뭐 하고 계세요?**
**그런데 이 느즌 시가네 여기서 뭐 하고 게세요?**
geureonde i neujeun sigane yeogiseo mwo hago gyeseyo(geseyo)?

여자 2 : 내일 밝을 때 하시는 게 좋을 것 같아요.
여자 2 : 내일 발글 때 하시는 게 조을 껃 가타요.
yeoja 2 : naeil balgeul ttae hasineun ge joeul geot gatayo.

지금은 어두워서 위험하세요.
지그믄 어두워서 위험하세요.
jigeumeun eoduwoseo wiheomhaseyo.

할아버지 : 음, 오늘 안에 빨리 끝내야 돼.
하라버지 : 음, 오늘 아네 빨리 끈내에 돼.
harabeoji : eum, oneul ane ppalli kkeunnaeya dwae.

여자 1 : 그런데 묘비에 무슨 문제라도 있나요?
여자 1 : 그런데 묘비에 무슨 문제라도 인나요?
yeoja 1 : geureonde myobie museun munjerado innayo?

할아버지 : 글쎄, 어떤 멍청한 녀석들이 묘비에 내 이름을 잘못 써 놨잖아.
하라버지 : 글쎄, 어떤 멍청한 녀석드리 묘비에 내 이르믈 잘몯 써 낟짜나.
harabeoji : geulsse, eotteon meongcheonghan nyeoseokdeuri myobie nae ireumeul jalmot sseo nwatjana.

# ● 어휘 (Үгс) / 문법 (хэлзүй)

늦+은 밤 담력 훈련+에 참가하+ㄴ 두 여자+가 마지막 코스+이+ㄴ 공동묘지+를 지나가<u>+고 있</u>+었+다.

그녀+들+은 무섭(무서우)+었+지만 애쓰(애쓰)+어 태연하+ㄴ 모습+으로 걸어가<u>+고 있</u>+었+는데 갑자기

'톡탁톡탁' 하+는 소리+가 들려오+기 시작하+였+다.

깜짝 놀라+ㄴ 두 여자+는 공포+에 질리+어 가까스로 천천히 발걸음+을 내딛<u>+고 있</u>+었+다.

그때 눈앞+에 망치+를 들+고 정+으로 묘비+를 쪼<u>+고 있</u>+는 노인+의 모습+이 희미하+게 보이+었+다.

순간 두 여자+는 안도+의 한숨+을 내쉬+며 말하+였+다.

**여자 1** : 할아버지, 귀신+이+<u>ㄴ 줄</u> 알+고 깜짝 놀라+았+잖아요.

　　　　　그런데 이 늦+은 시간+에 여기+서 뭐 하<u>+고 계시</u>+어요?

**여자 2** : 내일 밝+<u>을 때</u> 하+시+<u>는 것(거)</u>+이 좋+<u>을 것 같</u>+아요.

　　　　　지금+은 어둡(어두우)+어서 위험하+세요.

**할아버지** : 음, 오늘 안+에 빨리 끝내+<u>(어)야 되</u>+어.

**여자 1** : 그런데 묘비+에 무슨 문제+라도 있+나요?

**할아버지** : 글쎄, 어떤 멍청하+ㄴ 녀석+들+이 묘비+에 나+의 이름+을 잘못

　　　　　쓰(쓰)+<u>어 놓</u>+았+잖아.

---

늦+은 밤 담력 훈련+에 <u>참가하</u>+ㄴ 두 여자+가 마지막 <u>코스</u>+이+ㄴ 공동묘지+를 지나가+[고 있]+었+다.
　　　　　　　　　　**참가한**　　　　　　　　　　**코스인**

---

- **늦다 (тэмдэг нэр)** : 적당한 때를 지나 있다. 또는 시기가 한창인 때를 지나 있다.

  **оройтох**

  тохиромжтой Үеийг өнгөрөөсөн байх. мөн юмны ид өрнөх Үеийг өнгөрөөсөн байх.

- **-은** : 앞의 말이 관형어의 기능을 하게 만들고 현재의 상태를 나타내는 어미.

  **Тохирох Үг хэллэг байхгүй байна**

  өмнөх Үгийг тодотгол гишүүний үүрэгтэй болгож одоогийн нөхцөл байдлыг илэрхийлж буй нөхцөл.

- **밤 (нэр Үг)** : 해가 진 후부터 다음 날 해가 뜨기 전까지의 어두운 동안.

  **шөнө**

  нар жаргасны дараанаас эхлээд дараа өдрийн нар мандахын өмнөх хүртлэх харанхуй Үе.

- **담력 (нэр Үг)** : 겁이 없고 용감한 기운.

  **зүрх, цөс**

  айдаггүй, зоригтой.

- **훈련 (нэр Үг)** : 가르쳐서 익히게 함.

  **дасгал сургууль, дасгалжуулалт, бэлтгэл сургуулилт**

  зааж сурган дадлагажуулах явдал.

- **에** : 앞말이 목적지이거나 어떤 행위의 진행 방향임을 나타내는 조사.

  **-руу/-рүү, -луу/-лүү**

  өмнөх Үг зорьсон газар буюу ямар нэгэн Үйлийн чиглэлийг зааж байгаа болохыг илэрхийлж буй нөхцөл.

- **참가하다 (Үйл Үг)** : 모임이나 단체, 경기, 행사 등의 자리에 가서 함께하다.

  **оролцох**

  цуглаан, хамт олон, тэмцээн, тэмдэглэлт Үйл явдал зэрэгт оролцож, хамт байх.

- **-ㄴ** : 앞의 말이 관형어의 기능을 하게 만들고 사건이나 동작이 과거에 일어났음을 나타내는 어미.

  **Тохирох Үг хэллэг байхгүй байна**

  өмнөх Үгийг тодотгол гишүүний үүрэгтэй болгож, хэрэг явдал буюу Үйлдэл нь өнгөрсөн Үед өрнөсөн болохыг илэрхийлдэг нөхцөл.

- **두 (тодотгол Үг)** : 둘의.

  **хоёр**

  хоёрын.

• **여자 (нэр Үг)** : 여성으로 태어난 사람.
  **эмэгтэй**
  эм хҮйстэй болж төрсөн хҮн.

• **가** : 어떤 상태나 상황에 놓인 대상이나 동작의 주체를 나타내는 조사.
  **Тохирох Үг хэллэг байхгҮй байна**
  ямар нэгэн төлөв, байдлын субьект, мөн Үйл хөдлөлийн эзэн болохыг илэрхийлэх нөхцөл.

• **마지막 (нэр Үг)** : 시간이나 순서의 맨 끝.
  **сҮҮлчийн, эцсийн, төгсгөлийн**
  цаг хугацаа, дарааллын төгсгөл.

• **코스 (нэр Үг)** : 어떤 목적에 따라 정해진 길.
  **маршрут**
  ямар нэг зорилгын дагуу тогтоосон зам.

• **이다** : 주어가 지시하는 대상의 속성이나 부류를 지정하는 뜻을 나타내는 서술격 조사.
  **Тохирох Үг хэллэг байхгҮй байна**
  эзэн биеийн зааж буй обьектын шинж чанар, төрөл зҮйлийг тодорхойлох утгыг илэрхийлэх өгҮҮлэхҮҮний тийн ялгалын нөхцөл.

• **-ㄴ** : 앞의 말이 관형어의 기능을 하게 만들고 현재의 상태를 나타내는 어미.
  **Тохирох Үг хэллэг байхгҮй байна**
  өмнөх Үгийг тодотгол гишҮҮний ҮҮрэгтэй болгож одоогийн нөхцөл байдлыг илэрхийлж буй нөхцөл.

• **공동묘지 (нэр Үг)** : 한 지역에 여러 사람의 무덤이 있어 공동으로 관리하는 무덤.
  **нийтийн оршуулгын газар**
  нэг дор олон хҮний булшийг байрлуулсан газрыг нийтээр нь хариуцдаг оршуулгын газар.

• **를** : 동작의 도착지나 동작이 이루어지는 장소를 나타내는 조사.
  **-аар (-ээр, -оор, -өөр)**
  Үйл хөдлөлийн хҮрэх цэг болон Үйл хөдөлгөөн болж буй газрыг илэрхийлэх нөхцөл.

• **지나가다 (Үйл Үг)** : 어떤 곳을 통과하여 가다.
  **өнгөрөх**
  ямар нэгэн газрыг өнгөрч явах.

• **-고 있다** : 앞의 말이 나타내는 행동이 계속 진행됨을 나타내는 표현.
  **Тохирох Үг хэллэг байхгҮй байна**
  өмнөх Үгийн илэрхийлж буй Үйлдэл Үргэлжилж буйг илэрхийлдэг Үг хэллэг.

- -었- : 사건이 과거에 일어났음을 나타내는 어미.
  **Тохирох Yг хэллэг байхгYй байна**
  Yйл явдал өнгөрсөн Yед болсныг илэрхийлдэг төгсгөх нөхцөл.

- -다 : 어떤 사건이나 사실, 상태를 서술함을 나타내는 종결 어미.
  **Тохирох Yг хэллэг байхгYй байна**
  (огт хYндэтгэлгYй Yг хэллэг) одоогийн хэрэг явдал буюу Yнэн явлыг хYYрнэхийг
  илэрхийлдэг төгсгөх нөхцөл.

---

그녀+들+은 <u>무섭(무서우)+었</u>+지만 <u>애쓰(애쓰)+어</u> <u>태연하+ㄴ</u> 모습+으로 걸어가+[고 있]+었+는데
           **무서웠지만**         **애써**     **태연한**

갑자기 '톡탁톡탁' 하+는 소리+가 들려오+기 <u>시작하+였</u>+다.
                              **시작했다**

---

- **그녀 (төлөөний Yг)** : 앞에서 이미 이야기한 여자를 가리키는 말.
  **тэр эмэгтэй, тэр бYсгYй**
  өмнө нь дурдсан эмэгтэйг заадаг Yг.

- 들 : '복수'의 뜻을 더하는 접미사.
  **Тохирох Yг хэллэг байхгYй байна**
  олон тооны утга нэмдэг дагавар.

- 은 : 문장 속에서 어떤 대상이 화제임을 나타내는 조사.
  **Тохирох Yг хэллэг байхгYй байна**
  өгYYлбэрт ямар зYйл ярианы сэдэв болж буйг илэрхийлдэг нөхцөл.

- **무섭다 (тэмдэг нэр)** : 어떤 대상이 꺼려지거나 무슨 일이 일어날까 두렵다.
  **аймаар, эмээмээр, аюултай, айшигтай, цочирдом, эвгYй муухай**
  ямар нэгэн зYйлээс зайлсхийх буюу ямар нэгэн явдал тохиолдохоос айх.

- -었- : 사건이 과거에 일어났음을 나타내는 어미.
  **Тохирох Yг хэллэг байхгYй байна**
  Yйл явдал өнгөрсөн Yед болсныг илэрхийлдэг төгсгөх нөхцөл.

- -지만 : 앞에 오는 말을 인정하면서 그와 반대되거나 다른 사실을 덧붙일 때 쓰는 연결 어미.
  **Тохирох Yг хэллэг байхгYй байна**
  өмнөх агуулгыг хYлээн зөвшөөрч байгаа хирнээ тYYнтэй эсрэгцэх буюу өөр утгыг
  нэмэх Yед хэрэглэдэг холбох нөхцөл.

- **애쓰다 (Yйл Yг)** : 무엇을 이루기 위해 힘을 들이다.
  **хичээх, зYтгэх, чармайх, мэрийх, шимтэх**
  хэн нэгэн, ямар нэг зYйлийг бYтээхийн тулд хYч хөдөлмөрөө зарцуулах.

• -어 : 앞의 말이 뒤의 말보다 먼저 일어났거나 뒤의 말에 대한 방법이나 수단이 됨을 나타내는 연결 어미.

**Тохирох Үг хэллэг байхгүй байна**

өмнө ирэх Үг ард ирэх Үгээс түрүүлж бий болсон буюу ардах Үгийн талаарх арга барил болохыг илэрхийлдэг холбох нөхцөл.

• **태연하다 (тэмдэг нэр)** : 당연히 머뭇거리거나 두려워할 상황에서 태도나 얼굴빛이 아무렇지도 않다.

**амгалан, тайван**

сандарч тэвдэхээр нөхцөлд байсан ч байгаа байдал, нүүр царай нь ямар ч хувиралгүй байх.

• -ㄴ : 앞의 말이 관형어의 기능을 하게 만들고 현재의 상태를 나타내는 어미.

**Тохирох Үг хэллэг байхгүй байна**

өмнөх Үгийг тодотгол гишүүний үүрэгтэй болгож одоогийн нөхцөл байдлыг илэрхийлж буй нөхцөл.

• **모습 (нэр Үг)** : 겉으로 드러난 상태나 모양.

**байдал, төрх**

гадна харагдах байдал, хэлбэр.

• 으로 : 어떤 일의 방법이나 방식을 나타내는 조사.

**-аар (-ээр, -оор, -өөр)**

ямар нэгэн Үйл хэргийн арга барилыг илэрхийлж буй нөхцөл.

• **걸어가다 (Үйл Үг)** : 목적지를 향하여 다리를 움직여 나아가다.

**алхах, алхан явах**

зорьсон газар руугаа чиглэн хөлөө зөөн урагшлан явах.

• -고 있다 : 앞의 말이 나타내는 행동이 계속 진행됨을 나타내는 표현.

**Тохирох Үг хэллэг байхгүй байна**

өмнөх Үгийн илэрхийлж буй Үйлдэл Үргэлжилж буйг илэрхийлдэг Үг хэллэг.

• -었- : 사건이 과거에 일어났음을 나타내는 어미.

**Тохирох Үг хэллэг байхгүй байна**

Үйл явдал өнгөрсөн Үед болсныг илэрхийлдэг төгсгөх нөхцөл.

• -는데 : 뒤의 말을 하기 위하여 그 대상과 관련이 있는 상황을 미리 말함을 나타내는 연결 어미.

**Тохирох Үг хэллэг байхгүй байна**

арын агуулгыг ярихын тулд тухайн зүйлтэй холбоотой нөхцөл байдлыг урьдчилан хэлж буйг илэрхийлдэг холбох нөхцөл.

• **갑자기 (дайвар Үг)** : 미처 생각할 틈도 없이 빨리.

**гэнэт**

бодох ч сэхээгүй түргэн.

- **톡탁톡탁 (дайвар Үг)** : 단단한 물건을 계속해서 가볍게 두드리는 소리.

  тҮг тҮг

  хатуу биетийг ҮргэлжлҮҮлэн, хөнгөн тогших чимээ.

- **하다 (Үйл Үг)** : 그런 소리가 나다. 또는 그런 소리를 내다.

  хийх

  тийм дуу чимээ гарах. мөн тийм дуу чимээ гаргах.

- **-는** : 앞의 말이 관형어의 기능을 하게 만들고 사건이나 동작이 현재 일어남을 나타내는 어미.

  Тохирох Үг хэллэг байхгҮй байна

  өмнөх Үгийг тодотгол гишҮҮний ҮҮрэгтэй болгож, хэрэг явдал буюу Үйлдэл нь одоо өрнөж байгааг илэрхийлдэг нөхцөл.

- **소리 (нэр Үг)** : 물체가 진동하여 생긴 음파가 귀에 들리는 것.

  дуу, чимээ

  биет чичирхийлснээс ҮҮссэн дууны долгион чихэнд сонсогдох явдал.

- **가** : 어떤 상태나 상황에 놓인 대상이나 동작의 주체를 나타내는 조사.

  Тохирох Үг хэллэг байхгҮй байна

  ямар нэгэн төлөв, байдлын субьект, мөн Үйл хөдлөлийн эзэн болохыг илэрхийлэх нөхцөл.

- **들려오다 (Үйл Үг)** : 어떤 소리나 소식 등이 들리다.

  сонсогдох, дуулдах

  ямар нэг дуу чимээ, сураг ажиг сонсогдох.

- **-기** : 앞의 말이 명사의 기능을 하게 하는 어미.

  Тохирох Үг хэллэг байхгҮй байна

  өмнөх Үгийг нэр Үгийн ҮҮрэгтэй болгодог нөхцөл.

- **시작하다 (Үйл Үг)** : 어떤 일이나 행동의 처음 단계를 이루거나 이루게 하다.

  эхлэх, эхлҮҮлэх

  ямар нэгэн ажил буюу Үйлдлийн эхний Үе шатыг гҮйцэтгэх буюу гҮйцэлдҮҮлэх.

- **-였-** : 사건이 과거에 일어났음을 나타내는 어미.

  Тохирох Үг хэллэг байхгҮй байна

  Үйл явдал өнгөрсөн Үед болсныг илэрхийлдэг төгсгөх нөхцөл.

- **-다** : 어떤 사건이나 사실, 상태를 서술함을 나타내는 종결 어미.

  Тохирох Үг хэллэг байхгҮй байна

  (огт хҮндэтгэлгҮй Үг хэллэг) одоогийн хэрэг явдал буюу Үнэн явлыг хҮҮрнэхийг илэрхийлдэг төгсгөх нөхцөл.

---

깜짝 놀라+ㄴ 두 여자+는 공포+에 질리+어 가까스로 천천히 발걸음+을 내딛+[고 있]+었+다.
　　　　놀란　　　　　　　　　　　질려

---

• **깜짝 (дайвар Үг)** : 갑자기 놀라는 모양.

　гэнэт цочих

　гэнэт цочих байдал.


• **놀라다 (Үйл Үг)** : 뜻밖의 일을 당하거나 무서워서 순간적으로 긴장하거나 가슴이 뛰다.

　айх, цочих

　гэнэтийн явдал тохиолдсонд айж цочин, хоромхон зуур сандран зүрх хурдан цохилох.


• **-ㄴ** : 앞의 말이 관형어의 기능을 하게 만들고 사건이나 동작이 과거에 일어났음을 나타내는 어미.

　**Тохирох Үг хэллэг байхгҮй байна**

　өмнөх Үгийг тодотгол гишҮҮний ҮҮрэгтэй болгож, хэрэг явдал буюу Үйлдэл нь өнгөрсөн Үед өрнөсөн болохыг илэрхийлдэг нөхцөл.


• **두 (тодотгол Үг)** : 둘의.

　хоёр

　хоёрын.


• **여자 (нэр Үг)** : 여성으로 태어난 사람.

　эмэгтэй

　эм хҮйстэй болж төрсөн хҮн.


• **는** : 문장 속에서 어떤 대상이 화제임을 나타내는 조사.

　**Тохирох Үг хэллэг байхгҮй байна**

　өгҮҮлбэрт ямар зҮйл ярианы сэдэв болж буйг илэрхийлдэг нөхцөл.


• **공포 (нэр Үг)** : 두렵고 무서움.

　айдас, аймшиг

　айдастай бөгөөд аймшигтай.


• **에** : 앞말이 어떤 일의 원인임을 나타내는 조사.

　-д/-т

　өмнөх Үг ямар нэгэн Үйл хэргийн учир шалтгаан болохыг илэрхийлж буй нөхцөл.


• **질리다 (Үйл Үг)** : 몹시 놀라거나 무서워서 얼굴빛이 변하다.

　мэл гайхаж цэл хөхрөх

　ихэд цочих буюу айснаас царайны өнгө хувирах.


• **-어** : 앞에 오는 말이 뒤에 오는 말에 대한 원인이나 이유임을 나타내는 연결 어미.

　**Тохирох Үг хэллэг байхгҮй байна**

　өмнө ирэх Үг ард ирэх Үгийн талаарх учир шалтгаан болохыг илэрхийлдэг холбох нөхцөл.

• **가까스로 (дайвар Үг)** : 매우 어렵게 힘을 들여.
  **арайхийн**
  маш их хичээл зүтгэл хүч гаргаж байж л.

• **천천히 (дайвар Үг)** : 움직임이나 태도가 느리게.
  **удаан, аажим**
  хөдөлж явж байгаа нь алгуур, наазгай.

• **발걸음 (нэр Үг)** : 발을 옮겨 걷는 동작.
  **алхаа, алхам**
  хөлөө зөөж алхах хөдөлгөөн.

• **을** : 동작이 직접적으로 영향을 미치는 대상을 나타내는 조사.
  **-ыг/-ийг/-г**
  Үйл хөдлөл шууд нөлөөлж буй тусагдахууныг илэрхийлэх нөхцөл.

• **내딛다 (Үйл Үг)** : 서 있다가 앞쪽으로 발을 옮기다.
  **гишгэх, хөл тавих**
  зогсож байгаад хөлөө урагш нь тавих.

• **-고 있다** : 앞의 말이 나타내는 행동이 계속 진행됨을 나타내는 표현.
  **Тохирох Үг хэллэг байхгүй байна**
  өмнөх Үгийн илэрхийлж буй Үйлдэл Үргэлжилж буйг илэрхийлдэг Үг хэллэг.

• **-었-** : 사건이 과거에 일어났음을 나타내는 어미.
  **Тохирох Үг хэллэг байхгүй байна**
  Үйл явдал өнгөрсөн Үед болсныг илэрхийлдэг төгсгөх нөхцөл.

• **-다** : 어떤 사건이나 사실, 상태를 서술함을 나타내는 종결 어미.
  **Тохирох Үг хэллэг байхгүй байна**
  (огт хүндэтгэлгүй Үг хэллэг) одоогийн хэрэг явдал буюу Үнэн явлыг хүүрнэхийг
  илэрхийлдэг төгсгөх нөхцөл.

---

| |
|---|
| 그때 눈앞+에 망치+를 들+고 정+으로 묘비+를 쪼+[고 있]+는 노인+의 모습+이 희미하+게 <u>보이+었+다</u>.<br>**보였다** |

---

• **그때 (нэр Үг)** : 앞에서 이야기한 어떤 때.
  **тэр Үед, тэгэхэд**
  өмнө нь ярьсан тэр Үе.

• **눈앞 (нэр Үг)** : 눈에 바로 보이는 곳.
  **нүдний өмнө, хамар дор**
  нүдэнд ил харагдахуйц ил ойр газар.

• 에 : 앞말이 어떤 장소나 자리임을 나타내는 조사.

-д/-т

өмнөх Үг ямар нэгэн газар буюу байр болохыг илэрхийлж буй нөхцөл.

• **망치 (нэр Үг)** : 쇠뭉치에 손잡이를 달아 단단한 물건을 두드리거나 못을 박는 데 쓰는 연장.

алх

төмөрт бариул хийж хатуу эдийг цохих буюу хадаас хадахад хэрэглэдэг багаж.

• 를 : 동작이 직접적으로 영향을 미치는 대상을 나타내는 조사.

-ыг/-ийг/-г

Үйл хөдлөл шууд нөлөөлж буй тусагдахууныг илэрхийлэх нөхцөл.

• **들다 (Үйл Үг)** : 손에 가지다.

барих, атгах, өргөх

гартаа авах.

• -고 : 앞의 말이 나타내는 행동이나 그 결과가 뒤에 오는 행동이 일어나는 동안에 그대로 지속됨을 나타내는 연결 어미.

**Тохирох Үг хэллэг байхгүй байна**

өмнөх Үгийн илэрхийлж буй Үйлдэл буюу тухайн Үр дүн нь арын Үйлдэл бий болох хугацаанд тэр хэвээрээ Үргэлжлэх явдлыг илэрхийлдэг холбох нөхцөл.

• **정 (нэр Үг)** : 돌에 구멍을 뚫거나 돌을 쪼아서 다듬는 데 쓰는 쇠로 만든 연장.

өрөм

чулуунд нүх гарган цоолох буюу чулууг огтлон засахад хэрэглэдэг төмрөөр хийсэн багаж хэрэгсэл.

• 으로 : 어떤 일의 수단이나 도구를 나타내는 조사.

-аар (-ээр, -оор, -өөр)

ямар нэгэн Үйл хэргийн хэрэгслийг илэрхийлж буй нөхцөл.

• **묘비 (нэр Үг)** : 죽은 사람의 이름, 출생일, 사망일, 행적, 신분 등을 새겨서 무덤 앞에 세우는 비석.

хөшөө

нас барсан хүний нэр, төрсөн өдөр, нас барсан өдөр, намтар, зэрэг дэв мэтийг сийлэн булшны өмнө босгодог чулуу.

• 를 : 동작이 직접적으로 영향을 미치는 대상을 나타내는 조사.

-ыг/-ийг/-г

Үйл хөдлөл шууд нөлөөлж буй тусагдахууныг илэрхийлэх нөхцөл.

• **쪼다 (Үйл Үг)** : 뾰족한 끝으로 쳐서 찍다.

хатгах, тонших

шовх үзүүрээр тошин хатгах.

- -고 있다 : 앞의 말이 나타내는 행동이 계속 진행됨을 나타내는 표현.

  **Тохирох Үг хэллэг байхгүй байна**

  өмнөх Үгийн илэрхийлж буй Үйлдэл Үргэлжилж буйг илэрхийлдэг Үг хэллэг.

- -는 : 앞의 말이 관형어의 기능을 하게 만들고 사건이나 동작이 현재 일어남을 나타내는 어미.

  **Тохирох Үг хэллэг байхгүй байна**

  өмнөх Үгийг тодотгол гишүүний үүрэгтэй болгож, хэрэг явдал буюу Үйлдэл нь одоо өрнөж байгааг илэрхийлдэг нөхцөл.

- **노인 (нэр Үг)** : 나이가 들어 늙은 사람.

  **өндөр настан**

  нас өндөр, хөгшин хүн.

- 의 : 앞의 말이 뒤의 말에 대하여 소유, 소속, 소재, 관계, 기원, 주체의 관계를 가짐을 나타내는 조사.

  **-н/-ийн/-ын/-ий/-ы**

  өмнөх Үг хойдох Үгтэй эзэмшил, харьяа, хэрэглэгдэхүүн, сэдвийн хамааралтай болохыг илэрхийлсэн нөхцөл.

- **모습 (нэр Үг)** : 사람이나 사물의 생김새.

  **нүүр царай, дүр төрх**

  хүн болон эд зүйлсийн төрх байдал.

- 이 : 어떤 상태나 상황의 대상이나 동작의 주체를 나타내는 조사.

  **Тохирох Үг хэллэг байхгүй байна**

  ямар нэгэн төлөв, байдлын субьект, мөн Үйл хөдлөлийн эзэн болохыг илэрхийлэх нөхцөл.

- **희미하다 (тэмдэг нэр)** : 분명하지 못하고 흐릿하다.

  **бүрхэг, бүдэг бадаг, бүүр түрэх**

  тодорхой бус бүрхэгдүү байх.

- -게 : 앞의 말이 뒤에서 가리키는 일의 목적이나 결과, 방식, 정도 등이 됨을 나타내는 연결 어미.

  **Тохирох Үг хэллэг байхгүй байна**

  өмнөх агуулга ард нь зааж буй байдал, зорилго, үр дүн, арга барил, хэмжээ зэрэг болохыг илэрхийлдэг холбох нөхцөл.

- **보이다 (Үйл Үг)** : 눈으로 대상의 존재나 겉모습을 알게 되다.

  **харагдах**

  нүдэнд ямар нэг зүйлийн оршихуй буюу хэлбэр дүрс харагдан мэдэгдэх.

- -었- : 사건이 과거에 일어났음을 나타내는 어미.

  **Тохирох Үг хэллэг байхгүй байна**

  Үйл явдал өнгөрсөн Үед болсныг илэрхийлдэг төгсгөх нөхцөл.

• -다 : 어떤 사건이나 사실, 상태를 서술함을 나타내는 종결 어미.

**Тохирох Үг хэллэг байхгүй байна**

(огт хүндэтгэлгүй үг хэллэг) одоогийн хэрэг явдал буюу үнэн явлыг хүүрнэхийг илэрхийлдэг төгсгөх нөхцөл.

---

순간 두 여자+는 안도+의 한숨+을 내쉬+며 말하+였+다.
**말했다**

---

• **순간 (нэр үг)** : 어떤 일이 일어나거나 어떤 행동이 이루어지는 바로 그때.

**хором, мөч**

ямар нэгэн зүйл өрнөх буюу ямар нэгэн үйлдэл биелэх тухайн тэр үе.

• **두 (тодотгол үг)** : 둘의.

**хоёр**

хоёрын.

• **여자 (нэр үг)** : 여성으로 태어난 사람.

**эмэгтэй**

эм хүйстэй болж төрсөн хүн.

• 는 : 문장 속에서 어떤 대상이 화제임을 나타내는 조사.

**Тохирох үг хэллэг байхгүй байна**

өгүүлбэрт ямар зүйл ярианы сэдэв болж буйг илэрхийлдэг нөхцөл.

• **안도 (нэр үг)** : 어떤 일이 잘되어 마음을 놓음.

**сэтгэл амрах**

ямар нэгэн үйл хэрэг сайн болж сэтгэл тайвшрах явдал.

• 의 : 앞의 말이 뒤의 말에 대하여 속성이나 수량을 한정하거나 같은 자격임을 나타내는 조사.

**-н/-ийн/-ын/-ий/-ы**

өмнөх үг хойдох үгийн шинж чанар, тоо хэмжээг зааглаж байгааг илэрхийлдэг нөхцөл.

• **한숨 (нэр үг)** : 걱정이 있을 때나 긴장했다가 마음을 놓을 때 길게 몰아서 내쉬는 숨.

**санаа алдалт**

санаа зовох юмуу түгшиж байгаад сэтгэл тайвшрахад уртаар нэгэн дор гаргадаг амьсгаа.

• 을 : 동작이 직접적으로 영향을 미치는 대상을 나타내는 조사.

**-ыг/-ийг/-г**

үйл хөдлөл шууд нөлөөлж буй тусагдахууныг илэрхийлэх нөхцөл.

• **내쉬다 (Үйл Үг)** : 숨을 몸 밖으로 내보내다.

   **амьсгалаа гаргах**

   амьсгалаа гадагш үлээж гаргах.

• **-며** : 두 가지 이상의 동작이나 상태가 함께 일어남을 나타내는 연결 어미.

   **Тохирох үг хэллэг байхгүй байна**

   хоёроос дээш үйлдэл буюу байдал хамт бий болох явдлыг илэрхийлдэг холбох нөхцөл.

• **말하다 (Үйл Үг)** : 어떤 사실이나 자신의 생각 또는 느낌을 말로 나타내다.

   **ярих, өгүүлэх, хэлэх, өчих**

   ямар нэгэн бодит зүйлийн талаар болон өөрийн бодол санаа, мэдрэмжийг үгээр
   илэрхийлэх.

• **-였-** : 사건이 과거에 일어났음을 나타내는 어미.

   **Тохирох үг хэллэг байхгүй байна**

   үйл явдал өнгөрсөн үед болсныг илэрхийлдэг төгсгөх нөхцөл.

• **-다** : 어떤 사건이나 사실, 상태를 서술함을 나타내는 종결 어미.

   **Тохирох үг хэллэг байхгүй байна**

   (огт хүндэтгэлгүй үг хэллэг) одоогийн хэрэг явдал буюу үнэн явлыг хүүрнэхийг
   илэрхийлдэг төгсгөх нөхцөл.

---

| 여자 1 : 할아버지, <u>귀신+이+[ㄴ 줄]</u> 알+고 깜짝 <u>놀라+았+잖아요</u>. |
|---|
|                 귀신인 줄                    놀랐잖아요 |

• **할아버지 (нэр Үг)** : (친근하게 이르는 말로) 늙은 남자를 이르거나 부르는 말.

   **өвөө, өвгөн**

   (дотносон дуудах үг) хөгшин эрэгтэй.

• **귀신 (нэр Үг)** : 사람이 죽은 뒤에 남는다고 하는 영혼.

   **сүнс, үхсэн хүний сүнс**

   хүн нас барсны дараа үлддэг хэмээх оюун сүнс.

• **이다** : 주어가 지시하는 대상의 속성이나 부류를 지정하는 뜻을 나타내는 서술격 조사.

   **Тохирох үг хэллэг байхгүй байна**

   эзэн биеийн зааж буй обьектын шинж чанар, төрөл зүйлийг тодорхойлох утгыг
   илэрхийлэх өгүүлэхүүний тийн ялгалын нөхцөл.

• **-ㄴ 줄** : 어떤 사실이나 상태에 대해 알고 있거나 모르고 있음을 나타내는 표현.

   **Тохирох үг хэллэг байхгүй байна**

   ямар нэгэн арга барил буюу бодит үнэний талаар мэдэж байх буюу мэдэхгүй байх
   явдлыг илэрхийлдэг үг хэллэг.

· **알다 (Үйл Үг)** : 교육이나 경험, 생각 등을 통해 사물이나 상황에 대한 정보 또는 지식을 갖추다.

мэдэх

боловсрол, туршлага, бодол зэргээр дамжуулан юмс Үзэгдэл, нөхцөл байдлын талаарх мэдээлэл болон мэдлэгийг олж авах.

· **-고** : 앞의 말과 뒤의 말이 차례대로 일어남을 나타내는 연결 어미.

Тохирох Үг хэллэг байхгүй байна

өмнөх Үйл ба арын Үйл дэс дараалльн дагуу өрнөж байгааг илтгэдэг холбох нөхцөл.

· **깜짝 (дайвар Үг)** : 갑자기 놀라는 모양.

гэнэт цочих

гэнэт цочих байдал.

· **놀라다 (Үйл Үг)** : 뜻밖의 일을 당하거나 무서워서 순간적으로 긴장하거나 가슴이 뛰다.

айх, цочих

гэнэтийн явдал тохиолдсонд айж цочин, хоромхон зуур сандран зүрх хурдан цохилох.

· **-았-** : 어떤 사건이 과거에 완료되었거나 그 사건의 결과가 현재까지 지속되는 상황을 나타내는 어미.

Тохирох Үг хэллэг байхгүй байна

ямар нэгэн Үйл явдал өнгөрсөн цагт болж дууссан буюу тухайн Үйл явдлын Үр дүн өнөөг хүртэл Үргэлжилж буй байдлыг илэрхийлдэг нөхцөл.

· **-잖아요** : (두루높임으로) 어떤 상황에 대해 말하는 사람이 상대방에게 확인하거나 정정해 주듯이 말함
을 나타내는 표현.

Тохирох Үг хэллэг байхгүй байна

(хүндэтгэлийн энгийн Үг хэллэг) ямар нэг нөхцөл байдлын талаар өгүүлэгч эсрэг этгээдээс лавлах буюу залруулах мэтээр хэлэх явдлыг илэрхийлдэг Үг хэллэг.

---

> **여자 1** : 그런데 이 늦+은 시간+에 여기+서 뭐 <u>하+[고 계시]</u>+어요?
> **하고 계세요**

---

· **그런데 (дайвар Үг)** : 이야기를 앞의 내용과 관련시키면서 다른 방향으로 바꿀 때 쓰는 말.

гэхдээ

яриаг өмнөх агуулгатай холбонгоо өөр тийш нь хандуулахад хэрэглэдэг Үг.

· **이 (тодотгол Үг)** : 말하는 사람에게 가까이 있거나 말하는 사람이 생각하고 있는 대상을 가리킬 때
쓰는 말.

энэ

өгүүлэгч этгээдэд ойр байгаа зүйл ба өгүүлэгч этгээдийн бодож байгаа зүйлийг заасан Үг.

- 늦다 (тэмдэг нэр) : 적당한 때를 지나 있다. 또는 시기가 한창인 때를 지나 있다.

  оройтох

  тохиромжтой Үеийг өнгөрөөсөн байх. мөн юмны ид өрнөх Үеийг өнгөрөөсөн байх.

- -은 : 앞의 말이 관형어의 기능을 하게 만들고 현재의 상태를 나타내는 어미.

  Тохирох Үг хэллэг байхгҮй байна

  өмнөх Үгийг тодотгол гишҮҮний ҮҮрэгтэй болгож одоогийн нөхцөл байдлыг илэрхийлж буй нөхцөл.

- 시간 (нэр Үг) : 어떤 일을 하도록 정해진 때. 또는 하루 중의 어느 한 때.

  цаг, Үе, хугацаа

  ямар нэгэн юмыг хийхээр тогтсон Үе. мөн өдрийн аль нэг Үе.

- 에 : 앞말이 시간이나 때임을 나타내는 조사.

  -д/-т

  өмнөх Үг цаг хугацаа болохыг илэрхийлж буй нөхцөл.

- 여기 (төлөөний Үг) : 말하는 사람에게 가까운 곳을 가리키는 말.

  энэ, энд

  ярьж байгаа хҮн өөртөө ойр байгаа газрыг заан хэлэх Үг.

- 서 : 앞말이 행동이 이루어지고 있는 장소임을 나타내는 조사.

  дээр, -д/-т

  Үйл хөдлөл болж байгаа орон байрыг илэрхийлдэг нөхцөл.

- 뭐 (төлөөний Үг) : 모르는 사실이나 사물을 가리키는 말.

  юу

  мэдэхгҮй зҮйл буюу эд зҮйлийг заах Үг.

- 하다 (Үйл Үг) : 어떤 행동이나 동작, 활동 등을 행하다.

  Үйлдэх, хийх, гҮйцэтгэх

  аливаа Үйл хөдлөл, хөдөлгөөн, ажиллагаа зэргийг гҮйцэтгэх.

- -고 계시다 : (높임말로) 앞의 말이 나타내는 행동이 계속 진행됨을 나타내는 표현.

  Тохирох Үг хэллэг байхгҮй байна

  (хҮндэтгэлт Үг) өмнөх Үгийн илэрхийлж буй Үйлдэл Үргэлжилж буйг илэрхийлдэг Үг хэллэг.

- -어요 : (두루높임으로) 어떤 사실을 서술하거나 질문, 명령, 권유함을 나타내는 종결 어미.

  Тохирох Үг хэллэг байхгҮй байна

  (хҮндэтгэлийн энгийн Үг хэллэг) ямар нэгэн зҮйлийг хҮҮрнэх, асуух, тушаах, уриалах явдлыг илэрхийлдэг төгсгөх нөхцөл.

> **여자 2 : 내일 밝+[을 때] 하+시+[는 것(거)]+이 좋+[을 것 같]+아요.**
> **하시는 게**

- **내일 (дайвар үг)** : 오늘의 다음 날에.

  маргааш

  өнөөдрийн дараах өдөр.

- **밝다 (тэмдэг нэр)** : 빛을 많이 받아 어떤 장소가 환하다.

  гэрэлтэй, гэгээтэй

  гэрэл ихээр тусч ямар нэгэн газар гэгээрэх.

- **-을 때** : 어떤 행동이나 상황이 일어나는 동안이나 그 시기 또는 그러한 일이 일어난 경우를 나타내는
  표현.

  Тохирох үг хэллэг байхгүй байна

  ямар нэг үйл болон нөхцөл байдал өрнөж байх явцад буюу тэр цаг үе, мөн тийм зүйл
  болсон тохиолдлыг илэрхийлдэг үг хэллэг.

- **하다 (үйл үг)** : 어떤 행동이나 동작, 활동 등을 행하다.

  үйлдэх, хийх, гүйцэтгэх

  аливаа үйл хөдлөл, хөдөлгөөн, ажиллагаа зэргийг гүйцэтгэх.

- **-시-** : 어떤 동작이나 상태의 주체를 높이는 뜻을 나타내는 어미.

  Тохирох үг хэллэг байхгүй байна

  ямар нэгэн үйлдэл буюу байдлын эзэн биеийг хүндэтгэх утгыг илэрхийлдэг нөхцөл.

- **-는 것** : 명사가 아닌 것을 문장에서 명사처럼 쓰이게 하거나 ‘이다’ 앞에 쓰일 수 있게 할 때 쓰는 표
  현.

  Тохирох үг хэллэг байхгүй байна

  өгүүлбэрт нэр үгийн үүргээр орж өгүүлэгдэхүүн буюу тусагдахуун гишүүний үүрэг
  гүйцэтгэх буюу ‘이다’-н өмнө ирэх боломжтой болгодог үг хэллэг.

- **이** : 어떤 상태나 상황의 대상이나 동작의 주체를 나타내는 조사.

  Тохирох үг хэллэг байхгүй байна

  ямар нэгэн төлөв, байдлын субьект, мөн үйл хөдлөлийн эзэн болохыг илэрхийлэх
  нөхцөл.

- **좋다 (тэмдэг нэр)** : 어떤 일을 하기가 쉽거나 편하다.

  таатай, тохиромжтой, сайхан

  ямар нэгэн зүйлийг хийхэд амар, таатай.

- **-을 것 같다** : 추측을 나타내는 표현.

  Тохирох үг хэллэг байхгүй байна

  таамаглалыг илэрхийлдэг үг хэллэг.

• -아요 : (두루높임으로) 어떤 사실을 서술하거나 질문, 명령, 권유함을 나타내는 종결 어미.

**Тохирох Үг хэллэг байхгүй байна**

(хүндэтгэлийн энгийн үг хэллэг) ямар нэгэн зүйлийг хүүрнэх, асуух, тушаах, уриалах явдлыг илэрхийлдэг төгсгөх нөхцөл.

---

**여자 2 : 지금+은 <u>어둡(어두우)</u>+어서 위험하+세요.**
**<center>어두워서</center>**

---

• **지금 (нэр үг)** : 말을 하고 있는 바로 이때.

**одоо, одоо цаг**

юм ярьж буй энэ цаг мөч.

• **은** : 문장 속에서 어떤 대상이 화제임을 나타내는 조사.

**Тохирох Үг хэллэг байхгүй байна**

өгүүлбэрт ямар зүйл ярианы сэдэв болж буйг илэрхийлдэг нөхцөл.

• **어둡다 (тэмдэг нэр)** : 빛이 없거나 약해서 밝지 않다.

**харанхуй**

гэрэлгүй, гэрэл бүдэг тул гэгээтэй бус.

• **-어서** : 이유나 근거를 나타내는 연결 어미.

**Тохирох Үг хэллэг байхгүй байна**

учир шалтгаан буюу үндэслэлийг илэрхийлдэг холбох нөхцөл.

• **위험하다 (тэмдэг нэр)** : 해를 입거나 다칠 가능성이 있어 안전하지 못하다.

**аюултай**

хор хөнөөл амсах буюу гэмтэж бэртэх магадтай учир тайван амгалан байж чадахгүй байх.

• **-세요** : (두루높임으로) 설명, 의문, 명령, 요청의 뜻을 나타내는 종결 어미.

**Тохирох Үг хэллэг байхгүй байна**

(хүндэтгэлийн энгийн үг хэллэг) тайлбар, асуулт, тушаал, хүсэлтийн утгыг илэрхийлдэг төгсгөх нөхцөл.

---

**할아버지 : 음, 오늘 안+에 빨리 <u>끝내</u>+[(어)야 되]+어.**
**<center>끝내야 돼</center>**

- 음 (аялга Үг) : 마음에 들지 않거나 걱정스러울 때 하는 소리.
  **Тохирох Үг хэллэг байхгүй байна**
  таалагдахгүй байх, сэтгэл зовнисон үед гаргадаг дуу чимээ.

- 오늘 (нэр Үг) : 지금 지나가고 있는 이날.
  **өнөөдөр**
  одоо өнгөрөн одож буй энэ өдөр.

- 안 (нэр Үг) : 일정한 기준이나 한계를 넘지 않은 정도.
  **дотор, дотогш**
  тогтоосон түвшин буюу хязгаараас хэтрээгүй хэмжээ.

- 에 : 앞말이 시간이나 때임을 나타내는 조사.
  **-д/-т**
  өмнөх үг цаг хугацаа болохыг илэрхийлж буй нөхцөл.

- 빨리 (дайвар Үг) : 걸리는 시간이 짧게.
  **хурдан, түргэн**
  зарцуулагдах цаг хугацаа богино.

- 끝내다 (Үйл Үг) : 일을 마지막까지 이루다.
  **дуусгах**
  ямар нэг ажлыг гүйцээж төгсгөх.

- -어야 되다 : 반드시 그럴 필요나 의무가 있음을 나타내는 표현.
  **Тохирох Үг хэллэг байхгүй байна**
  зайлшгүй тэгэх хэрэгтэй буюу үүрэгтэй болохыг илэрхийлдэг үг хэллэг.

- -어 : (두루낮춤으로) 어떤 사실을 서술하거나 물음, 명령, 권유를 나타내는 종결 어미.
  **Тохирох Үг хэллэг байхгүй байна**
  (хүндэтгэлийн бус энгийн үг хэллэг) ямар нэгэн зүйлийг дүрслэх буюу асуулт,
  тушаал, зөвлөмж зэргийг илэрхийлдэг төгсгөх нөхцөл.

---

> **여자 1 : 그런데 묘비+에 무슨 문제+라도 있+나요?**

- 그런데 (дайвар Үг) : 이야기를 앞의 내용과 관련시키면서 다른 방향으로 바꿀 때 쓰는 말.
  **гэхдээ**
  яриаг өмнөх агуулгатай холбонгоо өөр тийш нь хандуулахад хэрэглэдэг үг.

- 묘비 (нэр Үг) : 죽은 사람의 이름, 출생일, 사망일, 행적, 신분 등을 새겨서 무덤 앞에 세우는 비석.
  **хөшөө**
  нас барсан хүний нэр, төрсөн өдөр, нас барсан өдөр, намтар, зэрэг дэв мэтийг сийлэн
  булшны өмнө босгодог чулуу.

- 에 : 앞말이 어떤 장소나 자리임을 나타내는 조사.

  -д/-т

  өмнөх үг ямар нэгэн газар буюу байр болохыг илэрхийлж буй нөхцөл.


- 무슨 (тодотгол үг) : 확실하지 않거나 잘 모르는 일, 대상, 물건 등을 물을 때 쓰는 말.

  ямар

  баттай биш буюу сайн мэдэхгүй юм, ажил хэрэг, эд зүйл зэргийг асуухад хэрэглэдэг үг.


- 문제 (нэр үг) : 난처하거나 해결하기 어려운 일.

  асуудал, хүндрэл

  санаа зовмоор юмуу шийдвэрлэхэд хэцүү зүйл.


- 라도 : 불확실한 사실에 대한 말하는 이의 의심이나 의문을 나타내는 조사.

  ч юм уу

  тодорхой бус зүйлийн талаар өгүүлж буй этгээдийн эргэлзээг илэрхийлж буй нөхцөл.


- 있다 (тэмдэг нэр) : 어떤 사람에게 무슨 일이 생긴 상태이다.

  Тохирох үг хэллэг байхгүй байна

  хэн нэгэнд ямар нэгэн зүйл тохиолдсон байдал.


- -나요 : (두루높임으로) 앞의 내용에 대해 상대방에게 물어볼 때 쓰는 표현.

  Тохирох үг хэллэг байхгүй байна

  (хүндэтгэлийн энгийн үг хэллэг) өмнөх агуулгын талаар ярилцаж буй хүнээсээ асуухад хэрэглэнэ.


---

**할아버지** : 글쎄, 어떤 <u>멍청하+ㄴ</u> 녀석+들+이 묘비+에 <u>나+의</u> 이름+을 잘못
　　　　　　　　　　 **멍청한**　　　　　　　　　　　　 **내**

　　<u>쓰(써)+[어 놓]+았+잖아</u>.
　　　 **써 놨잖아**

---

- 글쎄 (аялга үг) : 말하는 이가 자신의 뜻이나 주장을 다시 강조하거나 고집할 때 쓰는 말.

  тэгээд яагаав, харин тийм

  ярьж байгаа хүн өөрийн хэлсэн үгийг тодруулан, хүч оруулан хэлэх тохиолдолд хэрэглэх үг.


- 어떤 (тодотгол үг) : 굳이 말할 필요가 없는 대상을 뚜렷하게 밝히지 않고 나타낼 때 쓰는 말.

  нэг, нэгэн, ямар нэг

  яг тэр гэж хэлэх шаардлагагүй зүйлийг илэрхийлэхэд хэрэглэдэг үг.

• **멍청하다 (тэмдэг нэр)** : 일을 제대로 판단하지 못할 정도로 어리석다.

  **тэнэг, мангуу, мулгуу**

  юмыг сайтар дүгнэж чадахгүй гэнэн байх.

• **-ㄴ** : 앞의 말이 관형어의 기능을 하게 만들고 현재의 상태를 나타내는 어미.

  **Тохирох үг хэллэг байхгүй байна**

  өмнөх үгийг тодотгол гишүүний үүрэгтэй болгож одоогийн нөхцөл байдлыг илэрхийлж буй нөхцөл.

• **녀석 (нэр үг)** : (낮추는 말로) 남자.

  **золиг**

  (хүндэтгэх бус үг) эрэгтэй хүн.

• **들** : '복수'의 뜻을 더하는 접미사.

  **Тохирох үг хэллэг байхгүй байна**

  олон тооны утга нэмдэг дагавар.

• **이** : 어떤 상태나 상황의 대상이나 동작의 주체를 나타내는 조사.

  **Тохирох үг хэллэг байхгүй байна**

  ямар нэгэн төлөв, байдлын субьект, мөн үйл хөдлөлийн эзэн болохыг илэрхийлэх нөхцөл.

• **묘비 (нэр үг)** : 죽은 사람의 이름, 출생일, 사망일, 행적, 신분 등을 새겨서 무덤 앞에 세우는 비석.

  **хөшөө**

  нас барсан хүний нэр, төрсөн өдөр, нас барсан өдөр, намтар, зэрэг дэв мэтийг сийлэн булшны өмнө босгодог чулуу.

• **에** : 앞말이 어떤 장소나 자리임을 나타내는 조사.

  **-д/-т**

  өмнөх үг ямар нэгэн газар буюу байр болохыг илэрхийлж буй нөхцөл.

• **나 (төлөөний үг)** : 말하는 사람이 친구나 아랫사람에게 자기를 가리키는 말.

  **би**

  өгүүлэгч этгээд найз буюу өөрөөсөө дүү хүнтэй ярихад өөрийг заасан үг.

• **의** : 앞의 말이 뒤의 말에 대하여 소유, 소속, 소재, 관계, 기원, 주체의 관계를 가짐을 나타내는 조사.

  **-н/-ийн/-ын/-ий/-ы**

  өмнөх үг хойдох үгтэй эзэмшил, харьяа, хэрэглэгдэхүүн, сэдвийн хамааралтай болохыг илэрхийлсэн нөхцөл.

• **이름 (нэр үг)** : 사람의 성과 그 뒤에 붙는 그 사람만을 부르는 말.

  **нэр**

  хүний овог болон түүний ард залгаж тухайн хүнийг л дууддаг үг.

• 을 : 동작이 직접적으로 영향을 미치는 대상을 나타내는 조사.

**-ыг/-ийг/-г**

Үйл хөдлөл шууд нөлөөлж буй тусагдахууныг илэрхийлэх нөхцөл.

• **잘못 (дайвар Үг)** : 바르지 않게 또는 틀리게.

**буруу**

зөв биш мөн буруу.

• **쓰다 (Үйл Үг)** : 연필이나 펜 등의 필기도구로 종이 등에 획을 그어서 일정한 글자를 적다.

**бичих, тэмдэглэх**

Үзэг, харандаа зэрэг бичдэг хэрэгсэлээр цаасан дээр зурлага зуран тодорхой Үсэг бичих.

• -어 놓다 : 앞의 말이 나타내는 행동을 끝내고 그 결과를 유지함을 나타내는 표현.

**Тохирох Үг хэллэг байхгҮй байна**

өмнөх Үгийн илэрхийлж буй Үйлдлийг дуусгаж, тухайн Үр дҮнг ҮргэлжлҮҮлэх явдлыг илэрхийлдэг Үг хэллэг.

• -았- : 어떤 사건이 과거에 완료되었거나 그 사건의 결과가 현재까지 지속되는 상황을 나타내는 어미.

**Тохирох Үг хэллэг байхгҮй байна**

ямар нэгэн Үйл явдал өнгөрсөн цагт болж дууссан буюу тухайн Үйл явдлын Үр дҮн өнөөг хҮртэл Үргэлжилж буй байдлыг илэрхийлдэг нөхцөл.

• -잖아 : (두루낮춤으로) 어떤 상황에 대해 말하는 사람이 상대방에게 확인하거나 정정해 주듯이 말함을 나타내는 표현.

**Тохирох Үг хэллэг байхгҮй байна**

(хҮндэтгэлийн бус энгийн Үг хэллэг) ямар нэг нөхцөл байдлын талаар өгҮҮлэгч эсрэг этгээдээс лавлах буюу залруулах мэтээр хэлж байгааг илэрхийлдэг Үг хэллэг.

# < 13 단원(бҮлэг хичээл) >

제목 : 엄마는 왜 흰머리가 있어?

## ● 본문 (эх бичиг)

어느 날 설거지를 하고 있는 엄마에게 어린 딸이 머리를 갸우뚱거리며 질문을 했다.

딸 : 엄마 머리 앞쪽에 하얀색 머리카락이 있어.

엄마 : 이제 엄마도 흰머리가 점점 많이 생기네.

딸 : 나는 흰머리가 없는데 엄마는 왜 흰머리가 있어?

　　흰머리가 왜 생기는지 궁금해.

엄마 : 우리 딸이 엄마 말을 안 들어서 엄마가 속이 상하거나 슬퍼지면 흰머리가

　　한 개씩 생기더라고.

　　그러니까 앞으로 엄마가 하는 말 잘 들어야 돼.

딸은 잠시 동안 생각을 하다가 엄마에게 다시 물었다.

딸 : 엄마, 외할머니 머리는 전부 하얀색인데?

# ● 발음 (дуудлага)

어느 날 설거지를 하고 있는 엄마에게 어린 딸이 머리를 갸우뚱거리며 질문을 했다.
어느 날 설거지를 하고 인는 엄마에게 어린 따리 머리를 갸우뚱거리며 질무늘 핻따.
eoneu nal seolgeojireul hago inneun eommaege eorin ttari meorireul gyauttunggeorimyeo
jilmuneul haetda.


딸 : 엄마 머리 앞쪽에 하얀색 머리카락이 있어.
딸 : 엄마 머리 압쪼게 하얀색 머리카라기 이써.
ttal : eomma meori apjjoge hayansaek meorikaragi isseo.


엄마 : 이제 엄마도 흰머리가 점점 많이 생기네.
엄마 : 이제 엄마도 힌머리가 점점 마니 생기네.
eomma : ije eommado hinmeoriga jeomjeom mani saenggine.


딸 : 나는 흰머리가 없는데 엄마는 왜 흰머리가 있어?
딸 : 나는 힌머리가 엄는데 엄마는 왜 힌머리가 이써?
ttal : naneun hinmeoriga eomneunde eommaneun wae hinmeoriga isseo?


흰머리가 왜 생기는지 궁금해.
힌머리가 왜 생기는지 궁금해.
hinmeoriga wae saenggineunji gunggeumhae.


엄마 : 우리 딸이 엄마 말을 안 들어서 엄마가 속이 상하거나 슬퍼지면 흰머리가
엄마 : 우리 따리 엄마 마를 안 드러서 엄마가 소기 상하거나 슬퍼지면 힌머리가
eomma : uri ttari eomma mareul an deureoseo eommaga sogi sanghageona
          seulpeojimyeon hinmeoriga


한 개씩 생기더라고.
한 개씩 생기더라고.
han gaessik saenggideorago.


그러니까 앞으로 엄마가 하는 말 잘 들어야 돼.
그러니까 아프로 엄마가 하는 말 잘 드러야 돼.
geureonikka apeuro eommaga haneun mal jal deureoya dwae.

딸은 잠시 동안 생각을 하다가 엄마에게 다시 물었다.

따른 잠시 동안 생가글 하다가 엄마에게 다시 무럳따.

ttareun jamsi dongan saenggageul hadaga eommaege dasi mureotda.


**딸 : 엄마, 외할머니 머리는 전부 하얀색인데?**

딸 : 엄마, 외할머니 머리는 전부 하얀새긴데?

ttal : eomma, oehalmeoni meorineun jeonbu hayansaeginde?

# ● 어휘 (Үгс) / 문법 (хэлзүй)

어느 날 설거지+를 하+고 있+는 엄마+에게 어리+ㄴ 딸+이 머리+를 갸우뚱거리+며 질문+을 하+였+다.

**딸** : 엄마 머리 앞쪽+에 하얀색 머리카락+이 있+어.

**엄마** : 이제 엄마+도 흰머리+가 점점 많이 생기+네.

**딸** : 나+는 흰머리+가 없+는데 엄마+는 왜 흰머리+가 있+어?

　　흰머리+가 왜 생기+는지 궁금하+여.

**엄마** : 우리 딸+이 엄마 말+을 안 들+어서 엄마+가 속+이 상하+거나 슬프(슬ㅍ)+어지+면

　　흰머리+가 한 개+씩 생기+더라고.

　　그러니까 앞+으로 엄마+가 하+는 말 잘 들+어야 되+어.

딸+은 잠시 동안 생각+을 하+다가 엄마+에게 다시 묻(물)+었+다.

**딸** : 엄마, 외할머니 머리+는 전부 하얀색+이+ㄴ데?

---

어느 날 설거지+를 하+[고 있]+는 엄마+에게 <u>어리+ㄴ</u> 딸+이 머리+를 갸우뚱거리+며 질문+을 <u>하+였+다</u>.
　　　　　　　　　　　　　　　　　　　　　　어린　　　　　　　　　　　　　　　　　　했다

---

- **어느 (тодотгол Үг)** : 확실하지 않거나 분명하게 말할 필요가 없는 사물, 사람, 때, 곳 등을 가리키는
　　　　　　　　　말.

　　**нэг, нэгэн, ямар ч**

　　баттай бус ба тодорхой хэлэх шаардлагагҮй зҮйл, хҮн, цаг Ye, газрыг заасан Үг.

- **날 (нэр Үг)** : 밤 열두 시에서 다음 밤 열두 시까지의 이십사 시간 동안.

　　**өдөр, хоног**

　　шөнийн арван хоёр цагаас дараа өдрийн шөнийн арван хоёр цаг хҮртэлх хорин дөрвөн
　　цагийн хугацаа.

- **설거지 (нэр Үг)** : 음식을 먹고 난 뒤에 그릇을 씻어서 정리하는 일.

　　**аяга таваг угаах**

　　хоол идсэний дараа аяга таваг угааж, цэгцлэх явдал.

- **를** : 동작이 직접적으로 영향을 미치는 대상을 나타내는 조사.

　　**-ыг/-ийг/-г**

　　Үйл хөдлөл шууд нөлөөлж буй тусагдахууныг илэрхийлэх нөхцөл.

- **하다 (Үйл Үг)** : 어떤 행동이나 동작, 활동 등을 행하다.

　　**Үйлдэх, хийх, гҮйцэтгэх**

　　аливаа Үйл хөдлөл, хөдөлгөөн, ажиллагаа зэргийг гҮйцэтгэх.

- **-고 있다** : 앞의 말이 나타내는 행동이 계속 진행됨을 나타내는 표현.

　　**Тохирох Үг хэллэг байхгҮй байна**

　　өмнөх Үгийн илэрхийлж буй Үйлдэл Үргэлжилж буйг илэрхийлдэг Үг хэллэг.

- **-는** : 앞의 말이 관형어의 기능을 하게 만들고 사건이나 동작이 현재 일어남을 나타내는 어미.

　　**Тохирох Үг хэллэг байхгҮй байна**

　　өмнөх Үгийг тодотгол гишҮҮний ҮҮрэгтэй болгож, хэрэг явдал буюу Үйлдэл нь одоо
　　өрнөж байгааг илэрхийлдэг нөхцөл.

- **엄마 (нэр Үг)** : 격식을 갖추지 않아도 되는 상황에서 어머니를 이르거나 부르는 말.

　　**ээж**

　　ёс жаяг баримтлах шаардлаггҮй тохиолдолд ээжийгээ нэрлэх болон дуудах Үг.

- **에게** : 어떤 행동이 미치는 대상임을 나타내는 조사.

　　**-д, -т**

　　ямар нэгэн Үйлдлийн нөлөө авч буй зҮйлийг илэрхийлдэг нөхцөл.

• 어리다 (тэмдэг нэр) : 나이가 적다.

бага балчир, насанд хүрээгүй

нас бага байх.

• -ㄴ : 앞의 말이 관형어의 기능을 하게 만들고 현재의 상태를 나타내는 어미.

Тохирох үг хэллэг байхгүй байна

өмнөх үгийг тодотгол гишүүний үүрэгтэй болгож, одоогийн байдлыг илэрхийлдэг нөхцөл.

• 딸 (нэр үг) : 부모가 낳은 아이 중 여자. 여자인 자식.

охин

эмэгтэй үр хүүхэд.

• 이 : 어떤 상태나 상황의 대상이나 동작의 주체를 나타내는 조사.

Тохирох үг хэллэг байхгүй байна

ямар нэгэн төлөв, байдлын субьект, мөн үйл хөдлөлийн эзэн болохыг илэрхийлэх нөхцөл.

• 머리 (нэр үг) : 사람이나 동물의 몸에서 얼굴과 머리털이 있는 부분을 모두 포함한 목 위의 부분.

толгой, гавал

хүн амьтны биеийн нүүр, үс байх хэсгийг бүхэлд нь багтаасан хүзүүний дээд хэсэг.

• 를 : 동작이 직접적으로 영향을 미치는 대상을 나타내는 조사.

-ыг/-ийг/-г

үйл хөдлөл шууд нөлөөлж буй тусагдахууныг илэрхийлэх нөхцөл.

• 갸우뚱거리다 (үйл үг) : 물체가 자꾸 이쪽저쪽으로 기울어지며 흔들리다. 또는 그렇게 하다.

гилжигэ гилжигэ, далбига далбига

биет дахин дахин нааш цааш хазайн хөдлөх. мөн тийнхүү хөдөлгөх.

• -며 : 두 가지 이상의 동작이나 상태가 함께 일어남을 나타내는 연결 어미.

Тохирох үг хэллэг байхгүй байна

хоёроос дээш үйлдэл буюу байдал хамт бий болох явдлыг илэрхийлдэг холбох нөхцөл.

• 질문 (нэр үг) : 모르는 것이나 알고 싶은 것을 물음.

асуулт

мэдэхгүй зүйл юмуу мэдэхийг хүссэн зүйлээ асуух явдал.

• 을 : 동작이 직접적으로 영향을 미치는 대상을 나타내는 조사.

-ыг/-ийг/-г

үйл хөдлөл шууд нөлөөлж буй тусагдахууныг илэрхийлэх нөхцөл.

• 하다 (үйл үг) : 어떤 행동이나 동작, 활동 등을 행하다.

үйлдэх, хийх, гүйцэтгэх

аливаа үйл хөдлөл, хөдөлгөөн, ажиллагаа зэргийг гүйцэтгэх.

• -였- : 사건이 과거에 일어났음을 나타내는 어미.

   **Тохирох Үг хэллэг байхгҮй байна**

   Үйл явдал өнгөрсөн цагт өрнөснийг илэрхийлдэг төгсгөх нөхцөл.

• -다 : 어떤 사건이나 사실, 상태를 서술함을 나타내는 종결 어미.

   **Тохирох Үг хэллэг байхгҮй байна**

   одоогийн хэрэг явдал буюу Үнэн явлыг хҮҮрнэхийг илэрхийлдэг төгсгөх нөхцөл.

---

> **딸 : 엄마 머리 앞쪽+에 하얀색 머리카락+이 있+어.**

---

• **엄마 (нэр Үг)** : 격식을 갖추지 않아도 되는 상황에서 어머니를 이르거나 부르는 말.

   **ээж**

   ёс жаяг баримтлах шаардлаггҮй тохиолдолд ээжийгээ нэрлэх болон дуудах Үг.

• **머리 (нэр Үг)** : 사람이나 동물의 몸에서 얼굴과 머리털이 있는 부분을 모두 포함한 목 위의 부분.

   **толгой, гавал**

   хҮн амьтны биейийн нҮҮр, Үс байх хэсгийг бҮхэлд нь багтаасан хҮзҮҮний дээд хэсэг.

• **앞쪽 (нэр Үг)** : 앞을 향한 방향.

   **урд зҮг, урд тал**

   урагш чиглэсэн чиглэл.

• **에** : 앞말이 어떤 장소나 자리임을 나타내는 조사.

   **-д/-т**

   өмнөх Үг ямар нэгэн газар буюу байр болохыг илэрхийлж буй нөхцөл.

• **하얀색 (нэр Үг)** : 눈이나 우유의 빛깔과 같이 밝고 선명한 흰색.

   **цагаан өнгө**

   цас ба сҮҮ зэргийн өнгөтэй адил гэгээтэй цайвар өнгө.

• **머리카락 (нэр Үг)** : 머리털 하나하나.

   **Үс**

   Үсний ширхэг нэг бҮр.

• **이** : 어떤 상태나 상황의 대상이나 동작의 주체를 나타내는 조사.

   **Тохирох Үг хэллэг байхгҮй байна**

   ямар нэгэн төлөв, байдлын субьект, мөн Үйл хөдлөлийн эзэн болохыг илэрхийлэх нөхцөл.

• **있다 (тэмдэг нэр)** : 무엇이 어떤 곳에 자리나 공간을 차지하고 존재하는 상태이다.

   **байх**

   ямар нэгэн зҮйл аль нэг газар орон зай эзлэн орших.

• -어 : (두루낮춤으로) 어떤 사실을 서술하거나 물음, 명령, 권유를 나타내는 종결 어미.

**Тохирох Үг хэллэг байхгүй байна**

(хүндэтгэлийн бус энгийн үг хэллэг) ямар нэгэн зүйлийг дүрслэх буюу асуулт, тушаал, зөвлөмж зэргийг илэрхийлдэг төгсгөх нөхцөл.

---

┌─────────────────────────────────────────────────────────────┐
│ **엄마** : 이제 엄마+도 흰머리+가 점점 많이 생기+네. │
└─────────────────────────────────────────────────────────────┘

• **이제 (дайвар үг)** : 지금의 시기가 되어.

**одоо, эдүгээ**

одоогийн цаг үе тохиож.

• **엄마 (нэр үг)** : 격식을 갖추지 않아도 되는 상황에서 어머니를 이르거나 부르는 말.

**ээж**

ёс жаяг баримтлах шаардлаггүй тохиолдолд ээжийгээ нэрлэх болон дуудах үг.

• **도** : 이미 있는 어떤 것에 다른 것을 더하거나 포함함을 나타내는 조사.

**ч**

нэгэнт байгаа зүйл дээр өөр зүйлийг нэмэх буюу хамруулсныг илэрхийлж буй нөхцөл.

• **흰머리 (нэр үг)** : 하얗게 된 머리카락.

**буурал үс**

цагаан болсон үс.

• **가** : 어떤 상태나 상황에 놓인 대상이나 동작의 주체를 나타내는 조사.

**Тохирох үг хэллэг байхгүй байна**

ямар нэгэн төлөв, байдлын субьект, мөн үйл хөдлөлийн эзэн болохыг илэрхийлэх нөхцөл.

• **점점 (дайвар үг)** : 시간이 지남에 따라 정도가 조금씩 더.

**бага багаар**

цаг хугацаа өнгөрөх тусам хэм хэмжээ бага багаар илүү.

• **많이 (дайвар үг)** : 수나 양, 정도 등이 일정한 기준보다 넘게.

**их, олон**

тоо, хэр хэмжээ мэтийн зүйл тодорхой нэг түвшингөөс хэтэрсэн.

• **생기다 (үйл үг)** : 없던 것이 새로 있게 되다.

**үүсэх, бий болох**

байхгүй байсан зүйл шинээр бий болох.

• -네 : (아주낮춤으로) 지금 깨달은 일에 대하여 말함을 나타내는 종결 어미.

**Тохирох Үг хэллэг байхгүй байна**

(огт хүндэтгэлгүй үг хэллэг) одоо ойлгож ухаарсан зүйлийнхээ талаар ярьж байгааг илэрхийлдэг төгсгөх нөхцөл.

---

**딸 : 나+는 흰머리+가 없+는데 엄마+는 왜 흰머리+가 있+어?**

---

• **나 (төлөөний үг)** : 말하는 사람이 친구나 아랫사람에게 자기를 가리키는 말.

**би**

өгүүлэгч этгээд найз буюу өөрөөсөө дүү хүнтэй ярихад өөрийг заасан үг.

• **는** : 어떤 대상이 다른 것과 대조됨을 나타내는 조사.

**бол**

ямар нэг зүйлийг өөр зүйлтэй харьцуулах, шалтгаан заах үг

• **흰머리 (нэр үг)** : 하얗게 된 머리카락.

**буурал үс**

цагаан болсон үс.

• **가** : 어떤 상태나 상황에 놓인 대상이나 동작의 주체를 나타내는 조사.

**Тохирох үг хэллэг байхгүй байна**

ямар нэгэн төлөв, байдлын субьект, мөн үйл хөдлөлийн эзэн болохыг илэрхийлэх нөхцөл.

• **없다 (тэмдэг нэр)** : 사람, 사물, 현상 등이 어떤 곳에 자리나 공간을 차지하고 존재하지 않는 상태이다.

**байхгүй, -гүй, хэн ч байхгүй, юу ч байхгүй, алга байх**

хүн, эд зүйл, үзэгдэл зэрэг ямар нэгэн газар байр суудал юм уу орон зай эзлэн оршдоггүй байдал.

• **-는데** : 뒤의 말을 하기 위하여 그 대상과 관련이 있는 상황을 미리 말함을 나타내는 연결 어미.

**Тохирох үг хэллэг байхгүй байна**

арын агуулгыг ярихын тулд тухайн зүйлтэй холбоотой нөхцөл байдлыг урьдчилан хэлж буйг илэрхийлдэг холбох нөхцөл.

• **엄마 (нэр үг)** : 격식을 갖추지 않아도 되는 상황에서 어머니를 이르거나 부르는 말.

**ээж**

ёс жаяг баримтлах шаардлагагүй тохиолдолд ээжийгээ нэрлэх болон дуудах үг.

• **는** : 어떤 대상이 다른 것과 대조됨을 나타내는 조사.

**бол**

ямар нэг зүйлийг өөр зүйлтэй харьцуулах, шалтгаан заах үг

- 왜 (дайвар Үг) : 무슨 이유로. 또는 어째서.

  **яагаад, ямар учраас**

  ямар шалтгаанаар. мөн яагаад.

- 흰머리 (нэр Үг) : 하얗게 된 머리카락.

  **буурал Үс**

  цагаан болсон Үс.

- 가 : 어떤 상태나 상황에 놓인 대상이나 동작의 주체를 나타내는 조사.

  **Тохирох Үг хэллэг байхгҮй байна**

  ямар нэгэн төлөв, байдлын субьект, мөн Үйл хөдлөлийн эзэн болохыг илэрхийлэх нөхцөл.

- 있다 (тэмдэг нэр) : 무엇이 어떤 곳에 자리나 공간을 차지하고 존재하는 상태이다.

  **байх**

  ямар нэгэн зҮйл аль нэг газар орон зай эзлэн орших.

- -어 : (두루낮춤으로) 어떤 사실을 서술하거나 물음, 명령, 권유를 나타내는 종결 어미.

  **Тохирох Үг хэллэг байхгҮй байна**

  (хҮндэтгэлийн бус энгийн Үг хэллэг) ямар нэгэн зҮйлийг дҮрслэх буюу асуулт, тушаал, зөвлөмж зэргийг илэрхийлдэг төгсгөх нөхцөл.

---

**딸 : 흰머리+가 왜 생기+는지 궁금하+여.**

**궁금해**

---

- 흰머리 (нэр Үг) : 하얗게 된 머리카락.

  **буурал Үс**

  цагаан болсон Үс.

- 가 : 어떤 상태나 상황에 놓인 대상이나 동작의 주체를 나타내는 조사.

  **Тохирох Үг хэллэг байхгҮй байна**

  ямар нэгэн төлөв, байдлын субьект, мөн Үйл хөдлөлийн эзэн болохыг илэрхийлэх нөхцөл.

- 왜 (дайвар Үг) : 무슨 이유로. 또는 어째서.

  **яагаад, ямар учраас**

  ямар шалтгаанаар. мөн яагаад.

- 생기다 (Үйл Үг) : 없던 것이 새로 있게 되다.

  **ҮҮсэх, бий болох**

  байхгҮй байсан зҮйл шинээр бий болох.

• -는지 : 뒤에 오는 말의 내용에 대한 막연한 이유나 판단을 나타내는 연결 어미.

**Тохирох Үг хэллэг байхгүй байна**

хойно орж байгаа агуулгын тодорхой бус учир шалтгаан буюу шийдвэрийг илэрхийлдэг холбох нөхцөл.

• 궁금하다 (тэмдэг нэр) : 무엇이 무척 알고 싶다.

**сониучирхах, сонирхох, мэдэхийг хүсэх**

ямар нэг зүйлийг маш их мэдэхийг хүсэх.

• -여 : (두루낮춤으로) 어떤 사실을 서술하거나 물음, 명령, 권유를 나타내는 종결 어미.

**Тохирох Үг хэллэг байхгүй байна**

(хүндэтгэлийн бус энгийн үг хэллэг) ямар нэгэн зүйлийг дүрслэх буюу асуулт, тушаал, зөвлөмж зэргийг илэрхийлдэг төгсгөх нөхцөл.

---

엄마 : 우리 딸+이 엄마 말+을 안 <u>듣(들)+어서</u> 엄마+가 속+이 상하+거나
들어서

<u>슬프(슬ㅍ)+어지</u>+면 흰머리+가 한 개+씩 생기+더라고.
슬퍼지면

---

• 우리 (төлөөний үг) : 말하는 사람이 자기보다 높지 않은 사람에게 자기와 관련된 것을 친근하게 나타 낼 때 쓰는 말.

**манай**

ярьж байгаа хүн өөрөөсөө дүүмэд хүнд өөртэйгөө холбоотой зүйлийн талаар дотночлон хэлж ярихдаа хэрэглэдэг үг.

• 딸 (нэр үг) : 부모가 낳은 아이 중 여자. 여자인 자식.

**охин**

эмэгтэй үр хүүхэд.

• 이 : 어떤 상태나 상황의 대상이나 동작의 주체를 나타내는 조사.

**Тохирох Үг хэллэг байхгүй байна**

ямар нэгэн төлөв, байдлын субьект, мөн үйл хөдлөлийн эзэн болохыг илэрхийлэх нөхцөл.

• 엄마 (нэр үг) : 격식을 갖추지 않아도 되는 상황에서 어머니를 이르거나 부르는 말.

**ээж**

ёс жаяг баримтлах шаардлаггүй тохиолдолд ээжийгээ нэрлэх болон дуудах үг.

• 말 (нэр үг) : 생각이나 느낌을 표현하고 전달하는 사람의 소리.

**яриа, үг**

бодол санаа, сэтгэлээ илэрхийлэх хүний дуу хоолой.

• 을 : 동작이 직접적으로 영향을 미치는 대상을 나타내는 조사.

**-ыг/-ийг/-г**

Үйл хөдлөл шууд нөлөөлж буй тусагдахууныг илэрхийлэх нөхцөл.

• **안 (дайвар үг)** : 부정이나 반대의 뜻을 나타내는 말.

**эс, үл, үгүй, -гүй**

сөрөг буюу эсрэг утгыг илэрхийлдэг үг.

• **듣다 (үйл үг)** : 다른 사람이 말하는 대로 따르다.

**үгэнд орох, үгийг дагах**

өөр бусад хүний хэлснийг дагах.

• -어서 : 이유나 근거를 나타내는 연결 어미.

**Тохирох үг хэллэг байхгүй байна**

учир шалтгаан буюу үндэслэлийг илэрхийлдэг холбох нөхцөл.

• **엄마 (нэр үг)** : 격식을 갖추지 않아도 되는 상황에서 어머니를 이르거나 부르는 말.

**ээж**

ёс жаяг баримтлах шаардлаггүй тохиолдолд ээжийгээ нэрлэх болон дуудах үг.

• 가 : 어떤 상태나 상황에 놓인 대상이나 동작의 주체를 나타내는 조사.

**Тохирох үг хэллэг байхгүй байна**

ямар нэгэн төлөв, байдлын субьект, мөн үйл хөдлөлийн эзэн болохыг илэрхийлэх нөхцөл.

• **속 (нэр үг)** : 품고 있는 마음이나 생각.

**бодол санаа**

өөрлөж буй бодол санаа.

• 이 : 어떤 상태나 상황의 대상이나 동작의 주체를 나타내는 조사.

**Тохирох үг хэллэг байхгүй байна**

ямар нэгэн төлөв, байдлын субьект, мөн үйл хөдлөлийн эзэн болохыг илэрхийлэх нөхцөл.

• **상하다 (үйл үг)** : 싫은 일을 당하여 기분이 안 좋아지거나 마음이 불편해지다.

**тавгүйтэх, таагүйтэх**

дургүй зүйлтэй тулгарч сэтгэл санаа таагүй болох буюу сэтгэл тавгүй болох.

• -거나 : 앞에 오는 말과 뒤에 오는 말 중에서 하나가 선택될 수 있음을 나타내는 연결 어미.

**юмуу**

өмнөх үг юмуу дараагийн зүйлээс нэгийг нь сонгож болохыг илэрхийлдэг холбох нөхцөл.

- 슬프다 (тэмдэг нэр) : 눈물이 날 만큼 마음이 아프고 괴롭다.
  **уйтгартай, зовлонтой, гунигтай**
  нулимс гармаар сэтгэл өвдөж зовох.

- -어지다 : 앞에 오는 말이 나타내는 대로 행동하게 되거나 그 상태로 됨을 나타내는 표현.
  **Тохирох Үг хэллэг байхгүй байна**
  өмнөх Үгэнд илэрхийлэгдсэний дагуу хийгдэх буюу тийм байдалтай болохыг
  илэрхийлдэг Үг хэллэг.

- -면 : 뒤에 오는 말에 대한 근거나 조건이 됨을 나타내는 연결 어미.
  **Тохирох Үг хэллэг байхгүй байна**
  ард ирэх агуулгын талаарх учир шалтгаан буюу болзол болохыг илэрхийлдэг холбох
  нөхцөл.

- 흰머리 (нэр Үг) : 하얗게 된 머리카락.
  **буурал Үс**
  цагаан болсон Үс.

- 가 : 어떤 상태나 상황에 놓인 대상이나 동작의 주체를 나타내는 조사.
  **Тохирох Үг хэллэг байхгүй байна**
  ямар нэгэн төлөв, байдлын субьект, мөн Үйл хөдлөлийн эзэн болохыг илэрхийлэх
  нөхцөл.

- 한 (тодотгол Үг) : 하나의.
  **нэг**
  нэгэн.

- 개 (нэр Үг) : 낱으로 떨어진 물건을 세는 단위.
  **ширхэг**
  дангаар тусдаа байгаа зүйлийг тоолох нэгж.

- 씩 : '그 수량이나 크기로 나뉨'의 뜻을 더하는 접미사.
  **'А' 'А'-аар, 'А' 'А'-аараа**
  'тухайн тоо хэмжээгээр хуваагдах' хэмээх утга нэмдэг дагавар.

- 생기다 (Үйл Үг) : 없던 것이 새로 있게 되다.
  **ҮҮсэх, бий болох**
  байхгүй байсан зүйл шинээр бий болох.

- -더라고 : (두루낮춤으로) 과거에 경험하여 새로 알게 된 사실에 대해 지금 상대방에게 옮겨 전할 때 쓰
  는 표현.
  **Тохирох Үг хэллэг байхгүй байна**
  (хҮндэтгэлийн бус энгийн Үг хэллэг) өмнө нь биеэр Үзэж шинээр мэдсэн зүйлийн
  талаар одоо эсрэг талдаа дамжуулахад хэрэглэдэг илэрхийлэл.

> 엄마 : 그러니까 앞+으로 엄마+가 하+는 말 잘 <u>듣(들)</u>+[어야 되]+어.
> **들어야 돼**

- 그러니까 (дайвар Үг) : 그런 이유로. 또는 그런 까닭에.
  **тийм учраас**
  тийм шалтгаанаар, мөн тийм шалтгаантай.

- 앞 (нэр Үг) : 다가올 시간.
  **өмнөх**
  ойртон ирэх цаг хугацаа.

- 으로 : 시간을 나타내는 조사.
  **-д, орчим**
  цаг хугацааг илэрхийлж буй нөхцөл.

- 엄마 (нэр Үг) : 격식을 갖추지 않아도 되는 상황에서 어머니를 이르거나 부르는 말.
  **ээж**
  ёс жаяг баримтлах шаардлаггүй тохиолдолд ээжийгээ нэрлэх болон дуудах үг.

- 가 : 어떤 상태나 상황에 놓인 대상이나 동작의 주체를 나타내는 조사.
  **Тохирох Үг хэллэг байхгүй байна**
  ямар нэгэн төлөв, байдлын субьект, мөн үйл хөдлөлийн эзэн болохыг илэрхийлэх нөхцөл.

- 하다 (Үйл Үг) : 어떤 행동이나 동작, 활동 등을 행하다.
  **Үйлдэх, хийх, гүйцэтгэх**
  аливаа үйл хөдлөл, хөдөлгөөн, ажиллагаа зэргийг гүйцэтгэх.

- -는 : 앞의 말이 관형어의 기능을 하게 만들고 사건이나 동작이 현재 일어남을 나타내는 어미.
  **Тохирох Үг хэллэг байхгүй байна**
  өмнөх Үгийг тодотгол гишүүний үүрэгтэй болгож, хэрэг явдал буюу үйлдэл нь одоо өрнөж байгааг илэрхийлдэг нөхцөл.

- 말 (нэр Үг) : 생각이나 느낌을 표현하고 전달하는 사람의 소리.
  **яриа, Үг**
  бодол санаа, сэтгэлээ илэрхийлэх хүний дуу хоолой.

- 잘 (дайвар Үг) : 관심을 집중해서 주의 깊게.
  **сайн**
  анхаарлаа төвлөрүүлэн болгоомжтой.

- 듣다 (Үйл Үг) : 다른 사람이 말하는 대로 따르다.

  **Үгэнд орох, Үгийг дагах**

  өөр бусад хүний хэлснийг дагах.

- -어야 되다 : 반드시 그럴 필요나 의무가 있음을 나타내는 표현.

  **Тохирох Үг хэллэг байхгүй байна**

  зайлшгүй тэгэх хэрэгтэй буюу үүрэгтэй болохыг илэрхийлдэг Үг хэллэг.

- -어 : (두루낮춤으로) 어떤 사실을 서술하거나 물음, 명령, 권유를 나타내는 종결 어미.

  **Тохирох Үг хэллэг байхгүй байна**

  (хүндэтгэлийн бус энгийн Үг хэллэг) ямар нэгэн зүйлийг дүрслэх буюу асуулт, тушаал, зөвлөмж зэргийг илэрхийлдэг төгсгөх нөхцөл.

---

| 딸+은 잠시 동안 생각+을 하+다가 엄마+에게 다시 <u>묻(물)+었+다.</u> |
|:---:|
| **물었다** |

---

- 딸 (нэр Үг) : 부모가 낳은 아이 중 여자. 여자인 자식.

  **охин**

  эмэгтэй Үр хүүхэд.

- 은 : 문장 속에서 어떤 대상이 화제임을 나타내는 조사.

  **Тохирох Үг хэллэг байхгүй байна**

  өгүүлбэрт ямар зүйл ярианы сэдэв болж буйг илэрхийлдэг нөхцөл.

- 잠시 (нэр Үг) : 잠깐 동안.

  **хэсэг зуур, түр зуур**

  түр хугацаа.

- 동안 (нэр Үг) : 한때에서 다른 때까지의 시간의 길이.

  **хооронд, турш**

  нэг үеэс нөгөө үе хүртэлх хугацааны урт.

- 생각 (нэр Үг) : 사람이 머리를 써서 판단하거나 인식하는 것.

  **бодол, санаа**

  хүн сэтгэн бодох үйл ажиллагааны явцад дүгнэх ба ойлгох явдал.

- 을 : 동작이 직접적으로 영향을 미치는 대상을 나타내는 조사.

  **-ыг/-ийг/-г**

  Үйл хөдлөл шууд нөлөөлж буй тусагдахууныг илэрхийлэх нөхцөл.

- 하다 (Үйл Үг) : 어떤 행동이나 동작, 활동 등을 행하다.

  **Үйлдэх, хийх, гүйцэтгэх**

  аливаа үйл хөдлөл, хөдөлгөөн, ажиллагаа зэргийг гүйцэтгэх.

• -다가 : 어떤 행동이나 상태 등이 중단되고 다른 행동이나 상태로 바뀜을 나타내는 연결 어미.

**Тохирох Үг хэллэг байхгҮй байна**

ямар нэгэн Үйлдэл буюу байдал зэрэг зогсон, өөр Үйлдэл, байдлаар өөрчлөгдөж байгааг илэрхийлдэг холбох нөхцөл.

• 엄마 (нэр Үг) : 격식을 갖추지 않아도 되는 상황에서 어머니를 이르거나 부르는 말.

**ээж**

ёс жаяг баримтлах шаардлаггҮй тохиолдолд ээжийгээ нэрлэх болон дуудах Үг.

• 에게 : 어떤 행동이 미치는 대상임을 나타내는 조사.

**-д, -т**

ямар нэгэн Үйлдлийн нөлөөг авч буй зҮйлийг илэрхийлдэг нөхцөл.

• 다시 (дайвар Үг) : 같은 말이나 행동을 반복해서 또.

**бас, дахин, дахиад**

ижил Үг ба Үйлдлийг давтан, дахин.

• 묻다 (Үйл Үг) : 대답이나 설명을 요구하며 말하다.

**асуух, шалгаах**

хариулт буюу тайлбар хҮсэн хэлэх.

• -었- : 사건이 과거에 일어났음을 나타내는 어미.

**Тохирох Үг хэллэг байхгҮй байна**

Үйл явдал өнгөрсөн цагт өрнөсний илэрхийлдэг төгсгөх нөхцөл.

• -다 : 어떤 사건이나 사실, 상태를 서술함을 나타내는 종결 어미.

**Тохирох Үг хэллэг байхгҮй байна**

одоогийн хэрэг явдал буюу Үнэн явлыг хҮҮрнэхийг илэрхийлдэг төгсгөх нөхцөл.

---

**딸 : 엄마, 외할머니 머리+는 전부 <u>하얀색+이+ㄴ데</u>?**

**하얀색인데**

---

• 엄마 (нэр Үг) : 격식을 갖추지 않아도 되는 상황에서 어머니를 이르거나 부르는 말.

**ээж**

ёс жаяг баримтлах шаардлаггҮй тохиолдолд ээжийгээ нэрлэх болон дуудах Үг.

• 외할머니 (нэр Үг) : 어머니의 친어머니를 이르거나 부르는 말.

**эмээ, нагац эмээ**

ээжийн төрсөн ээжийг нэрлэх юмуу дуудах Үг.

· 머리 (нэр Үг) : 머리에 난 털.

Үс, толгойн Үс

толгойд ургасан Үс.


· 는 : 문장 속에서 어떤 대상이 화제임을 나타내는 조사.

Тохирох Үг хэллэг байхгҮй байна

өгҮҮлбэрт ярианы сэдэв болж буйг илэрхийлдэг нөхцөл.


· 전부 (дайвар Үг) : 빠짐없이 다.

бҮхий л, бҮгд, нийт

нэгийг ч ҮлдээгээгҮй бҮгд.


· 하얀색 (нэр Үг) : 눈이나 우유의 빛깔과 같이 밝고 선명한 흰색.

цагаан өнгө

цас ба сҮҮ зэргийн өнгөтэй адил гэгээтэй цайвар өнгө.


· 이다 : 주어가 지시하는 대상의 속성이나 부류를 지정하는 뜻을 나타내는 서술격 조사.

Тохирох Үг хэллэг байхгҮй байна

эзэн биеийн зааж буй обьектын шинж чанар, төрөл зҮйлийг тодорхойлох утгыг илэрхийлэх өгҮҮлэхҮҮний тийн ялгалын нөхцөл.


· -ㄴ데 : (두루낮춤으로) 듣는 사람의 반응을 기대하며 어떤 일에 대해 감탄함을 나타내는 종결 어미.

Тохирох Үг хэллэг байхгҮй байна

(хҮндэтгэлийн бус энгийн Үг хэллэг) сонсч буй хҮний хариу Үйлдэлд найдан ямар нэгэн зҮйлийн талаар гайхан биширч байгааг илэрхийлдэг төгсгөх нөхцөл.

# < 14 단원(6Yлэг хичээл) >

제목 : 혹시 그 여자가 이 아이였습니까?

## ● 본문 (эх бичиг)

한 택시 기사가 젊은 여자 손님을 태우게 되었다.

그 여자는 집으로 가는 내내 창백한 얼굴로 멍하니 창밖을 바라보고 있었다.

이윽고 택시는 여자의 집에 도착했다.

여자 : 기사님, 잠시만 기다려 주세요.

　　　 집에 들어가서 택시비 금방 가지고 나올게요.

하지만 한참을 기다려도 여자가 돌아오지 않자 화가 난 택시 기사는 그 집 문을 두드렸고, 잠시 후

안에서 중년의 남자가 나왔다.

택시 기사가 자초지종을 얘기하자 남자는 깜짝 놀라며 안으로 들어갔다가 사진 한 장을 들고 나와

택시 기사한테 물었다.

남자 : 혹시 그 여자가 이 아이였습니까?

택시 기사 : 네, 맞아요.

남자 : 아이고, 오늘이 네 제삿날인 줄 알고 왔구나.

흐느끼는 남자의 모습을 본 택시 기사는 순간 무서웠는지 그냥 도망가 버렸다.

그때 여자가 나오며 하는 말.

여자 : 아빠, 나 잘했지?

남자 : 오냐, 다음부터는 모범택시를 타도록 해라.

# ● 발음 (дуудлага)

한 택시 기사가 젊은 여자 손님을 태우게 되었다.
한 택씨 기사가 절믄 여자 손니믈 태우게 되얻따.
han taeksi gisaga jeolmeun yeoja sonnimeul taeuge doeeotda.

그 여자는 집으로 가는 내내 창백한 얼굴로 멍하니 창밖을 바라보고 있었다.
그 여자는 지브로 가는 내내 창배칸 얼굴로 멍하니 창바끌 바라보고 이썯따.
geu yeojaneun jibeuro ganeun naenae changbaekan eolgullo meonghani changbakkeul barabogo isseotda.

이윽고 택시는 여자의 집에 도착했다.
이윽꼬 택씨는 여자에 지베 도차캗따.
ieukgo taeksineun yeojaui(yeojae) jibe dochakaetda.

**여자 : 기사님, 잠시만 기다려 주세요.**
여자 : 기사님, 잠시만 기다려 주세요.
yeoja : gisanim, jamsiman gidaryeo juseyo.

**집에 들어가서 택시비 금방 가지고 나올게요.**
지베 드러가서 택씨비 금방 가지고 나올께요.
jibe deureogaseo taeksibi geumbang gajigo naolgeyo.

하지만 한참을 기다려도 여자가 돌아오지 않자 화가 난 택시 기사는 그 집 문을 두드렸고, 잠시 후
하지만 한차믈 기다려도 여자가 도라오지 안차 화가 난 택씨 기사는 그 집 무늘 두드렫꼬, 잠시 후
hajiman hanchameul gidaryeodo yeojaga doraoji ancha hwaga nan taeksi gisaneun geu jip muneul dudeuryeotgo, jamsi hu

안에서 중년의 남자가 나왔다.
아네서 중녀네 남자가 나왇따.
aneseo jungnyeonui(jungnyeone) namjaga nawatda.

택시 기사가 자초지종을 얘기하자 남자는 깜짝 놀라며 안으로 들어갔다가 사진 한 장을 들고 나와
택씨 기사가 자초지종을 얘기하자 남자는 깜짝 놀라며 아느로 드러갇따가 사진 한 장을 들고 나와
taeksi gisaga jachojijongeul yaegihaja namjaneun kkamjjak nollamyeo aneuro deureogatdaga sajin han jangeul deulgo nawa

택시 기사한테 물었다.
택씨 기사한테 무럳따.
taeksi gisahante mureotda.

남자 : 혹시 그 여자가 이 아이였습니까?

남자 : 혹씨 그 여자가 이 아이열쓰니까?

namja : hoksi geu yeojaga i aiyeotseumnikka?

택시 기사 : 네, 맞아요.

택씨 기사 : 네, 마자요.

taeksi gisa : ne, majayo.

남자 : 아이고, 오늘이 네 제삿날인 줄 알고 왔구나.

남자 : 아이고, 오느리 네 제산나린 줄 알고 왇꾸나.

namja : aigo, oneuri ne jesannarin jul algo watguna.

흐느끼는 남자의 모습을 본 택시 기사는 순간 무서웠는지 그냥 도망가 버렸다.

흐느끼는 남자에 모스블 본 택씨 기사는 순간 무서원는지 그냥 도망가 버렫따.

heuneukkineun namjaui(namjae) moseubeul bon taeksi gisaneun sungan museowonneunji geunyang domangga beoryeotda.

그때 여자가 나오며 하는 말.

그때 여자가 나오며 하는 말.

geuttae yeojaga naomyeo haneun mal.

여자 : 아빠, 나 잘했지?

여자 : 아빠, 나 잘핻찌?

yeoja : appa, na jalhaetji?

남자 : 오냐, 다음부터는 모범택시를 타도록 해라.

남자 : 오냐, 다음부터는 모범택씨를 타도록 해라.

namja : onya, daeumbuteoneun mobeomtaeksireul tadorok haera.

# ● 어휘 (Yгc) / 문법 (хэлзYй)

한 택시 기사+가 젊+은 여자 손님+을 태우+<u>게 되</u>+었+다.

그 여자+는 집+으로 가+는 내내 창백하+ㄴ 얼굴+로 멍하니 창밖+을 바라보+<u>고 있</u>+었+다.

이윽고 택시+는 여자+의 집+에 도착하+였+다.

**여자 :** 기사+님, 잠시+만 기다리+<u>어 주</u>+세요.

　　　　집+에 들어가+(아)서 택시+비 금방 가지+고 나오+ㄹ게요.

하지만 한참+을 기다리+어도 여자+가 돌아오+<u>지 않</u>+자 화+가 나+ㄴ 택시 기사+는 그 집 문+을

두드리+었+고, 잠시 후 안+에서 중년+의 남자+가 나오+았+다.

택시 기사+가 자초지종+을 얘기하+자 남자+는 깜짝 놀라+며 안+으로 들어가+았+다가 사진 한 장+을

들+고 나오+아 택시 기사+한테 묻(물)+었+다.

**남자 :** 혹시 그 여자+가 이 아이+이+었+습니까?

**택시 기사 :** 네, 맞+아요.

**남자 :** 아이고, 오늘+이 너+의 제삿날+이+ㄴ 줄 알+고 오+았+구나.

흐느끼+는 남자+의 모습+을 보+ㄴ 택시 기사+는 순간 무섭(무서우)+었+는지 그냥 도망가+<u>(아) 버리</u>+었+다.

그때 여자+가 나오+며 하+는 말.

**여자 :** 아빠, 나 잘하+였+지?

**남자 :** 오냐, 다음+부터+는 모범택시+를 타+<u>도록 하</u>+여라.

---

한 택시 기사+가 젊+은 여자 손님+을 태우+[게 되]+었+다.

---

- **한 (тодотгол Үг)** : 여럿 중 하나인 어떤.

  **нэг**

  олон зҮйлийн дундаас ямар нэгэн.

- **택시 (нэр Үг)** : 돈을 받고 손님이 원하는 곳까지 태워 주는 일을 하는 승용차.

  **такси**

  мөнгө авч ҮйлчлҮҮлэгчийг хҮссэн газар нь хҮргэж өгдөг хөнгөн тэрэг.

- **기사 (нэр Үг)** : 직업적으로 자동차나 기계 등을 운전하는 사람.

  **жолооч**

  машин, техник зэргийг жолооддог хҮн.

- **가** : 어떤 상태나 상황에 놓인 대상이나 동작의 주체를 나타내는 조사.

  **Тохирох Үг хэллэг байхгҮй байна**

  ямар нэгэн төлөв, байдлын субьект, мөн Үйл хөдлөлийн эзэн болохыг илэрхийлэх нөхцөл.

- **젊다 (тэмдэг нэр)** : 나이가 한창때에 있다.

  **залуу, идэр**

  нас нь ид өрнөх Үедээ байх.

- **-은** : 앞의 말이 관형어의 기능을 하게 만들고 현재의 상태를 나타내는 어미.

  **Тохирох Үг хэллэг байхгҮй байна**

  өмнөх Үгийг тодотгол гишҮҮний ҮҮрэгтэй болгож одоогийн нөхцөл байдлыг илэрхийлж буй нөхцөл.

- **여자 (нэр Үг)** : 여성으로 태어난 사람.

  **эмэгтэй**

  эм хҮйстэй болж төрсөн хҮн.

- **손님 (нэр Үг)** : 버스나 택시 등과 같은 교통수단을 이용하는 사람.

  **ҮйлчлҮҮлэгч**

  автобус, такси зэрэг тээврийн хэрэгслээр зорчиж буй хҮн.

- **을** : 동작이 직접적으로 영향을 미치는 대상을 나타내는 조사.

  **-ыг/-ийг/-г**

  Үйл хөдлөл шууд нөлөөлж буй тусагдахууныг илэрхийлэх нөхцөл.

- **태우다 (Үйл Үг)** : 차나 배와 같은 탈것이나 짐승의 등에 타게 하다.

  **суулгах**

  машин, усан онгоц зэрэг тээврийн хэрэгсэл, амьтны нуруун дээр суулгах.

• **-게 되다** : 앞의 말이 나타내는 상태나 상황이 됨을 나타내는 표현.

Тохирох Үг хэллэг байхгҮй байна

өмнөх Үгийн илэрхийлж буй нөхцөл байдал ҮҮсэх буюу тийм байдалд хҮрэх явдлыг илэрхийлдэг Үг хэллэг.

• **-었-** : 어떤 사건이 과거에 완료되었거나 그 사건의 결과가 현재까지 지속되는 상황을 나타내는 어미.

Тохирох Үг хэллэг байхгҮй байна

ямар нэгэн хэрэг явдал өнгөрсөн Үед болж өнгөрсөн буюу тухайн Үйлийн Үр дҮн өнөөг хҮртэл Үргэлжилж буй нөхцөл байдлыг илэрхийлдэг нөхцөл.

• **-다** : 어떤 사건이나 사실, 상태를 서술함을 나타내는 종결 어미.

Тохирох Үг хэллэг байхгҮй байна

одоогийн хэрэг явдал буюу Үнэн явлыг хҮҮрнэхийг илэрхийлдэг төгсгөх нөхцөл.

---

그 여자+는 집+으로 가+는 내내 **창백하**+ㄴ 얼굴+로 멍하니 창밖+을 바라보+[고 있]+었+다.
**창백한**

---

• **그 (тодотгол Үг)** : 앞에서 이미 이야기한 대상을 가리킬 때 쓰는 말.

тэр, нөгөө

өмнө нь ярьж дурдсан зҮйлийг заах Үед хэрэглэдэг Үг.

• **여자 (нэр Үг)** : 여성으로 태어난 사람.

эмэгтэй

эм хҮйстэй болж төрсөн хҮн.

• **는** : 문장 속에서 어떤 대상이 화제임을 나타내는 조사.

Тохирох Үг хэллэг байхгҮй байна

өгҮҮлбэрт ярианы сэдэв болж буйг илэрхийлдэг нөхцөл.

• **집 (нэр Үг)** : 사람이나 동물이 추위나 더위 등을 막고 그 속에 들어 살기 위해 지은 건물.

гэр, сууц, ҮҮр

хҮн, амьтан халуун хҮйтнээс хоргодох ба дотор нь амьдрахын тулд барьсан зҮйл.

• **으로** : 움직임의 방향을 나타내는 조사.

-руу/-рҮҮ

хөдөлгөөний зҮг чигийг илэрхийлдэг нөхцөл.

• **가다 (Үйл Үг)** : 한 곳에서 다른 곳으로 장소를 이동하다.

явах, очих

нэг газраас нөгөө газар руу шилжиж хөдлөх явах.

• –는 : 앞의 말이 관형어의 기능을 하게 만들고 사건이나 동작이 현재 일어남을 나타내는 어미.

Тохирох Үг хэллэг байхгүй байна

өмнөх Үгийг тодотгол гишүүний үүрэгтэй болгож, хэрэг явдал буюу үйлдэл нь одоо өрнөж байгааг илэрхийлдэг нөхцөл.

• 내내 (дайвар Үг) : 처음부터 끝까지 계속해서.

турш, тувт, -жин, байнга

эхнээсээ эцэс хүртэл үргэлжлэн.

• 창백하다 (тэмдэг нэр) : 얼굴이나 피부가 푸른빛이 돌 만큼 핏기 없이 하얗다.

цонхигор, хувхай цагаан

нүүр царай болон арьс судасны ором ч үгүй цагаан байх.

• –ㄴ : 앞의 말이 관형어의 기능을 하게 만들고 현재의 상태를 나타내는 어미.

Тохирох Үг хэллэг байхгүй байна

өмнөх үгийг тодотгол гишүүний үүрэгтэй болгож, одоогийн байдлыг илэрхийлдэг нөхцөл.

• 얼굴 (нэр Үг) : 어떠한 심리 상태가 겉으로 드러난 표정.

төрх, царай

ямар нэг сэтгэлийн хөдөлгөөн илэрч буй төрх байдал.

• 로 : 어떤 일의 방법이나 방식을 나타내는 조사.

-аар (-ээр, -оор, -өөр)

ямар нэгэн үйл хэргийн арга барилыг илэрхийлж буй нөхцөл.

• 멍하니 (дайвар Үг) : 정신이 나간 것처럼 가만히.

гөлрөн, алмайран

ухаан санаагаа алдсан мэт хөдлөхгүй байх.

• 창밖 (нэр Үг) : 창문의 밖.

цонхны цаана, цонхны гадна

цонхны гадна тал.

• 을 : 동작이 직접적으로 영향을 미치는 대상을 나타내는 조사.

-ыг/-ийг/-г

үйл хөдлөл шууд нөлөөлж буй тусагдахууныг илэрхийлэх нөхцөл.

• 바라보다 (Үйл Үг) : 바로 향해 보다.

ажих, ширтэх, хараа тавих, нүд тавих

шууд чиглэн харах.

• –고 있다 : 앞의 말이 나타내는 행동이 계속 진행됨을 나타내는 표현.

Тохирох Үг хэллэг байхгүй байна

өмнөх үгийн илэрхийлж буй үйлдэл үргэлжилж буйг илэрхийлдэг үг хэллэг.

- -었- : 어떤 사건이 과거에 완료되었거나 그 사건의 결과가 현재까지 지속되는 상황을 나타내는 어미.

  **Тохирох үг хэллэг байхгүй байна**

  ямар нэгэн хэрэг явдал өнгөрсөн үед болж өнгөрсөн буюу тухайн үйлийн үр дүн өнөөг хүртэл үргэлжилж буй нөхцөл байдлыг илэрхийлдэг нөхцөл.

- -다 : 어떤 사건이나 사실, 상태를 서술함을 나타내는 종결 어미.

  **Тохирох үг хэллэг байхгүй байна**

  одоогийн хэрэг явдал буюу үнэн явлыг хүүрнэхийг илэрхийлдэг төгсгөх нөхцөл.

---

> 이윽고 택시+는 여자+의 집+에 <u>도착하+였+다</u>.
> **도착했다**

---

- **이윽고 (дайвар үг)** : 시간이 얼마쯤 흐른 뒤에 드디어.

  **удаж байтал, нэлээн удаж байгаад**

  хэсэг цаг хугацааны дараа эцэст нь.

- **택시 (нэр үг)** : 돈을 받고 손님이 원하는 곳까지 태워 주는 일을 하는 승용차.

  **такси**

  мөнгө авч үйлчлүүлэгчийг хүссэн газар нь хүргэж өгдөг хөнгөн тэрэг.

- **는** : 문장 속에서 어떤 대상이 화제임을 나타내는 조사.

  **Тохирох үг хэллэг байхгүй байна**

  өгүүлбэрт ярианы сэдэв болж буйг илэрхийлдэг нөхцөл.

- **여자 (нэр үг)** : 여성으로 태어난 사람.

  **эмэгтэй**

  эм хүйстэй болж төрсөн хүн.

- **의** : 앞의 말이 뒤의 말에 대하여 소유, 소속, 소재, 관계, 기원, 주체의 관계를 가짐을 나타내는 조사.

  **-н/-ийн/-ын/-ий/-ы**

  өмнөх үг хойдох үгтэй эзэмшил, харьяа, хэрэглэгдэхүүн, сэдвийн хамааралтай болохыг илэрхийлсэн нөхцөл.

- **집 (нэр үг)** : 사람이나 동물이 추위나 더위 등을 막고 그 속에 들어 살기 위해 지은 건물.

  **гэр, сууц, үүр**

  хүн, амьтан халуун хүйтнээс хоргодох ба дотор нь амьдрахын тулд барьсан зүйл.

- **에** : 앞말이 목적지이거나 어떤 행위의 진행 방향임을 나타내는 조사.

  **-руу/-рүү, -луу/-лүү**

  өмнөх үг зорьсон газар буюу ямар нэгэн үйлийн чиглэлийг зааж байгаа болохыг илэрхийлж буй нөхцөл.

- 262 -

• 도착하다 (Үйл Үг) : 목적지에 다다르다.

  xҮрэх

  зорьсон газраа очих.


• -였- : 어떤 사건이 과거에 완료되었거나 그 사건의 결과가 현재까지 지속되는 상황을 나타내는 어미.

  Тохирох Үг хэллэг байхгҮй байна

  ямар нэгэн хэрэг явдал өнгөрсөн Үед болж өнгөрсөн буюу тухайн Үйлийн Үр дҮн
  өнөөг хҮртэл Үргэлжилж буй нөхцөл байдлыг илэрхийлдэг нөхцөл.


• -다 : 어떤 사건이나 사실, 상태를 서술함을 나타내는 종결 어미.

  Тохирох Үг хэллэг байхгҮй байна

  одоогийн хэрэг явдал буюу Үнэн явлыг хҮҮрнэхийг илэрхийлдэг төгсгөх нөхцөл.


┌─────────────────────────────────────────────────────────┐
│ 여자 : 기사+님, 잠시+만 기다리+[어 주]+세요.              │
│                기다려 주세요                             │
└─────────────────────────────────────────────────────────┘


• 기사 (нэр Үг) : 직업적으로 자동차나 기계 등을 운전하는 사람.

  жолооч

  машин, техник зэргийг жолооддог хҮн.


• 님 : '높임'의 뜻을 더하는 접미사.

  Тохирох Үг хэллэг байхгҮй байна

  'хҮндэтгэх' хэмээх утга нэмдэг дагавар.


• 잠시 (дайвар Үг) : 잠깐 동안에.

  тҮр зуур, хэсэгхэн хугацаа

  богино хугацааны турш.


• 만 : 무엇을 강조하는 뜻을 나타내는 조사.

  л

  ямар нэгэн зҮйлийг чухалчилсан утгыг илэрхийлж буй нөхцөл.


• 기다리다 (Үйл Үг) : 사람, 때가 오거나 어떤 일이 이루어질 때까지 시간을 보내다.

  xҮлээх

  xҮн ирэх цаг Үе болох юмуу ямар нэг зҮйл бий болох хҮртэлх цаг хугацааг
  өнгөрҮҮлэх.


• -어 주다 : 남을 위해 앞의 말이 나타내는 행동을 함을 나타내는 표현.

  Тохирох Үг хэллэг байхгҮй байна

  бусдад зориулж өмнөх Үгийн илэрхийлж буй Үйлдлийг хийх явдлыг илэрхийлдэг Үг
  хэллэг.

- -세요 : (두루높임으로) 설명, 의문, 명령, 요청의 뜻을 나타내는 종결 어미.
  **Тохирох үг хэллэг байхгүй байна**
  (хүндэтгэлийн энгийн үг хэллэг) тайлбар, асуулт, тушаал, хүсэлтийн утгыг
  илэрхийлдэг төгсгөх нөхцөл.

---

> **여자 : 집+에 들어가+(아)서 택시+비 금방 가지+고 나오+ㄹ게요.**
> **　　　　　 들어가서　　　　　　　　　 나올게요**

---

- **집 (нэр үг)** : 사람이나 동물이 추위나 더위 등을 막고 그 속에 들어 살기 위해 지은 건물.
  **гэр, сууц, үүр**
  хүн, амьтан халуун хүйтнээс хоргодох ба дотор нь амьдрахын тулд барьсан зүйл.

- **에** : 앞말이 목적지이거나 어떤 행위의 진행 방향임을 나타내는 조사.
  **-руу/-рүү, -луу/-лүү**
  өмнөх үг зорьсон газар буюу ямар нэгэн үйлийн чиглэлийг зааж байгаа болохыг
  илэрхийлж буй нөхцөл.

- **들어가다 (үйл үг)** : 밖에서 안으로 향하여 가다.
  **явж орох, дотогш орох**
  гаднаас дотогшоо орох.

- **-아서** : 앞의 말과 뒤의 말이 순차적으로 일어남을 나타내는 연결 어미.
  **Тохирох үг хэллэг байхгүй байна**
  өмнөх үг ба ардах үг ээлж дараагаар бий болох явдлыг илэрхийлдэг холбох нөхцөл.

- **택시 (нэр үг)** : 돈을 받고 손님이 원하는 곳까지 태워 주는 일을 하는 승용차.
  **такси**
  мөнгө авч үйлчлүүлэгчийг хүссэн газар нь хүргэж өгдөг хөнгөн тэрэг.

- **비** : '비용', '돈'의 뜻을 더하는 접미사.
  **Тохирох үг хэллэг байхгүй байна**
  'зардал', 'мөнгө' хэмээх утга нэмдэг дагавар.

- **금방 (дайвар үг)** : 시간이 얼마 지나지 않아 곧바로.
  **одоохон, даруйхан**
  нэг их хугацаа өнгөрөөгүй байхад даруй.

- **가지다 (үйл үг)** : 무엇을 손에 쥐거나 몸에 지니다.
  **гартаа байлгах**
  ямар нэг зүйлийг гартаа атгах буюу биедээ авч явах.

- -고 : 앞의 말과 뒤의 말이 차례대로 일어남을 나타내는 연결 어미.

  Тохирох Үг хэллэг байхгҮй байна

  өмнөх Үйл ба арын Үйл дэс дарааллын дагуу өрнөж байгааг илтгэдэг холбох нөхцөл.

- 나오다 (Үйл Үг) : 안에서 밖으로 오다.

  гарах, гарч ирэх

  дотроос гадагш гарч ирэх.

- -ㄹ게요 : (두루높임으로) 말하는 사람이 어떤 행동을 할 것을 듣는 사람에게 약속하거나 의지를 나타내는 표현.

  Тохирох Үг хэллэг байхгҮй байна

  (хҮндэтгэлийн энгийн Үг хэллэг) өгҮҮлэгч ямар нэгэн Үйл хийхээ сонсч буй хҮндээ амлах буюу мэдэгдэж байгаагаа илэрхийлнэ.

---

| 하지만 한참+을 <u>기다리</u>+어도 여자+가 돌아오+[지 않]+자 화+가 <u>나</u>+ㄴ 택시 기사+는 그 집 문+을 |
| **기다려도**  **난** |
| <u>두드리</u>+었+고, 잠시 후 안+에서 중년+의 남자+가 <u>나오</u>+았+다. |
| **두드렸고**  **나왔다** |

---

- 하지만 (дайвар Үг) : 내용이 서로 반대인 두 개의 문장을 이어 줄 때 쓰는 말.

  гэвч, харин

  агуулга нь эсрэг хоёр өгҮҮлбэрийг холбоход хэрэглэдэг Үг.

- 한참 (нэр Үг) : 시간이 꽤 지나는 동안.

  нэлээд удаан хугацаа

  цаг хугацаа нэлээд өнгөрөх хооронд.

- 을 : 동작 대상의 수량이나 동작의 순서를 나타내는 조사.

  турш, -ыг/-ийг

  Үйл хөдлөлийн тусагдахуун болж буй зҮйлийн тоо хэмжээ, Үйлийн дэс дарааг илэрхийлэх нөхцөл.

- 기다리다 (Үйл Үг) : 사람, 때가 오거나 어떤 일이 이루어질 때까지 시간을 보내다.

  хҮлээх

  хҮн ирэх цаг Үе болох юмуу ямар нэг зҮйл бий болох хҮртэлх цаг хугацааг өнгөрҮҮлэх.

- -어도 : 앞에 오는 말을 가정하거나 인정하지만 뒤에 오는 말에는 관계가 없거나 영향을 끼치지 않음을 나타내는 연결 어미.

  Тохирох Үг хэллэг байхгҮй байна

  өмнөх агуулгыг тооцоолох буюу хҮлээн зөвшөөрч байгаа ч ардах агуулгад нь хамааралгҮй буюу нөлөө ҮзҮҮлэхгҮй болохыг илэрхийлдэг холбох нөхцөл.

- **여자 (нэр Үг)** : 여성으로 태어난 사람.

  **эмэгтэй**

  эм хҮйстэй болж төрсөн хҮн.


- **가** : 어떤 상태나 상황에 놓인 대상이나 동작의 주체를 나타내는 조사.

  **Тохирох Үг хэллэг байхгҮй байна**

  ямар нэгэн төлөв, байдлын субьект, мөн Үйл хөдлөлийн эзэн болохыг илэрхийлэх нөхцөл.


- **돌아오다 (Үйл Үг)** : 원래 있던 곳으로 다시 오거나 다시 그 상태가 되다.

  **буцаж ирэх, хэвэндээ орох**

  ямар нэг зҮйл хуучин байсан газартаа дахин ирэх юмуу хуучин байдалдаа эргэж орох.


- **-지 않다** : 앞의 말이 나타내는 행위나 상태를 부정하는 뜻을 나타내는 표현.

  **Тохирох Үг хэллэг байхгҮй байна**

  өмнөх Үгийн илэрхийлж буй Үйлдэл буюу байдлыг ҮгҮйсгэх утгыг илэрхийлдэг Үг хэллэг.


- **-자** : 앞에 오는 말이 뒤에 오는 말의 원인이나 동기가 됨을 나타내는 연결 어미.

  **Тохирох Үг хэллэг байхгҮй байна**

  өмнөх агуулга хойдох агуулгын учир шалтгаан болохыг илэрхийлж буй холбох нөхцөл.


- **화 (нэр Үг)** : 몹시 못마땅하거나 노여워하는 감정.

  **уур, хилэн**

  ихэд бачимдах юмуу цухалдан уурлах сэтгэлийн хөдөлгөөн.


- **가** : 어떤 상태나 상황에 놓인 대상이나 동작의 주체를 나타내는 조사.

  **Тохирох Үг хэллэг байхгҮй байна**

  ямар нэгэн төлөв, байдлын субьект, мөн Үйл хөдлөлийн эзэн болохыг илэрхийлэх нөхцөл.


- **나다 (Үйл Үг)** : 어떤 감정이나 느낌이 생기다.

  **төрөх, хҮрэх**

  ямар нэг сэтгэл хөдлөл мэдрэмж бий болох.


- **-ㄴ** : 앞의 말이 관형어의 기능을 하게 만들고 사건이나 동작이 완료되어 그 상태가 유지되고 있음을 나타내는 어미.

  **Тохирох Үг хэллэг байхгҮй байна**

  өмнөх Үгийг тодотгол гишҮҮний ҮҮрэгтэй болгож, хэрэг явдал буюу Үйлдэл нь бҮрэн төгс болсон, тухайн байдал Үргэлжилж буйг илэрхийлдэг нөхцөл.


- **택시 (нэр Үг)** : 돈을 받고 손님이 원하는 곳까지 태워 주는 일을 하는 승용차.

  **такси**

  мөнгө авч ҮйлчлҮҮлэгчийг хҮссэн газар нь хҮргэж өгдөг хөнгөн тэрэг.

- **기사 (нэр Үг)** : 직업적으로 자동차나 기계 등을 운전하는 사람.

  **жолооч**

  машин, техник зэргийг жолооддог хүн.

- **는** : 문장 속에서 어떤 대상이 화제임을 나타내는 조사.

  **Тохирох Үг хэллэг байхгүй байна**

  өгүүлбэрт ярианы сэдэв болж буйг илэрхийлдэг нөхцөл.

- **그 (тодотгол Үг)** : 앞에서 이미 이야기한 대상을 가리킬 때 쓰는 말.

  **тэр, нөгөө**

  өмнө нь ярьж дурдсан зүйлийг заах үед хэрэглэдэг үг.

- **집 (нэр Үг)** : 사람이나 동물이 추위나 더위 등을 막고 그 속에 들어 살기 위해 지은 건물.

  **гэр, сууц, үүр**

  хүн, амьтан халуун хүйтнээс хоргодох ба дотор нь амьдрахын тулд барьсан зүйл.

- **문 (нэр Үг)** : 사람이 안과 밖을 드나들거나 물건을 넣고 꺼낼 수 있게 하기 위해 열고 닫을 수 있도록 만든 시설.

  **үүд, хаалга**

  хүн орж гарах болон эд зүйлийг оруулж гаргахын тулд нээж, хааж болохоор хийсэн зүйл.

- **을** : 동작이 직접적으로 영향을 미치는 대상을 나타내는 조사.

  **-ыг/-ийг/-г**

  үйл хөдлөл шууд нөлөөлж буй тусагдахууныг илэрхийлэх нөхцөл.

- **두드리다 (Үйл Үг)** : 소리가 나도록 잇따라 치거나 때리다.

  **цохих, балбах, нүдэх**

  чимээ гартал үргэлжлүүлэн цохих.

- **-었-** : 어떤 사건이 과거에 완료되었거나 그 사건의 결과가 현재까지 지속되는 상황을 나타내는 어미.

  **Тохирох Үг хэллэг байхгүй байна**

  ямар нэгэн хэрэг явдал өнгөрсөн үед болж өнгөрсөн буюу тухайн үйлийн үр дүн өнөөг хүртэл үргэлжилж буй нөхцөл байдлыг илэрхийлдэг нөхцөл.

- **-고** : 앞의 말과 뒤의 말이 차례대로 일어남을 나타내는 연결 어미.

  **Тохирох Үг хэллэг байхгүй байна**

  өмнөх үйл ба арын үйл дэс дарааллын дагуу өрнөж байгааг илтгэдэг холбох нөхцөл.

- **잠시 (нэр Үг)** : 잠깐 동안.

  **хэсэг зуур, түр зуур**

  түр хугацаа.

- **후 (нэр үг)** : 얼마만큼 시간이 지나간 다음.

  дараа, хойно

  нэлээд цаг хугацаа өнгөрсний дараа.


- **안 (нэр үг)** : 어떤 물체나 공간의 둘레에서 가운데로 향한 쪽. 또는 그러한 부분.

  дотор

  ямар нэгэн биет буюу орон зайн зах хүрээнээс гол руу нь чиглэсэн тал. мөн тийм хэсэг.


- **에서** : 앞말이 출발점의 뜻을 나타내는 조사.

  -аас(-ээс, -оос, -өөс)

  өмнөх үг нь эхлэх цэг хэмээх утга илэрхийлдэг нөхцөл.


- **중년 (нэр үг)** : 마흔 살 전후의 나이. 또는 그 나이의 사람.

  идэр нас

  40 орчим нас. мөн тухайн насны хүн.


- **의** : 앞의 말이 뒤의 말에 대하여 속성이나 수량을 한정하거나 같은 자격임을 나타내는 조사.

  -н/-ийн/-ын/-ий/-ы

  өмнөх үг хойдох үгийн шинж чанар, тоо хэмжээг зааглаж байгааг илэрхийлдэг нөхцөл.


- **남자 (нэр үг)** : 남성으로 태어난 사람.

  эрэгтэй, эр, эр хүн

  эр хүйстэй төрсөн хүн.


- **가** : 어떤 상태나 상황에 놓인 대상이나 동작의 주체를 나타내는 조사.

  **Тохирох үг хэллэг байхгүй байна**

  ямар нэгэн төлөв, байдлын субьект, мөн үйл хөдлөлийн эзэн болохыг илэрхийлэх нөхцөл.


- **나오다 (үйл үг)** : 안에서 밖으로 오다.

  гарах, гарч ирэх

  дотроос гадагш гарч ирэх.


- **-았-** : 어떤 사건이 과거에 완료되었거나 그 사건의 결과가 현재까지 지속되는 상황을 나타내는 어미.

  **Тохирох үг хэллэг байхгүй байна**

  ямар нэгэн хэрэг явдал өнгөрсөн үед болж өнгөрсөн буюу тухайн үйлийн үр дүн өнөөг хүртэл үргэлжилж буй нөхцөл байдлыг илэрхийлдэг нөхцөл.


- **-다** : 어떤 사건이나 사실, 상태를 서술함을 나타내는 종결 어미.

  **Тохирох үг хэллэг байхгүй байна**

  одоогийн хэрэг явдал буюу үнэн явлыг хүүрнэхийг илэрхийлдэг төгсгөх нөхцөл.

---

택시 기사+가 자초지종+을 얘기하+자 남자+는 깜짝 놀라+며 안+으로 <u>들어가+았+다가</u> 사진 한 장+을
들어갔다가

들+고 <u>나오+아</u> 택시 기사+한테 <u>묻(물)+었+다</u>.
나와              물었다

---

• **택시 (нэр Үг)** : 돈을 받고 손님이 원하는 곳까지 태워 주는 일을 하는 승용차.
**такси**
мөнгө авч Үйлчлүүлэгчийг хүссэн газар нь хүргэж өгдөг хөнгөн тэрэг.

• **기사 (нэр Үг)** : 직업적으로 자동차나 기계 등을 운전하는 사람.
**жолооч**
машин, техник зэргийг жолооддог хүн.

• **가** : 어떤 상태나 상황에 놓인 대상이나 동작의 주체를 나타내는 조사.
**Тохирох Үг хэллэг байхгүй байна**
ямар нэгэн төлөв, байдлын субьект, мөн Үйл хөдлөлийн эзэн болохыг илэрхийлэх нөхцөл.

• **자초지종 (нэр Үг)** : 처음부터 끝까지의 모든 과정.
**эхнээс нь дуустал нь**
эхнээс нь дуустал бүх явц.

• **을** : 동작이 직접적으로 영향을 미치는 대상을 나타내는 조사.
**-ыг/-ийг/-г**
Үйл хөдлөл шууд нөлөөлж буй тусагдахууныг илэрхийлэх нөхцөл.

• **얘기하다 (Үйл Үг)** : 어떠한 사실이나 상태, 현상, 경험, 생각 등에 관해 누군가에게 말을 하다.
**ярих, хэлэх**
хэн нэгэнд болсон явдал, байдал, Үзэгдэл, Үзсэн харсан, бодож санаж байгаа зҮйлээ хэлж ярих.

• **-자** : 앞에 오는 말이 뒤에 오는 말의 원인이나 동기가 됨을 나타내는 연결 어미.
**Тохирох Үг хэллэг байхгүй байна**
өмнөх агуулга хойдох агуулгын учир шалтгаан болохыг илэрхийлж буй холбох нөхцөл.

• **남자 (нэр Үг)** : 남성으로 태어난 사람.
**эрэгтэй, эр, эр хүн**
эр хүйстэй төрсөн хүн.

• **는** : 문장 속에서 어떤 대상이 화제임을 나타내는 조사.
**Тохирох Үг хэллэг байхгүй байна**
өгүүлбэрт ярианы сэдэв болж буйг илэрхийлдэг нөхцөл.

• **깜짝 (дайвар Үг)** : 갑자기 놀라는 모양.

    гэнэт цочих

    гэнэт цочих байдал.


• **놀라다 (Үйл Үг)** : 뜻밖의 일을 당하거나 무서워서 순간적으로 긴장하거나 가슴이 뛰다.

    айх, цочих

    гэнэтийн явдал тохиолдсонд айж цочин, хоромхон зуур сандран зүрх хурдан цохилох.


• **-며** : 두 가지 이상의 동작이나 상태가 함께 일어남을 나타내는 연결 어미.

    **Тохирох Үг хэллэг байхгүй байна**

    хоёроос дээш Үйлдэл буюу байдал хамт бий болох явдлыг илэрхийлдэг холбох нөхцөл.


• **안 (нэр Үг)** : 어떤 물체나 공간의 둘레에서 가운데로 향한 쪽. 또는 그러한 부분.

    дотор

    ямар нэгэн биет буюу орон зайн зах хүрээнээс гол руу нь чиглэсэн тал. мөн тийм хэсэг.


• **으로** : 움직임의 방향을 나타내는 조사.

    -руу/-рүү

    хөдөлгөөний зүг чигийг илэрхийлдэг нөхцөл.


• **들어가다 (Үйл Үг)** : 밖에서 안으로 향하여 가다.

    явж орох, дотогш орох

    гаднаас дотогшоо орох.


• **-았-** : 어떤 사건이 과거에 완료되었거나 그 사건의 결과가 현재까지 지속되는 상황을 나타내는 어미.

    **Тохирох Үг хэллэг байхгүй байна**

    ямар нэгэн хэрэг явдал өнгөрсөн үед болж өнгөрсөн буюу тухайн үйлийн үр дүн өнөөг хүртэл үргэлжилж буй нөхцөл байдлыг илэрхийлдэг нөхцөл.


• **-다가** : 어떤 행동이나 상태 등이 중단되고 다른 행동이나 상태로 바뀜을 나타내는 연결 어미.

    **Тохирох Үг хэллэг байхгүй байна**

    ямар нэгэн үйлдэл буюу байдал зэрэг зогсон, өөр үйлдэл, байдлаар өөрчлөгдөж байгааг илэрхийлдэг холбох нөхцөл.


• **사진 (нэр Үг)** : 사물의 모습을 오래 보존할 수 있도록 사진기로 찍어 종이나 컴퓨터 등에 나타낸 영상.

    фото зураг

    юм үзэгдлийн байдал төрхийг байгаа чигт нь фото аппаратаар авч цаасан дээр хэвлэх буюу компьютерт хийсэн дүрс.


• **한 (тодотгол Үг)** : 하나의.

    нэг

    нэгэн.

· 장 (нэр Үг) : 종이나 유리와 같이 얇고 넓적한 물건을 세는 단위.

   **хуудас, ширхэг**

   цаас, шил зэрэг нарийн нимгэн зүйлийг тоолох нэгж.

· 을 : 동작이 직접적으로 영향을 미치는 대상을 나타내는 조사.

   **-ыг/-ийг/-г**

   Үйл хөдлөл шууд нөлөөлж буй тусагдахууныг илэрхийлэх нөхцөл.

· 들다 (Үйл Үг) : 손에 가지다.

   **барих, атгах, өргөх**

   гартаа авах.

· -고 : 앞의 말이 나타내는 행동이나 그 결과가 뒤에 오는 행동이 일어나는 동안에 그대로 지속됨을 나
      타내는 연결 어미.

   **Тохирох Үг хэллэг байхгүй байна**

   өмнөх Үгийн илэрхийлж буй Үйлдэл буюу тухайн Үр дүн нь арын Үйлдэл бий болох
   хугацаанд тэр хэвээрээ үргэлжлэх явдлыг илэрхийлдэг холбох нөхцөл.

· 나오다 (Үйл Үг) : 안에서 밖으로 오다.

   **гарах, гарч ирэх**

   дотроос гадагш гарч ирэх.

· -아 : 앞의 말이 뒤의 말보다 먼저 일어났거나 뒤의 말에 대한 방법이나 수단이 됨을 나타내는 연결 어
      미.

   **Тохирох Үг хэллэг байхгүй байна**

   өмнө ирэх Үг ард ирэх Үгээс түрүүлж бий болсон буюу ардах Үгийн талаарх арга
   барил болохыг илэрхийлдэг холбох нөхцөл.

· 택시 (нэр Үг) : 돈을 받고 손님이 원하는 곳까지 태워 주는 일을 하는 승용차.

   **такси**

   мөнгө авч Үйлчлүүлэгчийг хүссэн газар нь хүргэж өгдөг хөнгөн тэрэг.

· 기사 (нэр Үг) : 직업적으로 자동차나 기계 등을 운전하는 사람.

   **жолооч**

   машин, техник зэргийг жолооддог хүн.

· 한테 : 어떤 행동이 미치는 대상임을 나타내는 조사.

   **-д, -т**

   ямар нэгэн Үйл хөдлөл нөлөөлж буй объект болохыг илэрхийлдэг нэрийн нөхцөл.

· 묻다 (Үйл Үг) : 대답이나 설명을 요구하며 말하다.

   **асуух, шалгаах**

   хариулт буюу тайлбар хүссэн хэлэх.

• -었- : 어떤 사건이 과거에 완료되었거나 그 사건의 결과가 현재까지 지속되는 상황을 나타내는 어미.

Тохирох Үг хэллэг байхгүй байна

ямар нэгэн хэрэг явдал өнгөрсөн үед болж өнгөрсөн буюу тухайн үйлийн үр дүн өнөөг хүртэл үргэлжилж буй нөхцөл байдлыг илэрхийлдэг нөхцөл.

• -다 : 어떤 사건이나 사실, 상태를 서술함을 나타내는 종결 어미.

Тохирох Үг хэллэг байхгүй байна

одоогийн хэрэг явдал буюу үнэн явлыг хүүрнэхийг илэрхийлдэг төгсгөх нөхцөл.

---

남자 : 혹시 그 여자+가 이 <u>아이+이+었+습니까</u>?
**아이였습니까**

---

• 혹시 (дайвар Үг) : 그러리라 생각하지만 분명하지 않아 말하기를 망설일 때 쓰는 말.

магадгүй

тийм гэж бодож байгаа боловч тодорхой мэдэхгүй учир ярих үедээ эргэлзэхэд хэрэглэдэг үг.

• 그 (тодотгол Үг) : 앞에서 이미 이야기한 대상을 가리킬 때 쓰는 말.

тэр, нөгөө

өмнө нь ярьж дурдсан зүйлийг заах үед хэрэглэдэг үг.

• 여자 (нэр Үг) : 여성으로 태어난 사람.

эмэгтэй

эм хүйстэй болж төрсөн хүн.

• 가 : 어떤 상태나 상황에 놓인 대상이나 동작의 주체를 나타내는 조사.

Тохирох Үг хэллэг байхгүй байна

ямар нэгэн төлөв, байдлын субьект, мөн үйл хөдлөлийн эзэн болохыг илэрхийлэх нөхцөл.

• 이 (тодотгол Үг) : 말하는 사람에게 가까이 있거나 말하는 사람이 생각하고 있는 대상을 가리킬 때 쓰는 말.

энэ

өгүүлэгч этгээдэд ойр байгаа зүйл ба өгүүлэгч этгээдийн бодож байгаа зүйлийг заасан үг.

• 아이 (нэр Үг) : (낮추는 말로) 자기의 자식.

хүүхэд

(хүндэтгэх бус үг) өөрийн хүүхэд.

• 이다 : 주어가 지시하는 대상의 속성이나 부류를 지정하는 뜻을 나타내는 서술격 조사.

  Тохирох Үг хэллэг байхгүй байна

  эзэн биеийн зааж буй обьектын шинж чанар, төрөл зүйлийг тодорхойлох утгыг илэрхийлэх өгүүлэхүүний тийн ялгалын нөхцөл.

• -었- : 어떤 사건이 과거에 완료되었거나 그 사건의 결과가 현재까지 지속되는 상황을 나타내는 어미.

  Тохирох Үг хэллэг байхгүй байна

  ямар нэгэн хэрэг явдал өнгөрсөн үед болж өнгөрсөн буюу тухайн үйлийн үр дүн өнөөг хүртэл үргэлжилж буй нөхцөл байдлыг илэрхийлдэг нөхцөл.

• -습니까 : (아주높임으로) 말하는 사람이 듣는 사람에게 정중하게 물음을 나타내는 종결 어미.

  Тохирох Үг хэллэг байхгүй байна

  (дээдлэн хүндэтгэх үг хэллэг) өгүүлэгч хүн сонсогч этгээдээс хүндэтгэлтэйгээр асуух явдлыг илэрхийлдэг төгсгөх нөхцөл.

---

**택시 기사 : 네, 맞+아요.**

---

• 네 (аялга үг) : 윗사람의 물음이나 명령 등에 긍정하여 대답할 때 쓰는 말.

  тийм, тиймээ, за, мэдлээ, ойлголоо, тэгье

  ахмад хүний асуулт, хүсэлт даалгавар зэргийг зөвшөөрөн сонсож хариулах үг.

• 맞다 (үйл үг) : 그렇거나 옳다.

  зөв, тийм

  тийм, зөв байх.

• -아요 : (두루높임으로) 어떤 사실을 서술하거나 질문, 명령, 권유함을 나타내는 종결 어미.

  Тохирох үг хэллэг байхгүй байна

  (хүндэтгэлийн энгийн үг хэллэг) ямар нэгэн зүйлийг хүүрнэх, асуух, тушаах, уриалах явдлыг илэрхийлдэг төгсгөх нөхцөл.

---

**남자 : 아이고, 오늘+이 너+의 제삿날+이+[ㄴ 줄] 알+고 오+았+구나!**
        **네      제삿날인 줄        왔구나**

---

• 아이고 (аялга үг) : 절망하거나 매우 속상하여 한숨을 쉬면서 내는 소리.

  чааваас

  цөхөрч ихэд шаналан санаа алдан гаргадаг чимээ.

• 오늘 (нэр үг) : 지금 지나가고 있는 이날.

  өнөөдөр

  одоо өнгөрөн одож буй энэ өдөр.

- 이 : 어떤 상태나 상황에 놓인 대상이나 동작의 주체를 나타내는 조사.

Тохирох Үг хэллэг байхгҮй байна

ямар нэгэн төлөв, байдлын субьект, мөн Үйл хөдлөлийн эзэн болохыг илэрхийлэх нөхцөл.

- 너 (төлөөний Үг) : 듣는 사람이 친구나 아랫사람일 때, 그 사람을 가리키는 말.

чи

сонсогч нь найз буюу дҮҮ байх тохиолдолд, тухайн хҮнийг заадаг Үг.

- 의 : 앞의 말이 뒤의 말에 대하여 소유, 소속, 소재, 관계, 기원, 주체의 관계를 가짐을 나타내는 조사.

-н/-ийн/-ын/-ий/-ы

өмнөх Үг хойдох Үгтэй эзэмшил, харьяа, хэрэглэгдэхҮҮн, сэдвийн хамааралтай болохыг илэрхийлсэн нөхцөл.

- 제삿날 (нэр Үг) : 제사를 지내는 날.

тайлга тахилгын өдөр

тахилга өргөдөг өдөр.

- 이다 : 주어가 지시하는 대상의 속성이나 부류를 지정하는 뜻을 나타내는 서술격 조사.

Тохирох Үг хэллэг байхгҮй байна

эзэн биейийн зааж буй обьектын шинж чанар, төрөл зҮйлийг тодорхойлох утгыг илэрхийлэх өгҮҮлэхҮҮний тийн ялгалын нөхцөл.

- -ㄴ 줄 : 어떤 사실이나 상태에 대해 알고 있거나 모르고 있음을 나타내는 표현.

Тохирох Үг хэллэг байхгҮй байна

ямар нэгэн арга барил буюу бодит Үнэний талаар мэдэж байх буюу мэдэхгҮй байх явдлыг илэрхийлдэг Үг хэллэг.

- 알다 (Үйл Үг) : 교육이나 경험, 생각 등을 통해 사물이나 상황에 대한 정보 또는 지식을 갖추다.

мэдэх

боловсрол, туршлага, бодол зэргээр дамжуулан юмс Үзэгдэл, нөхцөл байдлын талаарх мэдээлэл болон мэдлэгийг олж авах.

- -고 : 앞의 말이 나타내는 행동이나 그 결과가 뒤에 오는 행동이 일어나는 동안에 그대로 지속됨을 나타내는 연결 어미.

Тохирох Үг хэллэг байхгҮй байна

өмнөх Үгийн илэрхийлж буй Үйлдэл буюу тухайн Үр дҮн нь арын Үйлдэл бий болох хугацаанд тэр хэвээрээ Үргэлжлэх явдлыг илэрхийлдэг холбох нөхцөл.

- 오다 (Үйл Үг) : 무엇이 다른 곳에서 이곳으로 움직이다.

ирэх

ямар нэгэн зҮйл нэг газраас наашаа хөдлөх.

- -았- : 어떤 사건이 과거에 완료되었거나 그 사건의 결과가 현재까지 지속되는 상황을 나타내는 어미.
  **Тохирох Үг хэллэг байхгүй байна**
  ямар нэгэн хэрэг явдал өнгөрсөн үед болж өнгөрсөн буюу тухайн үйлийн үр дүн
  өнөөг хүртэл үргэлжилж буй нөхцөл байдлыг илэрхийлдэг нөхцөл.

- -구나 : (아주낮춤으로) 새롭게 알게 된 사실에 어떤 느낌을 실어 말함을 나타내는 종결 어미.
  **Тохирох Үг хэллэг байхгүй байна**
  (огт хүндэтгэлгүй үг хэллэг) шинээр олж мэдсэн зүйлийн талаар ямар нэгэн
  мэдрэмжийг нэмэн хэлэх явдлыг илэрхийлдэг төгсгөх нөхцөл.

---

> 흐느끼+는 남자+의 모습+을 보+ㄴ 택시 기사+는 순간 무섭(무서우)+었+는지 그냥
>                  본                         무서웠는지
>
> 도망가+[(아) 버리]+었+다.
>    **도망가 버렸다**

---

- **흐느끼다 (Үйл Үг)** : 몹시 슬프거나 감격에 겨워 흑흑 소리를 내며 울다.
  **мэгших**
  ихэд уйтгарлах ба сэтгэл хөдлөлд автан ийн ийн чимээ гарган уйлах.

- -는 : 앞의 말이 관형어의 기능을 하게 만들고 사건이나 동작이 현재 일어남을 나타내는 어미.
  **Тохирох Үг хэллэг байхгүй байна**
  өмнөх үгийг тодотгол гишүүний үүрэгтэй болгож, хэрэг явдал буюу үйлдэл нь одоо
  өрнөж байгааг илэрхийлдэг нөхцөл.

- **남자 (нэр Үг)** : 남성으로 태어난 사람.
  **эрэгтэй, эр, эр хүн**
  эр хүйстэй төрсөн хүн.

- 의 : 앞의 말이 뒤의 말에 대하여 소유, 소속, 소재, 관계, 기원, 주체의 관계를 가짐을 나타내는 조사.
  **-н/-ийн/-ын/-ий/-ы**
  өмнөх үг хойдох үгтэй эзэмшил, харьяа, хэрэглэгдэхүүн, сэдвийн хамааралтай
  болохыг илэрхийлсэн нөхцөл.

- **모습 (нэр Үг)** : 겉으로 드러난 상태나 모양.
  **байдал, төрх**
  гадна харагдах байдал, хэлбэр.

- 을 : 동작이 직접적으로 영향을 미치는 대상을 나타내는 조사.
  **-ыг/-ийг/-г**
  үйл хөдлөл шууд нөлөөлж буй тусагдахууныг илэрхийлэх нөхцөл.

• 보다 (Үйл Үг) : 눈으로 대상의 존재나 겉모습을 알다.

**Үзэх, харах**

нҮдээрээ ямар нэг зҮйлийн оршин байгааг нь болон гадаад төрхийг нь харж мэдэх.

• -ㄴ : 앞의 말이 관형어의 기능을 하게 만들고 사건이나 동작이 완료되어 그 상태가 유지되고 있음을 나타내는 어미.

**Тохирох Үг хэллэг байхгҮй байна**

өмнөх Үгийг тодотгол гишҮҮний ҮҮрэгтэй болгож, хэрэг явдал буюу Үйлдэл нь бҮрэн төгс болсон, тухайн байдал Үргэлжилж буйг илэрхийлдэг нөхцөл.

• 택시 (нэр Үг) : 돈을 받고 손님이 원하는 곳까지 태워 주는 일을 하는 승용차.

**такси**

мөнгө авч ҮйлчлҮҮлэгчийг хҮссэн газар нь хҮргэж өгдөг хөнгөн тэрэг.

• 기사 (нэр Үг) : 직업적으로 자동차나 기계 등을 운전하는 사람.

**жолооч**

машин, техник зэргийг жолооддог хҮн.

• 는 : 문장 속에서 어떤 대상이 화제임을 나타내는 조사.

**Тохирох Үг хэллэг байхгҮй байна**

өгҮҮлбэрт ярианы сэдэв болж буйг илэрхийлдэг нөхцөл.

• 순간 (нэр Үг) : 어떤 일이 일어나거나 어떤 행동이 이루어지는 바로 그때.

**хором, мөч**

ямар нэгэн зҮйл өрнөх буюу ямар нэгэн Үйлдэл биелэх тухайн тэр Үе.

• 무섭다 (тэмдэг нэр) : 어떤 사람이나 상황이 대하기 어렵거나 피하고 싶다.

**аймаар, эмээмээр, догшин, хэрцгий**

хэн нэгэн хҮн буюу нөхцөл байдал харьцахад хэцҮҮ байх буюу зайлсхийхийг хҮсэх.

• -었- : 어떤 사건이 과거에 완료되었거나 그 사건의 결과가 현재까지 지속되는 상황을 나타내는 어미.

**Тохирох Үг хэллэг байхгҮй байна**

ямар нэгэн хэрэг явдал өнгөрсөн Үед болж өнгөрсөн буюу тухайн Үйлийн Үр дҮн өнөөг хҮртэл Үргэлжилж буй нөхцөл байдлыг илэрхийлдэг нөхцөл.

• -는지 : 뒤에 오는 말의 내용에 대한 막연한 이유나 판단을 나타내는 연결 어미.

**Тохирох Үг хэллэг байхгҮй байна**

хойно орж байгаа агуулгын тодорхой бус учир шалтгаан буюу шийдвэрийг илэрхийлдэг холбох нөхцөл.

• 그냥 (дайвар Үг) : 아무 것도 하지 않고 있는 그대로.

**байгаа хэвээр нь, тэр хэвээр нь**

юу ч хийхгҮйгээр байгаа хэвээр нь.

· **도망가다 (Үйл Үг)** : 피하거나 쫓기어 달아나다.

  зугтах, зугтаах, оргох, зайлах

  баригдалгҮйгээр зугтах.

· **-아 버리다** : 앞의 말이 나타내는 행동이 완전히 끝났음을 나타내는 표현.

  Тохирох Үг хэллэг байхгҮй байна

  өмнөх Үгийн илэрхийлж буй Үйлдэл бҮр мөсөн дууссан болохыг илэрхийлдэг Үг хэллэг.

· **-었-** : 어떤 사건이 과거에 완료되었거나 그 사건의 결과가 현재까지 지속되는 상황을 나타내는 어미.

  Тохирох Үг хэллэг байхгҮй байна

  ямар нэгэн хэрэг явдал өнгөрсөн Үед болж өнгөрсөн буюу тухайн Үйлийн Үр дҮн өнөөг хҮртэл Үргэлжилж буй нөхцөл байдлыг илэрхийлдэг нөхцөл.

· **-다** : 어떤 사건이나 사실, 상태를 서술함을 나타내는 종결 어미.

  Тохирох Үг хэллэг байхгҮй байна

  одоогийн хэрэг явдал буюу Үнэн явлыг хҮҮрнэхийг илэрхийлдэг төгсгөх нөхцөл.

---

> 그때 여자+가 나오+며 하+는 말.

---

· **그때 (нэр Үг)** : 앞에서 이야기한 어떤 때.

  тэр Үед, тэгэхэд

  өмнө нь ярьсан тэр Үе.

· **여자 (нэр Үг)** : 여성으로 태어난 사람.

  эмэгтэй

  эм хҮйстэй болж төрсөн хҮн.

· **가** : 어떤 상태나 상황에 놓인 대상이나 동작의 주체를 나타내는 조사.

  Тохирох Үг хэллэг байхгҮй байна

  ямар нэгэн төлөв, байдлын субьект, мөн Үйл хөдлөлийн эзэн болохыг илэрхийлэх нөхцөл.

· **나오다 (Үйл Үг)** : 안에서 밖으로 오다.

  гарах, гарч ирэх

  дотроос гадагш гарч ирэх.

· **-며** : 두 가지 이상의 동작이나 상태가 함께 일어남을 나타내는 연결 어미.

  Тохирох Үг хэллэг байхгҮй байна

  хоёроос дээш Үйлдэл буюу байдал хамт бий болох явдлыг илэрхийлдэг холбох нөхцөл.

- **하다 (Үйл Үг)** : 다른 사람의 말이나 생각 등을 나타내는 문장을 받아 뒤에 오는 단어를 꾸미는 말.

  гэх

  бусдын Үг яриа, бодол санаа зэргийг илэрхийлсэн өгҮҮлбэрийн ард орж Үгийг чимдэг Үг.

- **-는** : 앞의 말이 관형어의 기능을 하게 만들고 사건이나 동작이 현재 일어남을 나타내는 어미.

  **Тохирох Үг хэллэг байхгҮй байна**

  өмнөх Үгийг тодотгол гишҮҮний ҮҮрэгтэй болгож, хэрэг явдал буюу Үйлдэл нь одоо өрнөж байгааг илэрхийлдэг нөхцөл.

- **말 (нэр Үг)** : 생각이나 느낌을 표현하고 전달하는 사람의 소리.

  яриа, Үг

  бодол санаа, сэтгэлээ илэрхийлэх хҮний дуу хоолой.

---

**여자 : 아빠, 나 잘하+였+지?**
**잘했지**

---

- **아빠 (нэр Үг)** : 격식을 갖추지 않아도 되는 상황에서 아버지를 이르거나 부르는 말.

  аав

  ёс жаяг баримтлах шаардлаггҮй нөхцөлд аавыгаа нэрлэх болон дуудах Үг.

- **나 (төлөөний Үг)** : 말하는 사람이 친구나 아랫사람에게 자기를 가리키는 말.

  би

  өгҮҮлэгч этгээд найз буюу өөрөөсөө дҮҮ хҮнтэй ярихад өөрийг заасан Үг.

- **잘하다 (Үйл Үг)** : 좋고 훌륭하게 하다.

  **сайн хийх, гарамгай хийх**

  сайн, гарамгай хийх.

- **-였-** : 어떤 사건이 과거에 완료되었거나 그 사건의 결과가 현재까지 지속되는 상황을 나타내는 어미.

  **Тохирох Үг хэллэг байхгҮй байна**

  ямар нэгэн хэрэг явдал өнгөрсөн Үед болж өнгөрсөн буюу тухайн Үйлийн Үр дҮн өнөөг хҮртэл Үргэлжилж буй нөхцөл байдлыг илэрхийлдэг нөхцөл.

- **-지** : (두루낮춤으로) 말하는 사람이 듣는 사람에게 친근함을 나타내며 물을 때 쓰는 종결 어미.

  **Тохирох Үг хэллэг байхгҮй байна**

  (хҮндэтгэлийн бус энгийн Үг хэллэг) өгҮҮлэгч сонсч буй хҮнд дотноор хандан асуухад хэрэглэдэг төгсгөх нөхцөл.

> 남자 : 오냐, 다음+부터+는 모범택시+를 <u>타</u>+[<u>도록 하</u>]+<u>여라</u>.
> ## 타도록 해라

• **오냐 (아얄가 Үг)** : 아랫사람의 물음이나 부탁에 긍정하여 대답할 때 하는 말.

**за, тэгэлгүй яахав**

дүүмэд хүний асуулт болон гуйлт хүсэлтэнд уриалгахан хариулдаг Үг.

• **다음 (нэр Үг)** : 이번 차례의 바로 뒤.

**дараагийн, дараачийн, дараах**

ямар нэгэн дэс дараалалын яг ардах.

• **부터** : 어떤 일의 시작이나 처음을 나타내는 조사.

**-аас, -ээс, -оос, -өөс**

ямар нэгэн ажлын эхлэлийг илэрхийлдэг нэрийн нөхцөл.

• **는** : 문장 속에서 어떤 대상이 화제임을 나타내는 조사.

**Тохирох Үг хэллэг байхгүй байна**

өгүүлбэрт ярианы сэдэв болж буйг илэрхийлдэг нөхцөл.

• **모범택시 (нэр Үг)** : 일반 택시보다 시설이 좋고 더 나은 서비스를 제공하며 요금이 비싼 택시.

**люкс такси**

энгийн таксинаас илүү сайн тоноглогдсон, илүү сайн үйлчилгээгээр хангадаг, өндөр төлбөртэй такси.

• **를** : 동작이 직접적으로 영향을 미치는 대상을 나타내는 조사.

**-ыг/-ийг/-г**

Үйл хөдлөл шууд нөлөөлж буй тусагдахууныг илэрхийлэх нөхцөл.

• **타다 (Үйл Үг)** : 탈것이나 탈것으로 이용하는 짐승의 몸 위에 오르다

**унах, суух**

тээврийн хэрэгсэлд сууж явах, мал амьтны нуруунд мордож явах.

• **-도록 하다** : 듣는 사람에게 어떤 행동을 명령하거나 권유할 때 쓰는 표현.

**-уулах/-үүлэх**

сонсогч этгээдэд ямар нэгэн үйлийг тушаах буюу уриалахад хэрэглэдэг илэрхийлэл.

• **-여라** : (아주낮춤으로) 명령을 나타내는 종결 어미.

**Тохирох Үг хэллэг байхгүй байна**

(огт хүндэтгэлгүй Үг хэллэг) тушаалыг илэрхийлдэг төгсгөх нөхцөл.

# < 15 단원(бүлэг хичээл)  >

제목 : 왜 아무런 응답이 없으신가요?

## ● 본문 (эх бичиг)

한 남자가 퇴근한 후에 매일 교회에 가서 눈물을 흘리며 기도를 했다.

**남자** : 하나님, 복권에 당첨되게 해 주세요.

　　　하나님, 제발 복권에 한 번만 당첨되게 해 주세요.

그렇게 기도한 지 육 개월이 되었지만 남자의 소원은 이뤄지지 않았다.

남자는 너무나 지쳐서 하나님이 원망스러워지기 시작했다.

**남자** : 이렇게까지 기도하는데 못 들은 척하시는 무심한 하나님, 정말 너무하세요.

　　　제가 매일 밤 애원하며 기도했는데 왜 아무런 응답이 없으신가요?

그러자 보다 못해 답답한 하나님께서 남자에게 이렇게 말씀하셨다.

**하나님** : 일단 복권을 사란 말이야.

# ● 발음 (дуудлага)

한 남자가 퇴근한 후에 매일 교회에 가서 눈물을 흘리며 기도를 했다.
한 남자가 퇴근한 후에 매일 교회에 가서 눈무를 흘리며 기도를 핻따.
han namjaga toegeunhan hue maeil gyohoee gaseo nunmureul heullimyeo gidoreul haetda.

남자 : 하나님, 복권에 당첨되게 해 주세요.
남자 : 하나님, 복꿔네 당첨되게 해 주세요.
namja : hananim, bokgwone dangcheomdoege hae juseyo.

**하나님, 제발 복권에 한 번만 당첨되게 해 주세요.**
하나님, 제발 복꿔네 한 번만 당첨되게 해 주세요.
hananim, jebal bokgwone han beonman dangcheomdoege hae juseyo.

그렇게 기도한 지 육 개월이 되었지만 남자의 소원은 이뤄지지 않았다.
그러케 기도한 지 육 개워리 되얻찌만 남자에 소워는 이뤄지지 아낟따.
geureoke gidohan ji yuk gaewori doeeotjiman namjaui(namjauie) sowoneun irwojiji anatda.

남자는 너무나 지쳐서 하나님이 원망스러워지기 시작했다.
남자는 너무나 지쳐서 하나니미 원망스러워지기 시자캗따.
namjaneun neomuna jicheoseo hananimi wonmangseureowojigi sijakaetda.

남자 : 이렇게까지 기도하는데 못 들은 척하시는 무심한 하나님, 정말 너무하세요.
남자 : 이러케까지 기도하는데 몯 드른 처카시는 무심한 하나님, 정말 너무하세요.
namja : ireokekkaji gidohaneunde mot deureun cheokasineun musimhan hananim, jeongmal neomuhaseyo.

**제가 매일 밤 애원하며 기도했는데 왜 아무런 응답이 없으신가요?**
제가 매일 밤 애원하며 기도핻는데 왜 아무런 응다비 업쓰신가요?
jega maeil bam aewonhamyeo gidohaenneunde wae amureon eungdabi eopseusingayo?

그러자 보다 못해 답답한 하나님께서 남자에게 이렇게 말씀하셨다.
그러자 보다 모태 답따판 하나님께서 남자에게 이러케 말씀하셛따.
geureoja boda motae dapdapan hananimkkeseo namjaege ireoke malsseumhasyeotda.

하나님 : 일단 복권을 사란 말이야.

하나님 : 일딴 복꿔늘 사란 마리야.

hananim : ildan bokgwoneul saran mariya.

# ● 어휘 (Үгс) / 문법 (хэлзүй)

한 남자+가 퇴근하+ㄴ 후에 매일 교회+에 가+(아)서 눈물+을 흘리+며 기도+를 하+였+다.

**남자 :** 하나님, 복권+에 당첨되+게 하+여 주+세요.

　　　　하나님, 제발 복권+에 한 번+만 당첨되+게 하+여 주+세요.

그렇+게 기도하+ㄴ 지 육 개월+이 되+었+지만 남자+의 소원+은 이루어지+지 않+았+다.

남자+는 너무나 지치+어서 하나님+이 원망스럽(원망스러우)+어지+기 시작하+였+다.

**남자 :** 이렇+게+까지 기도하+는데 못 듣(들)+은 척하+시+는 무심하+ㄴ 하나님,

　　　　정말 너무하+세요.

　　　　제+가 매일 밤 애원하+며 기도하+였+는데 왜 아무런 응답+이 없+으시+ㄴ가요?

그리하+자 보+다 못하+여 답답하+ㄴ 하나님+께서 남자+에게 이렇+게 말씀하+시+었+다.

**하나님 :** 일단 복권+을 사+라는 말+이+야.

---

| 한 남자+가 퇴근하+[ㄴ 후에] 매일 교회+에 가+(아)서 눈물+을 흘리+며 기도+를 하+였+다. |
|:---|
|        **퇴근한 후에**                   **가서**                  **했다** |

---

- **한 (тодотгол Үг)** : 여럿 중 하나인 어떤.

  нэг

  олон зүйлийн дундаас ямар нэгэн.

- **남자 (нэр Үг)** : 남성으로 태어난 사람.

  эрэгтэй, эр, эр хүн

  эр хүйстэй төрсөн хүн.

- **가** : 어떤 상태나 상황에 놓인 대상이나 동작의 주체를 나타내는 조사.

  Тохирох Үг хэллэг байхгүй байна

  ямар нэгэн төлөв, байдлын субьект, мөн үйл хөдлөлийн эзэн болохыг илэрхийлэх нөхцөл.

- **퇴근하다 (Үйл Үг)** : 일터에서 일을 끝내고 집으로 돌아가거나 돌아오다.

  ажлаас тарах, ажлаас ирэх

  ажлын газраас ажлаа дуусгаж гэр рүүгээ буцах буюу буцаж ирэх.

- **-ㄴ 후에** : 앞에 오는 말이 나타내는 행동을 하고 시간적으로 뒤에 다른 행동을 함을 나타내는 표현.

  Тохирох Үг хэллэг байхгүй байна

  ямар нэгэн үйлдлийг хийгээд цаг хугацааны хувьд дараа нь өөр үйлдэл хийх явдлыг илэрхийлдэг Үг хэллэг.

- **매일 (дайвар Үг)** : 하루하루마다 빠짐없이.

  өдөр бүр

  өдөр бүр тасралтгүй.

- **교회 (нэр Үг)** : 예수 그리스도를 구세주로 믿고 따르는 사람들의 공동체. 또는 그런 사람들이 모여 종교 활동을 하는 장소.

  христэд итгэгчид, сүм

  Есүс христийг аврагч болгон шүтэн биш198рдэг хүмүүсийн нэгдэл. мөн тийм хүмүүс цугларч шашны үйл хийдэг газар.

- **에** : 앞말이 목적지이거나 어떤 행위의 진행 방향임을 나타내는 조사.

  -руу/-рүү, -луу/-лүү

  өмнөх Үг зорьсон газар буюу ямар нэгэн үйлийн чиглэлийг зааж байгаа болохыг илэрхийлж буй нөхцөл.

- **가다 (Үйл Үг)** : 한 곳에서 다른 곳으로 장소를 이동하다.

  явах, очих

  нэг газраас нөгөө газар руу шилжиж хөдлөх явах.

- -아서 : 앞의 말과 뒤의 말이 순차적으로 일어남을 나타내는 연결 어미.

  **Тохирох үг хэллэг байхгүй байна**

  өмнөх үг ба ардах үг ээлж дараагаар бий болох явдлыг илэрхийлдэг холбох нөхцөл.

- 눈물 (нэр үг) : 사람이나 동물의 눈에서 흘러나오는 맑은 액체.

  **нулимс**

  хүн ба амьтны нүднээс гарах тунгалаг шингэн.

- 을 : 동작이 직접적으로 영향을 미치는 대상을 나타내는 조사.

  **-ыг/-ийг/-г**

  үйл хөдлөл шууд нөлөөлж буй тусагдахууныг илэрхийлэх нөхцөл.

- 흘리다 (үйл үг) : 몸에서 땀, 눈물, 콧물, 피, 침 등의 액체를 밖으로 내다.

  **гоожуулах, урсгах**

  биеэс хөлс, нулимс, нус, цус, шүлс зэрэг шингэн гаргах.

- -며 : 두 가지 이상의 동작이나 상태가 함께 일어남을 나타내는 연결 어미.

  **Тохирох үг хэллэг байхгүй байна**

  хоёроос дээш үйлдэл буюу байдал хамт бий болох явдлыг илэрхийлдэг холбох нөхцөл.

- 기도 (нэр үг) : 바라는 바가 이루어지도록 절대적 존재 혹은 신앙의 대상에게 비는 것.

  **залбирал**

  хүсэж найдсан зүйл биелэлээ олтол нь сүнслэг оршихуйд буюу шүтээндээ гүйн даатгах явдал.

- 를 : 동작이 직접적으로 영향을 미치는 대상을 나타내는 조사.

  **-ыг/-ийг/-г**

  үйл хөдлөл шууд нөлөөлж буй тусагдахууныг илэрхийлэх нөхцөл.

- 하다 (үйл үг) : 어떤 행동이나 동작, 활동 등을 행하다.

  **үйлдэх, хийх, гүйцэтгэх**

  аливаа үйл хөдлөл, хөдөлгөөн, ажиллагаа зэргийг гүйцэтгэх.

- -였- : 어떤 사건이 과거에 완료되었거나 그 사건의 결과가 현재까지 지속되는 상황을 나타내는 어미.

  **Тохирох үг хэллэг байхгүй байна**

  ямар нэгэн үйл явдал өнгөрсөн цагт төгссөн буюу тухайн үйл явдлын үр дүн өнөөг хүртэл үргэлжилж буй байдлыг илэрхийлдэг нөхцөл.

- -다 : 어떤 사건이나 사실, 상태를 서술함을 나타내는 종결 어미.

  **Тохирох үг хэллэг байхгүй байна**

  одоогийн хэрэг явдал буюу үнэн явлыг хүүрнэхийг илэрхийлдэг төгсгөх нөхцөл.

> 남자 : 하나님, 복권+에 <u>당첨되</u>+[게 하]+[여 주]+세요.
> **당첨되게 해 주세요**

- **하나님 (нэр Үг)** : 기독교에서 믿는 신을 개신교에서 부르는 이름.
  **бурхан**
  христийн шашныхны итгэдэг бурхныг протестант шашинтнуудын дууддаг нэр.

- **복권 (нэр Үг)** : 적혀 있는 숫자나 기호가 추첨한 것과 일치하면 상금이나 상품을 받을 수 있게 만든 표.
  **сугалаа**
  бичигдсэн тоо, тэмдэг сугалсан зҮйлтэй тохирвол мөнгөн шагнал буюу эд бараа авах боломжтой болдог тасалбар.

- **에** : 앞말이 어떤 행위나 작용이 미치는 대상임을 나타내는 조사.
  **-д/-т**
  өмнөх Үг ямар нэгэн Үйлдэл буюу Үйлчлэлийн тусагдахуун болохыг илэрхийлж буй нөхцөл.

- **당첨되다 (Үйл Үг)** : 여럿 가운데 어느 하나를 골라잡는 추첨에서 뽑히다.
  **тохирол таарах, хонжвор таарах. хожих**
  олон зҮйлээс нэгийг сонгон сугалахад хонжвор таарах.

- **-게 하다** : 다른 사람의 어떤 행동을 허용하거나 허락함을 나타내는 표현.
  **Тохирох Үг хэллэг байхгҮй байна**
  бусад хҮний ямар нэгэн Үйлдлийг хҮлээн зөвшөөрөх буюу зөвшөөрөх явдлыг илэрхийлдэг Үг хэллэг.

- **-여 주다** : 남을 위해 앞의 말이 나타내는 행동을 함을 나타내는 표현.
  **Тохирох Үг хэллэг байхгҮй байна**
  бусдад зориулж өмнөх Үгийн илэрхийлж буй Үйлдлийг хийх явдлыг илэрхийлдэг Үг хэллэг.

- **-세요** : (두루높임으로) 설명, 의문, 명령, 요청의 뜻을 나타내는 종결 어미.
  **Тохирох Үг хэллэг байхгҮй байна**
  (хҮндэтгэлийн энгийн Үг хэллэг) тайлбар, асуулт, тушаал, хҮсэлтийн утгыг илэрхийлдэг төгсгөх нөхцөл.

> 남자 : 하나님, 제발 복권+에 한 번+만 <u>당첨되</u>+[게 하]+[여 주]+세요.
> **당첨되게 해 주세요**

• **하나님 (нэр Үг)** : 기독교에서 믿는 신을 개신교에서 부르는 이름.

   **бурхан**

   христийн шашныхны итгэдэг бурхныг протестант шашинтнуудын дууддаг нэр.


• **제발 (дайвар Үг)** : 간절히 부탁하는데.

   **гуйя, хичээнгҮйлэн гуйя**

   чин сэтгэлээсээ хҮсэхэд.


• **복권 (нэр Үг)** : 적혀 있는 숫자나 기호가 추첨한 것과 일치하면 상금이나 상품을 받을 수 있게 만든 표.

   **сугалаа**

   бичигдсэн тоо, тэмдэг сугалсан зҮйлтэй тохирвол мөнгөн шагнал буюу эд бараа авах боломжтой болдог тасалбар.


• **에** : 앞말이 어떤 행위나 작용이 미치는 대상임을 나타내는 조사.

   **-д/-т**

   өмнөх Үг ямар нэгэн Үйлдэл буюу Үйлчлэлийн тусагдахуун болохыг илэрхийлж буй нөхцөл.


• **한 (тодотгол Үг)** : 하나의.

   **нэг**

   нэгэн.


• **번 (нэр Үг)** : 일의 횟수를 세는 단위.

   **удаа**

   юмны давтамж илэрхийлэх Үг.


• **만** : 다른 것은 제외하고 어느 것을 한정함을 나타내는 조사.

   **л, зөвхөн**

   өөр бусад зҮйлийг эс тооцон тогтсон нэг зҮйлийг л илэрхийлж буй нөхцөл.


• **당첨되다 (Үйл Үг)** : 여럿 가운데 어느 하나를 골라잡는 추첨에서 뽑히다.

   **тохирол таарах, хонжвор таарах. хожих**

   олон зҮйлээс нэгийг сонгон сугалахад хонжвор таарах.


• **-게 하다** : 다른 사람의 어떤 행동을 허용하거나 허락함을 나타내는 표현.

   **Тохирох Үг хэллэг байхгҮй байна**

   бусад хҮний ямар нэгэн Үйлдлийг хҮлээн зөвшөөрөх буюу зөвшөөрөх явдлыг илэрхийлдэг Үг хэллэг.


• **-여 주다** : 남을 위해 앞의 말이 나타내는 행동을 함을 나타내는 표현.

   **Тохирох Үг хэллэг байхгҮй байна**

   бусдад зориулж өмнөх Үгийн илэрхийлж буй Үйлдлийг хийх явдлыг илэрхийлдэг Үг хэллэг.

• -세요 : (두루높임으로) 설명, 의문, 명령, 요청의 뜻을 나타내는 종결 어미.

**Тохирох Үг хэллэг байхгүй байна**

(хүндэтгэлийн энгийн үг хэллэг) тайлбар, асуулт, тушаал, хүсэлтийн утгыг илэрхийлдэг төгсгөх нөхцөл.

---

그렇+게 <u>기도하+[ㄴ 지]</u> 육 개월+이 되+었+지만 남자+의 소원+은 <u>이루어지+[지 않]+았</u>+다.
　　　　　**기도한 지**　　　　　　　　　　　　　　　　　　**이뤄지지 않았다**

---

• **그렇다 (тэмдэг нэр)** : 상태, 모양, 성질 등이 그와 같다.

**тийм, түүн шиг**

өмнө нь дурдсан зүйлийг заасан бөгөөд түүнтэй адил байх.

• **-게** : 앞의 말이 뒤에서 가리키는 일의 목적이나 결과, 방식, 정도 등이 됨을 나타내는 연결 어미.

**Тохирох Үг хэллэг байхгүй байна**

өмнөх агуулга ард нь зааж буй байдал, зорилго, үр дүн, арга барил, хэмжээ зэрэг болохыг илэрхийлдэг холбох нөхцөл.

• **기도하다 (үйл үг)** : 바라는 바가 이루어지도록 절대적 존재 혹은 신앙의 대상에게 빌다.

**залбирах**

хүссэн зүйл биелэхүйц үнэмлэхүй бие бодь буюу сүсэг бишрэлийн объектоос гуйн хүсэх.

• **-ㄴ 지** : 앞의 말이 나타내는 행동을 한 후 시간이 얼마나 지났는지를 나타내는 표현.

**Тохирох Үг хэллэг байхгүй байна**

өмнө өгүүлж буй үйлийг хийснээс хойш хэчнээн цаг хугацаа өнгөрсныйг илэрхийлдэг үг хэллэг.

• **육 (тодотгол үг)** : 여섯의.

**зургаан**

зургаан

• **개월 (нэр үг)** : 달을 세는 단위.

**сар**

сарыг тоолдог нэгж.

• **이** : 바뀌게 되는 대상이나 부정하는 대상임을 나타내는 조사.

**Тохирох Үг хэллэг байхгүй байна**

өөрчлөх ба үгүйсгэж буй зүйл болохыг илэрхийлдэг нөхцөл.

• **되다 (үйл үг)** : 어떤 때나 시기, 상태에 이르다.

**болох**

ямар нэгэн цаг үе буюу нөхцөл байдалд хүрэх.

- -었- : 어떤 사건이 과거에 완료되었거나 그 사건의 결과가 현재까지 지속되는 상황을 나타내는 어미.
**Тохирох Үг хэллэг байхгүй байна**
ямар нэгэн Үйл явдал өнгөрсөн цагт төгссөн буюу тухайн Үйл явдлын Үр дүн өнөөг хүртэл Үргэлжилж буй байдлыг илэрхийлдэг нөхцөл.

- -지만 : 앞에 오는 말을 인정하면서 그와 반대되거나 다른 사실을 덧붙일 때 쓰는 연결 어미.
**Тохирох Үг хэллэг байхгүй байна**
өмнөх агуулгыг Үлээн зөвшөөрч байгаа хирнээ түүнтэй эсрэгцэх буюу өөр утгыг нэмэх Үед хэрэглэдэг холбох нөхцөл.

- **남자 (нэр Үг)** : 남성으로 태어난 사람.
**эрэгтэй, эр, эр хүн**
эр хүйстэй төрсөн хүн.

- 의 : 앞의 말이 뒤의 말에 대하여 소유, 소속, 소재, 관계, 기원, 주체의 관계를 가짐을 나타내는 조사.
**-н/-ийн/-ын/-ий/-ы**
өмнөх Үг хойдох Үгтэй эзэмшил, харьяа, хэрэглэгдэхүүн, сэдвийн хамааралтай болохыг илэрхийлсэн нөхцөл.

- **소원 (нэр Үг)** : 어떤 일이 이루어지기를 바람. 또는 바라는 그 일.
**хүсэл мөрөөдөл, хүслэн**
ямар нэгэн зүйлийг биелээсэй гэж хүсэх явдал. мөн хүсч буй тухайн ажил Үйл.

- 은 : 문장 속에서 어떤 대상이 화제임을 나타내는 조사.
**Тохирох Үг хэллэг байхгүй байна**
өгүүлбэрт ямар зүйл ярианы сэдэв болж буйг илэрхийлдэг нөхцөл.

- **이루어지다 (Үйл Үг)** : 원하거나 뜻하는 대로 되다.
**биелэх, болох**
хүссэнээр болох.

- -지 않다 : 앞의 말이 나타내는 행위나 상태를 부정하는 뜻을 나타내는 표현.
**Тохирох Үг хэллэг байхгүй байна**
өмнөх Үгийн илэрхийлж буй Үйлдэл буюу байдлыг Үгүйсгэх утгыг илэрхийлдэг Үг хэллэг.

- -았- : 어떤 사건이 과거에 완료되었거나 그 사건의 결과가 현재까지 지속되는 상황을 나타내는 어미.
**Тохирох Үг хэллэг байхгүй байна**
ямар нэгэн Үйл явдал өнгөрсөн цагт төгссөн буюу тухайн Үйл явдлын Үр дүн өнөөг хүртэл Үргэлжилж буй байдлыг илэрхийлдэг нөхцөл.

- -다 : 어떤 사건이나 사실, 상태를 서술함을 나타내는 종결 어미.
**Тохирох Үг хэллэг байхгүй байна**
одоогийн хэрэг явдал буюу Үнэн явлыг хүүрнэхийг илэрхийлдэг төгсгөх нөхцөл.

남자+는 너무나 <u>지치</u>+어서 하나님+이 <u>원망스럽(원망스러우)+어지+기</u> <u>시작하+였+다</u>.
　　　　　　　　지쳐서　　　　　　　　원망스러워지기　　　　　　시작했다

- **남자 (нэр Үг)** : 남성으로 태어난 사람.
  **эрэгтэй, эр, эр хүн**
  эр хүйстэй төрсөн хүн.

- **는** : 문장 속에서 어떤 대상이 화제임을 나타내는 조사.
  **Тохирох Үг хэллэг байхгүй байна**
  өгүүлбэрт ямар зүйл ярианы сэдэв болж буйг илэрхийлдэг нөхцөл.

- **너무나 (дайвар Үг)** : (강조하는 말로) 너무.
  **Үнэхээр**
  (онцлох Үг) дэндүү, хэт.

- **지치다 (Үйл Үг)** : 힘든 일을 하거나 어떤 일에 시달려서 힘이 없다.
  **ядрах, сульдах, хүч тэнхээгүй болох**
  хүнд хэцүү ажил хийх юм уу ямар нэг зүйлд түүртэн хүчгүй байх.

- **-어서** : 이유나 근거를 나타내는 연결 어미.
  **Тохирох Үг хэллэг байхгүй байна**
  учир шалтгаан буюу үндэслэлийг илэрхийлдэг холбох нөхцөл.

- **하나님 (нэр Үг)** : 기독교에서 믿는 신을 개신교에서 부르는 이름.
  **бурхан**
  христийн шашныхны итгэдэг бурхныг протестант шашинтнуудын дууддаг нэр.

- **이** : 어떤 상태나 상황의 대상이나 동작의 주체를 나타내는 조사.
  **Тохирох Үг хэллэг байхгүй байна**
  ямар нэгэн төлөв, байдлын субьект, мөн үйл хөдлөлийн эзэн болохыг илэрхийлэх нөхцөл.

- **원망스럽다 (тэмдэг нэр)** : 마음에 들지 않아서 탓하거나 미워하는 마음이 있다.
  **гомдолтой, жигшилтэй**
  сэтгэлд нийцээгүйгээс буруутгах буюу үзэн ядах.

- **-어지다** : 앞에 오는 말이 나타내는 상태로 점점 되어 감을 나타내는 표현.
  **Тохирох Үг хэллэг байхгүй байна**
  өмнөх үгэнд илэрхийлэгдсэний дагуу бага багаар тийм болж буйг илэрхийлдэг үг хэллэг.

- **-기** : 앞의 말이 명사의 기능을 하게 하는 어미.
  **Тохирох Үг хэллэг байхгүй байна**
  өмнөх үгийг нэр үгийн үүрэгтэй болгодог нөхцөл.

- **시작하다 (Үйл Үг)** : 어떤 일이나 행동의 처음 단계를 이루거나 이루게 하다.

  **эхлэх, эхлҮҮлэх**

  ямар нэгэн ажил буюу Үйлдлийн эхний Үе шатыг гҮйцэтгэх буюу гҮйцэлдҮҮлэх.

- **-였-** : 어떤 사건이 과거에 완료되었거나 그 사건의 결과가 현재까지 지속되는 상황을 나타내는 어미.

  **Тохирох Үг хэллэг байхгҮй байна**

  ямар нэгэн Үйл явдал өнгөрсөн цагт төгссөн буюу тухайн Үйл явдлын Үр дҮн өнөөг хҮртэл Үргэлжилж буй байдлыг илэрхийлдэг нөхцөл.

- **-다** : 어떤 사건이나 사실, 상태를 서술함을 나타내는 종결 어미.

  **Тохирох Үг хэллэг байхгҮй байна**

  одоогийн хэрэг явдал буюу Үнэн явлыг хҮҮрнэхийг илэрхийлдэг төгсгөх нөхцөл.

---

> **남자 :** 이렇+게+까지 기도하+는데 못 <u>듣(들)+[은 척하]</u>+시+는 <u>무심하+ㄴ</u>
>                                       들은 척하시는           무심한
>
>   하나님, 정말 너무하+세요.

---

- **이렇다 (тэмдэг нэр)** : 상태, 모양, 성질 등이 이와 같다.

  **ийм, иймэрхҮҮ**

  байдал, төрх, шинж чанар зэрэг одоо ҮҮнтэй адилхан байх.

- **-게** : 앞의 말이 뒤에서 가리키는 일의 목적이나 결과, 방식, 정도 등이 됨을 나타내는 연결 어미.

  **Тохирох Үг хэллэг байхгҮй байна**

  өмнөх агуулга ард нь зааж буй байдал, зорилго, Үр дҮн, арга барил, хэмжээ зэрэг болохыг илэрхийлдэг холбох нөхцөл.

- **까지** : 정상적인 정도를 지나침을 나타내는 조사.

  **хҮртэл**

  хэвийн хэмжээг хэтрҮҮлсэн явдлыг илэрхийлдэг нөхцөл.

- **기도하다 (Үйл Үг)** : 바라는 바가 이루어지도록 절대적 존재 혹은 신앙의 대상에게 빌다.

  **залбирах**

  хҮссэн зҮйл биелэхҮйц Үнэмлэхүй бие бодь буюу сҮсэг бишрэлийн объектоос гуйн хҮсэх.

- **-는데** : 뒤의 말을 하기 위하여 그 대상과 관련이 있는 상황을 미리 말함을 나타내는 연결 어미.

  **Тохирох Үг хэллэг байхгҮй байна**

  арын агуулгыг ярихын тулд тухайн зҮйлтэй холбоотой нөхцөл байдлыг урьдчилан хэлж буйг илэрхийлдэг холбох нөхцөл.

· 못 (дайвар Үг) : 동사가 나타내는 동작을 할 수 없게.

**-гҮй байх**

Үйл Үг илэрхийлж буй хөдөлгөөнийг хийж чадахгҮй байх.

· 듣다 (Үйл Үг) : 다른 사람의 말이나 소리 등에 귀를 기울이다.

**сонсох, анхаарах**

бусад хҮний Үг, дуу авиа зэрэгт анхаарал хандуулах.

· -은 척하다 : 실제로 그렇지 않은데도 어떤 행동이나 상태를 거짓으로 꾸밈을 나타내는 표현.

**Тохирох Үг хэллэг байхгҮй байна**

бодитоор тийм биш мөртлөө ямар нэгэн Үйлдэл буюу байдлыг хуурамчаар зохиох явдлыг илэрхийлдэг Үг хэллэг.

· -시- : 어떤 동작이나 상태의 주체를 높이는 뜻을 나타내는 어미.

**Тохирох Үг хэллэг байхгҮй байна**

ямар нэгэн Үйлдэл буюу байдлын эзэн биеийг хҮндэтгэх утгыг илэрхийлдэг нөхцөл.

· -는 : 앞의 말이 관형어의 기능을 하게 만들고 사건이나 동작이 현재 일어남을 나타내는 어미.

**Тохирох Үг хэллэг байхгҮй байна**

өмнөх Үгийг тодотгол гишҮҮний ҮҮрэгтэй болгож, хэрэг явдал буюу Үйлдэл нь одоо өрнөж байгааг илэрхийлдэг нөхцөл.

· 무심하다 (тэмдэг нэр) : 어떤 일이나 사람에 대하여 걱정하는 마음이나 관심이 없다.

**хайхрамжгҮй, тоомжиргҮй, сэтгэлгҮй**

ямар нэгэн явдал буюу хҮний талаар санаа зовохгҮй байх юм уу анхаарал тавихгҮй байх.

· -ㄴ : 앞의 말이 관형어의 기능을 하게 만들고 현재의 상태를 나타내는 어미.

**Тохирох Үг хэллэг байхгҮй байна**

өмнөх Үгийг тодотгол гишҮҮний ҮҮрэгтэй болгож, одоогийн байдлыг илэрхийлдэг нөхцөл.

· 하나님 (нэр Үг) : 기독교에서 믿는 신을 개신교에서 부르는 이름.

**бурхан**

христийн шашныхны итгэдэг бурхныг протестант шашинтнуудын дууддаг нэр.

· 정말 (дайвар Үг) : 거짓이 없이 진짜로.

**Үнэхээр**

худал хуурмаг зҮйлгҮй нээрээ.

· 너무하다 (тэмдэг нэр) : 일정한 정도나 한계를 넘어서 지나치다.

**хэтрэх, дэндэх**

тогтсон хэмжээ, хязгаарыг давж хэтрэх.

• -세요 : (두루높임으로) 설명, 의문, 명령, 요청의 뜻을 나타내는 종결 어미.
Тохирох Үг хэллэг байхгүй байна
(хүндэтгэлийн энгийн үг хэллэг) тайлбар, асуулт, тушаал, хүсэлтийн утгыг
илэрхийлдэг төгсгөх нөхцөл.

---

남자 : 제+가 매일 밤 애원하+며 <u>기도하+였+는데</u> 왜 아무런 응답+이
**기도했는데**

<u>없</u>+<u>으시</u>+<u>ㄴ가요</u>?
**없으신가요**

---

• 제 (төлөөний үг) : 말하는 사람이 자신을 낮추어 가리키는 말인 '저'에 조사 '가'가 붙을 때의 형태.
би
ярьж буй хүн өөрийгөө доошлуулж хэлдэг үг '저' дээр нөхцөл '가' залгасан хэлбэр.

• 가 : 어떤 상태나 상황에 놓인 대상이나 동작의 주체를 나타내는 조사.
Тохирох үг хэллэг байхгүй байна
ямар нэгэн төлөв, байдлын субьект, мөн үйл хөдлөлийн эзэн болохыг илэрхийлэх
нөхцөл.

• 매일 (дайвар үг) : 하루하루마다 빠짐없이.
өдөр бүр
өдөр бүр тасралтгүй.

• 밤 (нэр үг) : 해가 진 후부터 다음 날 해가 뜨기 전까지의 어두운 동안.
шөнө
нар жаргасны дараанаас эхлээд дараа өдрийн нар мандахын өмнөх хүртлэх харанхуй
үе.

• 애원하다 (үйл үг) : 요청이나 소원을 들어 달라고 애처롭게 사정하여 간절히 부탁하다.
хичээнгүйлэн гуйх, аминчлан хүсэх
хүсэлт, гуйлтаа биелүүлж өгөөч гэж хүсэх.

• -며 : 두 가지 이상의 동작이나 상태가 함께 일어남을 나타내는 연결 어미.
Тохирох үг хэллэг байхгүй байна
хоёроос дээш үйлдэл буюу байдал хамт бий болох явдлыг илэрхийлдэг холбох нөхцөл.

• 기도하다 (үйл үг) : 바라는 바가 이루어지도록 절대적 존재 혹은 신앙의 대상에게 빌다.
залбирах
хүссэн зүйл биелэхүйц үнэмлэхүй бие бодь буюу сүсэг бишрэлийн объектоос гуйн
хүсэх.

- -였- : 어떤 사건이 과거에 완료되었거나 그 사건의 결과가 현재까지 지속되는 상황을 나타내는 어미.
  **Тохирох Үг хэллэг байхгүй байна**
  ямар нэгэн Үйл явдал өнгөрсөн цагт төгссөн буюу тухайн Үйл явдлын Үр дүн өнөөг хүртэл үргэлжилж буй байдлыг илэрхийлдэг нөхцөл.

- -는데 : 뒤의 말을 하기 위하여 그 대상과 관련이 있는 상황을 미리 말함을 나타내는 연결 어미.
  **Тохирох Үг хэллэг байхгүй байна**
  арын агуулгыг ярихын тулд тухайн зүйлтэй холбоотой нөхцөл байдлыг урьдчилан хэлж буйг илэрхийлдэг холбох нөхцөл.

- 왜 (дайвар Үг) : 무슨 이유로. 또는 어째서.
  **яагаад, ямар учраас**
  ямар шалтгаанаар. мөн яагаад.

- 아무런 (тодотгол Үг) : 전혀 어떠한.
  **ямар ч**
  огтхон ч.

- 응답 (нэр Үг) : 부름이나 물음에 답함.
  **хариу, хариулт**
  хэн нэгэн дуудах болон юм асуухад хариу хэлэх байдал.

- 이 : 어떤 상태나 상황의 대상이나 동작의 주체를 나타내는 조사.
  **Тохирох Үг хэллэг байхгүй байна**
  ямар нэгэн төлөв, байдлын субьект, мөн Үйл хөдлөлийн эзэн болохыг илэрхийлэх нөхцөл.

- 없다 (тэмдэг нэр) : 어떤 사실이나 현상이 현실로 존재하지 않는 상태이다.
  **-гүй, боломжгүй, байхгүй**
  ямар нэгэн Үнэн юм уу Үзэгдэл бодитоор оршдоггүй байдал.

- -으시- : 높이고자 하는 인물과 관계된 소유물이나 신체의 일부가 문장의 주어일 때 그 인물을 높이는 뜻을 나타내는 어미.
  **Тохирох Үг хэллэг байхгүй байна**
  хүндэтгүүштэй нэгний эдэлж хэрэглэдэг зүйл, биеийн аль нэг хэсэг өгүүлбэрийн эзэн бие болох үед түүнийг хүндэтгэн илэрхийлдэг нөхцөл.

- -ㄴ가요 : (두루높임으로) 현재의 사실에 대한 물음을 나타내는 종결 어미.
  **Тохирох Үг хэллэг байхгүй байна**
  (хүндэтгэлийн энгийн Үг хэллэг) одоогийн нөхцөл байдлын талаар асууж байгааг илэрхийлдэг төгсгөх нөхцөл.

---

| 그리하+자 | 보+[다 못하]+여 | 답답하+ㄴ | 하나님+께서 남자+에게 이렇+게 말씀하+시+었+다. |
|---|---|---|---|
| 그러자 | 보다 못해 | 답답한 | 말씀하셨다 |

• **그리하다 (Үйл Үг)** : 앞에서 일어난 일이나 말한 것과 같이 그렇게 하다.

  **тэгж, тэгэх, тийнхҮҮ**

  өмнө нь ярьж хэлсэнтэй адилаар.

• **-자** : 앞의 말이 나타내는 동작이 끝난 뒤 곧 뒤의 말이 나타내는 동작이 잇따라 일어남을 나타내는 연결 어미.

  **Тохирох Үг хэллэг байхгҮй байна**

  өмнөх Үйлдэл дуусмагц дараагийн Үйлдэл Үргэлжлэн болохыг илэрхийлж буй холбох нөхцөл.

• **보다 (Үйл Үг)** : 눈으로 대상의 존재나 겉모습을 알다.

  **Үзэх, харах**

  нҮдээрээ ямар нэг зҮйлийн оршин байгааг нь болон гадаад төрхийг нь харж мэдэх.

• **-다 못하다** : 앞의 말이 나타내는 행동을 더 이상 계속할 수 없음을 나타내는 표현.

  **Тохирох Үг хэллэг байхгҮй байна**

  өмнөх Үгийн илэрхийлж буй Үйлдлийг ҮҮнээс илҮҮ ҮргэлжлҮҮлж боломжгҮйг илэрхийлдэг Үг хэллэг.

• **-여** : 앞에 오는 말이 뒤에 오는 말에 대한 원인이나 이유임을 나타내는 연결 어미.

  **Тохирох Үг хэллэг байхгҮй байна**

  өмнө ирэх Үг ард ирэх Үгийн талаарх учир шалтгаан болохыг илэрхийлдэг холбох нөхцөл.

• **답답하다 (тэмдэг нэр)** : 다른 사람의 태도나 상황이 마음에 차지 않아 안타깝다.

  **санаанд таарахгҮй**

  бусдын дҮр төрх сэтгэлд хҮрэхгҮй, харамсалтай байх нь.

• **-ㄴ** : 앞의 말이 관형어의 기능을 하게 만들고 현재의 상태를 나타내는 어미.

  **Тохирох Үг хэллэг байхгҮй байна**

  өмнөх Үгийг тодотгол гишҮҮний ҮҮрэгтэй болгож, одоогийн байдлыг илэрхийлдэг нөхцөл.

• **하나님 (нэр Үг)** : 기독교에서 믿는 신을 개신교에서 부르는 이름.

  **бурхан**

  христийн шашныхны итгэдэг бурхныг протестант шашинтнуудын дууддаг нэр.

• **께서** : (높임말로) 가. 이. 어떤 동작의 주체가 높여야 할 대상임을 나타내는 조사.

  **Тохирох Үг хэллэг байхгҮй байна**

  (хҮндэтгэлт Үг) Үйлийн эзнийг хҮндэтгэж буйг илэрхийлдэг нөхцөл.

• **남자 (нэр Үг)** : 남성으로 태어난 사람.

  **эрэгтэй, эр, эр хҮн**

  эр хҮйстэй төрсөн хҮн.

• 에게 : 어떤 행동이 미치는 대상임을 나타내는 조사.
**-д, -т**
ямар нэгэн Үйлдлийн нөлөөг авч буй зҮйлийг илэрхийлдэг нөхцөл.

• **이렇다 (тэмдэг нэр)** : 상태, 모양, 성질 등이 이와 같다.
**ийм, иймэрхҮҮ**
байдал, төрх, шинж чанар зэрэг одоо ҮҮнтэй адилхан байх.

• -게 : 앞의 말이 뒤에서 가리키는 일의 목적이나 결과, 방식, 정도 등이 됨을 나타내는 연결 어미.
**Тохирох Үг хэллэг байхгҮй байна**
өмнөх агуулга ард нь зааж буй байдал, зорилго, Үр дҮн, арга барил, хэмжээ зэрэг болохыг илэрхийлдэг холбох нөхцөл.

• **말씀하다 (Үйл Үг)** : (높임말로) 말하다.
**айлдах, хэлэх**
(хҮндэтгэлт Үг) ярих.

• -시- : 어떤 동작이나 상태의 주체를 높이는 뜻을 나타내는 어미.
**Тохирох Үг хэллэг байхгҮй байна**
ямар нэгэн Үйлдэл буюу байдлын эзэн биеийг хҮндэтгэх утгыг илэрхийлдэг нөхцөл.

• -었- : 어떤 사건이 과거에 완료되었거나 그 사건의 결과가 현재까지 지속되는 상황을 나타내는 어미.
**Тохирох Үг хэллэг байхгҮй байна**
ямар нэгэн Үйл явдал өнгөрсөн цагт төгссөн буюу тухайн Үйл явдлын Үр дҮн өнөөг хҮртэл Үргэлжилж буй байдлыг илэрхийлдэг нөхцөл.

• -다 : 어떤 사건이나 사실, 상태를 서술함을 나타내는 종결 어미.
**Тохирох Үг хэллэг байхгҮй байна**
одоогийн хэрэг явдал буюу Үнэн явлыг хҮҮрнэхийг илэрхийлдэг төгсгөх нөхцөл.

---

**하나님 : 일단 복권+을 <u>사+라는</u> 말+이+야.**
**사란**

---

• **일단 (дайвар Үг)** : 우선 먼저.
**эхлээд**
юуны тҮрҮҮнд.

• **복권 (нэр Үг)** : 적혀 있는 숫자나 기호가 추첨한 것과 일치하면 상금이나 상품을 받을 수 있게 만든 표.
**сугалаа**
бичигдсэн тоо, тэмдэг сугалсан зҮйлтэй тохирвол мөнгөн шагнал буюу эд бараа авах боломжтой болдог тасалбар.

• 을 : 동작이 직접적으로 영향을 미치는 대상을 나타내는 조사.

-ыг/-ийг/-г

Үйл хөдлөл шууд нөлөөлж буй тусагдахууныг илэрхийлэх нөхцөл.

• 사다 (Үйл Үг) : 돈을 주고 어떤 물건이나 권리 등을 자기 것으로 만들다.

худалдаж авах

Үнэ хөлс төлөн ямар нэгэн эд зүйл, эрх мэдлийг өөрийн болгох.

• -라는 : 명령이나 요청 등의 말을 인용하여 전달하면서 그 뒤에 오는 명사를 꾸며 줄 때 쓰는 표현.

Тохирох Үг хэллэг байхгүй байна

захирамж тушаал, хүсэлт зэргээс иш татаж дамжуулангаа ард нь орох нэр үгийг чимэхэд хэрэглэдэг илэрхийлэл.

• 말 (нэр Үг) : 다시 강조하거나 확인하는 뜻을 나타내는 말.

гэсэн үг, гэж

дахин онцлох буюу лавлах утгыг илэрхийлдэг үг.

• 이다 : 주어가 지시하는 대상의 속성이나 부류를 지정하는 뜻을 나타내는 서술격 조사.

Тохирох Үг хэллэг байхгүй байна

эзэн биеийн зааж буй обьектын шинж чанар, төрөл зүйлийг тодорхойлох утгыг илэрхийлэх өгүүлэхүүний тийн ялгалын нөхцөл.

• -야 : (두루낮춤으로) 어떤 사실에 대하여 서술하거나 물음을 나타내는 종결 어미.

Тохирох Үг хэллэг байхгүй байна

(хүндэтгэлийн бус энгийн үг хэллэг) ямар нэгэн зүйлийн талаар хүүрнэх буюу асуух явдлыг илэрхийлдэг төгсгөх нөхцөл.

# < 16 단원(бүлэг хичээл) >

제목 : 왜 먹지 못하지요?

# ● 본문 (эх бичиг)

요즘 국내에 반려동물을 키우는 사람들이 많아지면서 건강에 좋은 사료를 개발하는 회사들도 점점

늘어나고 있다.

올해 한 사료 회사에서 유기농 원료를 사용한 신제품 개발에 성공하여 투자자를 위한 모임을 개최하게

되었다.


직원 : 이것으로 신제품 사료에 대한 설명을 마치도록 하겠습니다.

　　　지금부터는 투자자분들의 질문을 받도록 하겠습니다.

투자자 : 자세한 설명 잘 들었습니다.

　　　그런데 혹시 그거 사람도 먹을 수 있습니까?

직원 : 사람은 못 먹습니다.

투자자 : 아니, 유기농 원료에 영양가 높고 위생적으로 만든 개 사료라면서

　　　왜 먹지 못하지요?

직원 : 비싸서 절대 못 먹습니다.

# ● 발음 (дуудлага)

요즘 국내에 반려동물을 키우는 사람들이 많아지면서 건강에 좋은 사료를 개발하는 회사들도 점점
요즘 궁내에 발려동무를 키우는 사람드리 마나지면서 건강에 조은 사료를 개발하는 회사들도 점점
yojeum gungnaee ballyeodongmureul kiuneun saramdeuri manajimyeonseo geongange joeun
saryoreul gaebalhaneun hoesadeuldo jeomjeom

늘어나고 있다.
느러나고 읻따.
neureonago itda.

올해 한 사료 회사에서 유기농 원료를 사용한 신제품 개발에 성공하여 투자자를 위한 모임을 개최하게
올해 한 사료 회사에서 유기농 월료를 사용한 신제품 개바레 성공하여 투자자를 위한 모이믈 개최하게
olhae han saryo hoesaeseo yuginong wollyoreul sayonghan sinjepum gaebare seonggonghayeo
tujajareul wihan moimeul gaechoehage

되었다.
되얻따.
doeeotda.

직원 : 이것으로 신제품 사료에 대한 설명을 마치도록 하겠습니다.
지권 : 이거스로 신제품 사료에 대한 설명을 마치도록 하겓씀니다.
jigwon : igeoseuro sinjepum saryoe daehan seolmyeongeul machidorok
        hagetseumnida.

      지금부터는 투자자분들의 질문을 받도록 하겠습니다.
      지금부터는 투자자분드리 질무늘 받또록 하겓씀니다.
      jigeumbuteoneun    tujajabundeurui(bundeure)    jilmuneul    batdorok
      hagetseumnida.

투자자 : 자세한 설명 잘 들었습니다.
투자자 : 자세한 설명 잘 드럳씀니다.
tujaja : jasehan seolmyeong jal deureotseumnida.

      그런데 혹시 그거 사람도 먹을 수 있습니까?
      그런데 혹씨 그거 사람도 머글 쑤 읻씀니까?
      geureonde hoksi geugeo saramdo meogeul su itseumnikka?

직원 : 사람은 못 먹습니다.
지권 : 사라믄 몯 먹씀니다.
jigwon : sarameun mot meokseumnida.

투자자 : 아니, 유기농 원료에 영양가 높고 위생적으로 만든 개 사료라면서
투자자 : 아니, 유기농 월료에 영양까 놉꼬 위생저그로 만든 개 사료라면서
tujaja : ani, yuginong wollyoe yeongyangga nopgo wisaengjeogeuro mandeun gae saryoramyeonseo

왜 먹지 못하지요?
왜 먹찌 모타지요?
wae meokji motajiyo?

직원 : 비싸서 절대 못 먹습니다.
지권 : 비싸서 절때 몯 먹씀니다.
jigwon : bissaseo jeoldae mot meokseumnida.

# ● 어휘 (Үгс) / 문법 (хэлзүй)

요즘 국내+에 반려동물+을 키우+는 사람+들+이 많아지+면서 건강+에 좋+은 사료+를 개발하+는

회사+들+도 점점 늘어나+고 있+다.

올해 한 사료 회사+에서 유기농 원료+를 사용하+ㄴ 신제품 개발+에 성공하+여 투자자+를 위하+ㄴ

모임+을 개최하+게 되+었+다.

**직원** : 이것+으로 신제품 사료+에 대한 설명+을 마치+도록 하+겠+습니다.

　　　　지금+부터+는 투자자+분+들+의 질문+을 받+도록 하+겠+습니다.

**투자자** : 자세하+ㄴ 설명 잘 듣(들)+었+습니다.

　　　　　그런데 혹시 그거 사람+도 먹+을 수 있+습니까?

**직원** : 사람+은 못 먹+습니다.

**투자자** : 아니, 유기농 원료+에 영양가 높+고 위생적+으로 만들(만드)+ㄴ

　　　　　개 사료+(이)+라면서 왜 먹+지 못하+지요?

**직원** : 비싸+(아)서 절대 못 먹+습니다.

---

요즘 국내+에 반려동물+을 키우+는 사람+들+이 많아지+면서 건강+에 좋+은 사료+를 개발하+는

회사+들+도 점점 늘어나+[고 있]+다.

---

- **요즘 (нэр Үг)** : 아주 가까운 과거부터 지금까지의 사이.

  **саяхан, сҮҮлийн Үе, ойрмогхон**

  өнгөрөөд удаагҮй байгаа цагаас одоог хҮртлэх хугацааны хооронд.

- **국내 (нэр Үг)** : 나라의 안.

  **дотоод**

  улсын доторх.

- **에** : 앞말이 어떤 장소나 자리임을 나타내는 조사.

  **-д/-т**

  өмнөх Үг ямар нэгэн газар буюу байр болохыг илэрхийлж буй нөхцөл.

- **반려동물 (нэр Үг)**

  **반려 (нэр Үг)** : 짝이 되는 사람이나 동물.

  **хань**

  эхнэр нөхөр хоёрын хэн нэгнийг заадаг Үг бөгөөд хань болох хҮн.

  **동물 (нэр Үг)** : 사람을 제외한 길짐승, 날짐승, 물짐승 등의 움직이는 생물.

  **амьтан**

  хҮнээс бусад араатан, жигҮҮртэн, усны амьтан зэрэг хөдөлдөг амьд биет.

- **을** : 동작이 직접적으로 영향을 미치는 대상을 나타내는 조사.

  **-ыг/-ийг/-г**

  Үйл хөдлөл шууд нөлөөлж буй тусагдахууныг илэрхийлэх нөхцөл.

- **키우다 (Үйл Үг)** : 동식물을 보살펴 자라게 하다.

  **өсгөх, тэжээх, ургуулах**

  амьтан, ургамалыг арчилж том болгох.

- **-는** : 앞의 말이 관형어의 기능을 하게 만들고 사건이나 동작이 현재 일어남을 나타내는 어미.

  **Тохирох Үг хэллэг байхгҮй байна**

  өмнөх Үгийг тодотгол гишҮҮний ҮҮрэгтэй болгож, хэрэг явдал буюу Үйлдэл нь одоо өрнөж байгааг илэрхийлдэг нөхцөл.

- **사람 (нэр Үг)** : 생각할 수 있으며 언어와 도구를 만들어 사용하고 사회를 이루어 사는 존재.

  **хҮн**

  сэтгэх чадвартай хэл болон багаж хэрэгсэл зохион ашиглаж нийгмийг бҮтээн амьдардаг бие бодь.

• 들 : '복수'의 뜻을 더하는 접미사.

**Тохирох Үг хэллэг байхгүй байна**

олон тооны утга нэмдэг дагавар.

• 이 : 어떤 상태나 상황의 대상이나 동작의 주체를 나타내는 조사.

**Тохирох Үг хэллэг байхгүй байна**

ямар нэгэн төлөв, байдлын субьект, мөн Үйл хөдлөлийн эзэн болохыг илэрхийлэх нөхцөл.

• **많아지다 (Үйл Үг)** : 수나 양 등이 적지 아니하고 일정한 기준을 넘게 되다.

**ихсэх, олширох, нэмэгдэх**

тоо, хэмжээ зэрэг бага биш, тогтсон хэмжээнээс илүү болох.

• -면서 : 두 가지 이상의 동작이나 상태가 함께 일어남을 나타내는 연결 어미.

**Тохирох Үг хэллэг байхгүй байна**

хоёр төрлөөс дээш Үйлдэл ба байдал хамт болох явдлыг илэрхийлэхэд хэрэглэдэг холбох нөхцөл.

• **건강 (нэр Үг)** : 몸이나 정신이 이상이 없이 튼튼한 상태.

**эрҮҮл мэнд**

бие махбод, оюун ухааны хэвийн Үйл ажиллагаа болоод эрҮҮл чийрэг байдал.

• 에 : 앞말이 무엇의 목적이나 목표임을 나타내는 조사.

**-д/-т**

өмнөх Үг зорилго буюу зорилт болохыг илэрхийлж буй нөхцөл.

• **좋다 (тэмдэг нэр)** : 어떤 것이 몸이나 건강을 더 나아지게 하는 성질이 있다.

**сайн**

ямар нэгэн зҮйл бие ба эрҮҮл мэндийг сайжруулах шинж чанарыг агуулсан.

• -은 : 앞의 말이 관형어의 기능을 하게 만들고 현재의 상태를 나타내는 어미.

**Тохирох Үг хэллэг байхгүй байна**

өмнөх Үгийг тодотгол гишҮҮний ҮҮрэгтэй болгож одоогийн нөхцөл байдлыг илэрхийлж буй нөхцөл.

• **사료 (нэр Үг)** : 집이나 농장 등에서 기르는 동물에게 주는 먹이.

**идэш, тэжээл**

гэр, ферм зэрэгт тэжээдэг амьтанд өгдөг хоол.

• 를 : 동작이 직접적으로 영향을 미치는 대상을 나타내는 조사.

**-ыг/-ийг/-г**

Үйл хөдлөл шууд нөлөөлж буй тусагдахууныг илэрхийлэх нөхцөл.

- **개발하다 (Үйл Үг)** : 새로운 물건을 만들거나 새로운 생각을 내놓다.
  нээх, илрҮҮлэх
  шинэ зҮйл бҮтээх буюу шинэ санаа дэвшҮҮлэх.

- **-는** : 앞의 말이 관형어의 기능을 하게 만들고 사건이나 동작이 현재 일어남을 나타내는 어미.
  Тохирох Үг хэллэг байхгҮй байна
  өмнөх Үгийг тодотгол гишҮҮний ҮҮрэгтэй болгож, хэрэг явдал буюу Үйлдэл нь одоо өрнөж байгааг илэрхийлдэг нөхцөл.

- **회사 (нэр Үг)** : 사업을 통해 이익을 얻기 위해 여러 사람이 모여 만든 법인 단체.
  аж ахуйн нэгж, пҮҮс, компани
  бизнесээр дамжуулан ашиг орлого олохын тулд олон хҮмҮҮс нийлж байгуулсан хуулийн этгээд.

- **들** : '복수'의 뜻을 더하는 접미사.
  Тохирох Үг хэллэг байхгҮй байна
  олон тооны утга нэмдэг дагавар.

- **도** : 이미 있는 어떤 것에 다른 것을 더하거나 포함함을 나타내는 조사.
  ч
  нэгэнт байгаа зҮйл дээр өөр зҮйлийг нэмэх буюу хамруулсныг илэрхийлж буй нөхцөл.

- **점점 (дайвар Үг)** : 시간이 지남에 따라 정도가 조금씩 더.
  бага багаар
  цаг хугацаа өнгөрөх тусам хэм хэмжээ бага багаар илҮҮ.

- **늘어나다 (Үйл Үг)** : 부피나 수량이나 정도가 원래보다 점점 커지거나 많아지다.
  тэлэх, томрох
  уг байдал дээрээ нэмэгдэн тоо, хэмжээ нь ихсэж томрох.

- **-고 있다** : 앞의 말이 나타내는 행동이 계속 진행됨을 나타내는 표현.
  Тохирох Үг хэллэг байхгҮй байна
  өмнөх Үгийн илэрхийлж буй Үйлдэл Үргэлжилж буйг илэрхийлдэг Үг хэллэг.

- **-다** : 어떤 사건이나 사실, 상태를 서술함을 나타내는 종결 어미.
  Тохирох Үг хэллэг байхгҮй байна
  одоогийн хэрэг явдал буюу Үнэн явлыг хҮҮрнэхийг илэрхийлдэг төгсгөх нөхцөл.

---

올해 한 사료 회사+에서 유기농 원료+를 <u>사용하</u>+ㄴ 신제품 개발+에 성공하+여 투자자+를 <u>위하</u>+ㄴ
　　　　　　　　　　　　　　　　 사용한　　　　　　　　　　　　　　　　　　 위한

모임+을 개최하+[게 되]+었+다.

- 올해 (нэр Үг) : 지금 지나가고 있는 이 해.

  **энэ жил**

  одоо Үргэлжилж буй энэ жил.

- 한 (тодотгол Үг) : 여럿 중 하나인 어떤.

  **нэг**

  олон зҮйлийн дундаас ямар нэгэн.

- 사료 (нэр Үг) : 집이나 농장 등에서 기르는 동물에게 주는 먹이.

  **идэш, тэжээл**

  гэр, ферм зэрэгт тэжээдэг амьтанд өгдөг хоол.

- 회사 (нэр Үг) : 사업을 통해 이익을 얻기 위해 여러 사람이 모여 만든 법인 단체.

  **аж ахуйн нэгж, пҮҮс, компани**

  бизнесээр дамжуулан ашиг орлого олохын тулд олон хҮмҮҮс нийлж байгуулсан хуулийн этгээд.

- 에서 : 앞말이 주어임을 나타내는 조사.

  **-аас(-ээс, -оос, -өөс)**

  өмнөх Үг нь өгҮҮлэгдэхҮҮн болохыг илэрхийлдэг нөхцөл.

- 유기농 (нэр Үг) : 화학 비료나 농약을 쓰지 않고 생물의 작용으로 만들어진 것만을 사용하는 방식의 농업.

  **эко газар тариалан**

  химийн бордоо болон тариалангийн хортон шавж устгах хор Үл хэрэглэн амьт биетийн Үйлчлэлээр бий болсон зҮйлийг л хэрэглэдэг газар тариалан.

- 원료 (нэр Үг) : 어떤 것을 만드는 데 들어가는 재료.

  **Үндсэн материал, тҮҮхий эд**

  ямар нэгэн зҮйлийг хийхэд орох материал.

- 를 : 동작이 직접적으로 영향을 미치는 대상을 나타내는 조사.

  **-ыг/-ийг/-г**

  Үйл хөдлөл шууд нөлөөлж буй тусагдахууныг илэрхийлэх нөхцөл.

- 사용하다 (Үйл Үг) : 무엇을 필요한 일이나 기능에 맞게 쓰다.

  **хэрэглэх, ашиглах**

  юмыг хэрэгтэй зҮйл болон Үйл ажиллагаанд нь тохируулан хэрэглэх.

- -ㄴ : 앞의 말이 관형어의 기능을 하게 만들고 사건이나 동작이 완료되어 그 상태가 유지되고 있음을 나타내는 어미.

  **Тохирох Үг хэллэг байхгҮй байна**

  өмнөх Үгийг тодотгол гишҮҮний ҮҮрэгтэй болгож, хэрэг явдал буюу Үйлдэл нь бҮрэн төгс болсон, тухайн байдал Үргэлжилж буйг илэрхийлдэг нөхцөл.

- **신제품 (нэр үг)** : 새로 만든 제품.
  **шинэ бүтээгдэхүүн**
  шинээр үйлдвэрлэсэн бүтээгдэхүүн.

- **개발 (нэр үг)** : 새로운 물건을 만들거나 새로운 생각을 내놓음.
  **шинээр гаргах, шинээр бүтээх**
  шинэ бүтээгдэхүүн гаргах буюу шинэ санаа дэвшүүлэх явдал.

- **에** : 앞말이 어떤 행위나 감정 등의 대상임을 나타내는 조사.
  **-д/-т**
  өмнөх үг ямар нэгэн үйлдэл буюу сэтгэл хөдлөлийн тусагдахуун болохыг илэрхийлж буй үг.

- **성공하다 (үйл үг)** : 원하거나 목적하는 것을 이루다.
  **амжилтанд хүрэх, биелүүлэх, бүтээх**
  хүсч, зорьж байсан зүйлээ бүтээх.

- **-여** : 앞에 오는 말이 뒤에 오는 말에 대한 원인이나 이유임을 나타내는 연결 어미.
  **Тохирох үг хэллэг байхгүй байна**
  өмнө ирэх үг ард ирэх үгийн талаарх учир шалтгаан болохыг илэрхийлдэг холбох нөхцөл.

- **투자자 (нэр үг)** : 이익을 얻기 위해 어떤 일이나 사업에 돈을 대거나 시간이나 정성을 쏟는 사람.
  **хөрөнгө оруулагч**
  ашиг олохын тулд ямар нэгэн ажил үйл ба бизнест мөнгө зарцуулах буюу цаг хугацаа, сэтгэлээ зориулж буй хүн.

- **를** : 동작이 직접적으로 영향을 미치는 대상을 나타내는 조사.
  **-ыг/-ийг/-г**
  үйл хөдлөл шууд нөлөөлж буй тусагдахууныг илэрхийлэх нөхцөл.

- **위하다 (үйл үг)** : 무엇을 이롭게 하거나 도우려 하다.
  **төлөө, тулд, зориулах**
  ямар нэг зүйлийн тулд хийх гэх буюу туслах гэх.

- **-ㄴ** : 앞의 말이 관형어의 기능을 하게 만들고 사건이나 동작이 완료되어 그 상태가 유지되고 있음을 나타내는 어미.
  **Тохирох үг хэллэг байхгүй байна**
  өмнөх үгийг тодотгол гишүүний үүрэгтэй болгож, хэрэг явдал буюу үйлдэл нь бүрэн төгс болсон, тухайн байдал үргэлжилж буйг илэрхийлдэг нөхцөл.

- **모임 (нэр үг)** : 어떤 일을 하기 위하여 여러 사람이 모이는 일.
  **цуглаан, уулзалт**
  ямар нэг зүйл хийхийн тулд олуул цугларах явдал.

• 을 : 동작이 직접적으로 영향을 미치는 대상을 나타내는 조사.

  -ыг/-ийг/-г

  Үйл хөдлөл шууд нөлөөлж буй тусагдахууныг илэрхийлэх нөхцөл.

• 개최하다 (Үйл Үг) : 모임, 행사, 경기 등을 조직적으로 계획하여 열다.

  нээх, явуулах, зохион байгуулах

  цугларалт, Үйл ажиллагаа, тэмцээн уралдаан зэргийг зохион байгуулан нээх.

• -게 되다 : 앞의 말이 나타내는 상태나 상황이 됨을 나타내는 표현.

  Тохирох Үг хэллэг байхгҮй байна

  өмнөх Үгийн илэрхийлж буй нөхцөл байдал ҮҮсэх буюу тийм байдалд хҮрэх явдлыг илэрхийлдэг Үг хэллэг.

• -었- : 어떤 사건이 과거에 완료되었거나 그 사건의 결과가 현재까지 지속되는 상황을 나타내는 어미.

  Тохирох Үг хэллэг байхгҮй байна

  ямар нэгэн хэрэг явдал өнгөрсөн Үед болж өнгөрсөн буюу тухайн Үйлийн Үр дҮн өнөөг хҮртэл Үргэлжилж буй нөхцөл байдлыг илэрхийлдэг нөхцөл.

• -다 : 어떤 사건이나 사실, 상태를 서술함을 나타내는 종결 어미.

  Тохирох Үг хэллэг байхгҮй байна

  одоогийн хэрэг явдал буюу Үнэн явлыг хҮҮрнэхийг илэрхийлдэг төгсгөх нөхцөл.

---

┌─────────────────────────────────────────────────────────────┐
│ 직원 : 이것+으로 신제품 사료+[에 대한] 설명+을 마치+[도록 하]+겠+습니다. │
└─────────────────────────────────────────────────────────────┘

• 이것 (төлөөний Үг) : 바로 앞에서 이야기한 대상을 가리키는 말.

  ҮҮгээр, энэ, ҮҮнээс

  яг өмнө нь ярьж дурдсан зҮйлийг заадаг Үг.

• 으로 : 어떤 일의 방법이나 방식을 나타내는 조사.

  -аар (-ээр, -оор, -өөр)

  ямар нэгэн Үйл хэргийн арга барилыг илэрхийлж буй нөхцөл.

• 신제품 (нэр Үг) : 새로 만든 제품.

  шинэ бҮтээгдэхҮҮн

  шинээр Үйлдвэрлэсэн бҮтээгдэхҮҮн.

• 사료 (нэр Үг) : 집이나 농장 등에서 기르는 동물에게 주는 먹이.

  идэш, тэжээл

  гэр, ферм зэрэгт тэжээдэг амьтанд өгдөг хоол.

- 에 대한 : 뒤에 오는 명사를 수식하며 앞에 오는 명사를 뒤에 오는 명사의 대상으로 함을 나타내는 표현.

  **-ны/ний тухай, -ны/ний талаар**

  ардаа орох нэр үгийг чимэглэн өмнөө орох нэр үгийг ард орох нэр үгийн объект болгохыг илэрхийлдэг илэрхийлэл.

- **설명 (нэр үг)** : 어떤 것을 남에게 알기 쉽게 풀어 말함. 또는 그런 말.

  **тайлбар**

  ямар нэг зүйлийг бусдад ойлгомжтой амар хялбараар тайлбарлан хэлэх явдал. мөн тийм үг.

- 을 : 동작이 직접적으로 영향을 미치는 대상을 나타내는 조사.

  **-ыг/-ийг/-г**

  үйл хөдлөл шууд нөлөөлж буй тусагдахууныг илэрхийлэх нөхцөл.

- **마치다 (үйл үг)** : 하던 일이나 과정이 끝나다. 또는 그렇게 하다.

  **дуусгах, төгсөх, зогсоох, дуусах, төгсөх, зогсох**

  хийж байсан зүйл, явц зэрэг дуусах. мөн тэгэх.

- -도록 하다 : 말하는 사람이 어떤 행위를 할 것이라는 의지나 다짐을 나타내는 표현.

  **-я (-е, -ё)**

  өгүүлэгч этгээд ямар нэгэн үйлийг хийх сэтгэлийн хат буюу амлалтыг илэрхийлдэг илэрхийлэл.

- -겠- : 완곡하게 말하는 태도를 나타내는 어미.

  **Тохирох үг хэллэг байхгүй байна**

  зөрүүлж хэлэх хандлагыг илэрхийлдэг нөхцөл.

- -습니다 : (아주높임으로) 현재의 동작이나 상태, 사실을 정중하게 설명함을 나타내는 종결 어미.

  **Тохирох үг хэллэг байхгүй байна**

  (дээдлэн хүндэтгэх үг хэллэг) одоогийн үйлдэл буюу байдлыг ёсорхог байдлаар тайлбарлах явдлыг илэрхийлдэг төгсгөх нөхцөл.

---

> **직원 : 지금+부터+는 투자자+분+들+의 질문+을 받+[도록 하]+겠+습니다.**

- **지금 (нэр үг)** : 말을 하고 있는 바로 이때.

  **одоо, одоо цаг**

  юм ярьж буй энэ цаг мөч.

- 부터 : 어떤 일의 시작이나 처음을 나타내는 조사.

  **-аас, -ээс, -оос, -өөс**

  ямар нэгэн ажлын эхлэлийг илэрхийлдэг нэрийн нөхцөл.

• 는 : 문장 속에서 어떤 대상이 화제임을 나타내는 조사.

**Тохирох Үг хэллэг байхгүй байна**

өгүүлбэрт ярианы сэдэв болж буйг илэрхийлдэг нөхцөл.

• **투자자 (нэр Үг)** : 이익을 얻기 위해 어떤 일이나 사업에 돈을 대거나 시간이나 정성을 쏟는 사람.

**хөрөнгө оруулагч**

ашиг олохын тулд ямар нэгэн ажил Үйл ба бизнест мөнгө зарцуулах буюу цаг хугацаа, сэтгэлээ зориулж буй хүн.

• 분 : '높임'의 뜻을 더하는 접미사.

**Тохирох Үг хэллэг байхгүй байна**

'хүндлэх' угта нэмдэг дагавар.

• 들 : '복수'의 뜻을 더하는 접미사.

**Тохирох Үг хэллэг байхгүй байна**

олон тооны утга нэмдэг дагавар.

• 의 : 앞의 말이 뒤의 말에 대하여 소유, 소속, 소재, 관계, 기원, 주체의 관계를 가짐을 나타내는 조사.

**-н/-ийн/-ын/-ий/-ы**

өмнөх Үг хойдох Үгтэй эзэмшил, харьяа, хэрэглэгдэхүүн, сэдвийн хамааралтай болохыг илэрхийлсэн нөхцөл.

• **질문 (нэр Үг)** : 모르는 것이나 알고 싶은 것을 물음.

**асуулт**

мэдэхгүй зүйл юмуу мэдэхийг хүссэн зүйлээ асуух явдал.

• 을 : 동작이 직접적으로 영향을 미치는 대상을 나타내는 조사.

**-ыг/-ийг/-г**

Үйл хөдлөл шууд нөлөөлж буй тусагдахууныг илэрхийлэх нөхцөл.

• **받다 (Үйл Үг)** : 요구나 신청, 질문, 공격, 신호 등과 같은 작용을 당하거나 그에 응하다.

**хүлээн авах**

шаардлага, хүсэлт, довтолгоо, асуулт, дохио мэтийн Үйлчлэлд өртөх юм уу хүлээн авах.

• -도록 하다 : 말하는 사람이 어떤 행위를 할 것이라는 의지나 다짐을 나타내는 표현.

**-я (-е, -ё)**

өгүүлэгч этгээд ямар нэгэн Үйлийг хийх сэтгэлийн хат буюу амлалтыг илэрхийлдэг илэрхийлэл.

• -겠- : 완곡하게 말하는 태도를 나타내는 어미.

**Тохирох Үг хэллэг байхгүй байна**

зөөрүүлж хэлэх хандлагыг илэрхийлдэг нөхцөл.

- -습니다 : (아주높임으로) 현재의 동작이나 상태, 사실을 정중하게 설명함을 나타내는 종결 어미.
  **Тохирох Υг хэллэг байхгΥй байна**
  (дээдлэн хΥндэтгэх Υг хэллэг) одоогийн Υйлдэл буюу байдлыг ёсорхог байдлаар тайлбарлах явдлыг илэрхийлдэг төгсгөх нөхцөл.

> **투자자 :** <u>자세하+ㄴ</u> 설명 잘 <u>듣(들)+었+습니다</u>.
>      자세한                들었습니다

- **자세하다 (тэмдэг нэр)** : 아주 사소한 부분까지 구체적이고 분명하다.
  **нарийн, тодорхой, нарийн ширийн**
  маш жижиг хэсэг ч гэсэн нэгд нэгэнгΥй тодорхой байх.

- **-ㄴ** : 앞의 말이 관형어의 기능을 하게 만들고 현재의 상태를 나타내는 어미.
  **Тохирох Υг хэллэг байхгΥй байна**
  өмнөх Υгийг тодотгол гишΥΥний Υηрэгтэй болгож, одоогийн байдлыг илэрхийлдэг нөхцөл.

- **설명 (нэр Υг)** : 어떤 것을 남에게 알기 쉽게 풀어 말함. 또는 그런 말.
  **тайлбар**
  ямар нэг зΥйлийг бусдад ойлгомжтой амар хялбараар тайлбарлан хэлэх явдал. мөн тийм Υг.

- **잘 (дайвар Υг)** : 관심을 집중해서 주의 깊게.
  **сайн**
  анхаарлаа төвлөрΥΥлэн болгоомжтой.

- **듣다 (Υйл Υг)** : 다른 사람의 말이나 소리 등에 귀를 기울이다.
  **сонсох, анхаарах**
  бусад хΥний Υг, дуу авиа зэрэгт анхаарал хандуулах.

- **-었-** : 어떤 사건이 과거에 완료되었거나 그 사건의 결과가 현재까지 지속되는 상황을 나타내는 어미.
  **Тохирох Υг хэллэг байхгΥй байна**
  ямар нэгэн хэрэг явдал өнгөрсөн Υед болж өнгөрсөн буюу тухайн Υйлийн Υр дΥн өнөөг хΥртэл Υргэлжилж буй нөхцөл байдлыг илэрхийлдэг нөхцөл.

- **-습니다** : (아주높임으로) 현재의 동작이나 상태, 사실을 정중하게 설명함을 나타내는 종결 어미.
  **Тохирох Υг хэллэг байхгΥй байна**
  (дээдлэн хΥндэтгэх Υг хэллэг) одоогийн Υйлдэл буюу байдлыг ёсорхог байдлаар тайлбарлах явдлыг илэрхийлдэг төгсгөх нөхцөл.

> **투자자 : 그런데 혹시 그거 사람+도 먹+[을 수 있]+습니까?**

• **그런데 (дайвар Үг)** : 이야기를 앞의 내용과 관련시키면서 다른 방향으로 바꿀 때 쓰는 말.

**гэхдээ**

яриаг өмнөх агуулгатай холбонгоо өөр тийш нь хандуулахад хэрэглэдэг Үг.

• **혹시 (дайвар Үг)** : 그러리라 생각하지만 분명하지 않아 말하기를 망설일 때 쓰는 말.

**магадгҮй**

тийм гэж бодож байгаа боловч тодорхой мэдэхгҮй учир ярих Үедээ эргэлзэхэд

хэрэглэдэг Үг.

• **그거 (төлөөний Үг)** : 앞에서 이미 이야기한 대상을 가리키는 말.

**тэр, нөгөө**

өмнө нь ярьж хэлсэн зҮйлийг заадаг Үг.

• **사람 (нэр Үг)** : 생각할 수 있으며 언어와 도구를 만들어 사용하고 사회를 이루어 사는 존재.

**хҮн**

сэтгэх чадвартай хэл болон багаж хэрэгсэл зохион ашиглаж нийгмийг бҮтээн

амьдардаг бие бодь.

• **도** : 이미 있는 어떤 것에 다른 것을 더하거나 포함함을 나타내는 조사.

**ч**

нэгэнт байгаа зҮйл дээр өөр зҮйлийг нэмэх буюу хамруулсныг илэрхийлж буй нөхцөл.

• **먹다 (Үйл Үг)** : 음식 등을 입을 통하여 배 속에 들여보내다.

**идэх**

хоол хҮнс зэргийг амаар дамжуулан гэдсэндээ хийх.

• **-을 수 있다** : 어떤 행동이나 상태가 가능함을 나타내는 표현.

**-ж болох, -ж мэдэх**

ямар нэгэн Үйл хөдлөл, байдал өрнөх боломжтой болохыг илэрхийлэх хэллэг.

• **-습니까** : (아주높임으로) 말하는 사람이 듣는 사람에게 정중하게 물음을 나타내는 종결 어미.

**Тохирох Үг хэллэг байхгҮй байна**

(дээдлэн хҮндэтгэх Үг хэллэг) өгҮҮлэгч хҮн сонсогч этгээдээс хҮндэтгэлтэйгээр асуух

явдлыг илэрхийлдэг төгсгөх нөхцөл.

> **직원 : 사람+은 못 먹+습니다.**

• **사람 (нэр Үг)** : 생각할 수 있으며 언어와 도구를 만들어 사용하고 사회를 이루어 사는 존재.

**хҮн**

сэтгэх чадвартай хэл болон багаж хэрэгсэл зохион ашиглаж нийгмийг бҮтээн амьдардаг бие бодь.

• **은** : 문장 속에서 어떤 대상이 화제임을 나타내는 조사.

**Тохирох Үг хэллэг байхгҮй байна**

өгҮҮлбэрт ямар зҮйл ярианы сэдэв болж буйг илэрхийлдэг нөхцөл.

• **못 (дайвар Үг)** : 동사가 나타내는 동작을 할 수 없게.

**-гҮй байх**

Үйл Үг илэрхийлж буй хөдөлгөөнийг хийж чадахгҮй байх.

• **먹다 (Үйл Үг)** : 음식 등을 입을 통하여 배 속에 들여보내다.

**идэх**

хоол хҮнс зэргийг амаар дамжуулан гэдсэндээ хийх.

• **-습니다** : (아주높임으로) 현재의 동작이나 상태, 사실을 정중하게 설명함을 나타내는 종결 어미.

**Тохирох Үг хэллэг байхгҮй байна**

(дээдлэн хҮндэтгэх Үг хэллэг) одоогийн Үйлдэл буюу байдлыг ёсорхог байдлаар тайлбарлах явдлыг илэрхийлдэг төгсгөх нөхцөл.

---

> **투자자 :** 아니, 유기농 원료+에 영양가 높+고 위생적+으로 <u>만들(만드)+ㄴ</u>
> **만든**
>
> <u>개 사료+(이)+라면서</u> 왜 먹+[지 못하]+지요?
> **개 사료라면서**

---

• **아니 (аялга Үг)** : 놀라거나 감탄스러울 때, 또는 의심스럽고 이상할 때 하는 말.

**ҮгҮй**

гайхах болон бишрэн Үед, мөн эргэлзээ төрҮҮлэм хачин Үед хэлэх Үг.

• **유기농 (нэр Үг)** : 화학 비료나 농약을 쓰지 않고 생물의 작용으로 만들어진 깃만을 사용히는 방식의 농업.

**эко газар тариалан**

химийн бордоо болон тариалангийн хортон шавж устгах хор Үл хэрэглэн амьт биетийн Үйлчлэлээр бий болсон зҮйлийг л хэрэглэдэг газар тариалан.

• **원료 (нэр Үг)** : 어떤 것을 만드는 데 들어가는 재료.

**Үндсэн материал, тҮҮхий эд**

ямар нэгэн зҮйлийг хийхэд орох материал.

- 에 : 앞말에 무엇이 더해짐을 나타내는 조사.

  **-д/-т, зэрэгцээ**

  өмнөх үгэнд ямар нэгэн зүйл нэмэгдэж байгааг илэрхийлж буй нөхцөл.

- **영양가 (нэр үг)** : 식품이 가진 영양의 가치.

  **тэжээллэг чанар**

  хүнсний бүтээгдэхүүнд агуулагдсан шим тэжээлийн агуулга.

- **높다 (тэмдэг нэр)** : 품질이나 수준 또는 능력이나 가치가 보통보다 위에 있다.

  **өндөр**

  чанар, түвшин, чадвар, үнэ цэнэ мэт ердийнхөөс дээгүүр байх.

- -고 : 두 가지 이상의 대등한 사실을 나열할 때 쓰는 연결 어미.

  **Тохирох үг хэллэг байхгүй байна**

  хоёроос дээш тооны хэрэг явдлыг зэрэгцүүлэн холбоход хэрэглэдэг холбох нөхцөл.

- **위생적 (нэр үг)** : 건강에 이롭거나 도움이 되도록 조건을 갖춘 것.

  **эрүүл ахуйн**

  эрүүл мэндэд ашигтай, ашигтай нөхцөл хангасан зүйл.

- 으로 : 어떤 일의 방법이나 방식을 나타내는 조사.

  **-аар (-ээр, -оор, -өөр)**

  ямар нэгэн үйл хэргийн арга барилыг илэрхийлж буй нөхцөл.

- **만들다 (үйл үг)** : 힘과 기술을 써서 없던 것을 생기게 하다.

  **хийх, бүтээх, бий болгох**

  хүч болон ур дүйгээ ашиглаж байхгүй зүйлийг бий болгох.

- -ㄴ : 앞의 말이 관형어의 기능을 하게 만들고 사건이나 동작이 완료되어 그 상태가 유지되고 있음을 나타내는 어미.

  **Тохирох үг хэллэг байхгүй байна**

  өмнөх үгийг тодотгол гишүүний үүрэгтэй болгож, хэрэг явдал буюу үйлдэл нь бүрэн төгс болсон, тухайн байдал үргэлжилж буйг илэрхийлдэг нөхцөл.

- **개 (нэр үг)** : 냄새를 잘 맡고 귀가 매우 밝으며 영리하고 사람을 잘 따라 사냥이나 애완 등의 목적으로 기르는 동물.

  **нохой**

  үнэрч, сонор соргог чихтэй, ухаантай сэргэлэн, хүний үгэнд сайн ордог тул ан ав болон гэрт тэжээх зорилгоор өсгөдөг амьтан.

- **사료 (нэр үг)** : 집이나 농장 등에서 기르는 동물에게 주는 먹이.

  **идэш, тэжээл**

  гэр, ферм зэрэгт тэжээдэг амьтанд өгдөг хоол.

• 이다 : 주어가 지시하는 대상의 속성이나 부류를 지정하는 뜻을 나타내는 서술격 조사.
  **Тохирох үг хэллэг байхгүй байна**
  эзэн биеийн зааж буй обьектын шинж чанар, төрөл зүйлийг тодорхойлох утгыг
  илэрхийлэх өгүүлэхүүний тийн ялгалын нөхцөл.

• -라면서 : 듣는 사람이나 다른 사람이 이전에 했던 말이 예상이나 지금의 상황과 다름을 따져 물을 때
      쓰는 표현.
  **Тохирох үг хэллэг байхгүй байна**
  ард нь түүнээс эсрэг зүйл сонсож бусдын үг яриаг ялгаж салган асуухад хэрэглэдэг
  илэрхийлэл.

• 왜 (дайвар үг) : 무슨 이유로. 또는 어째서.
  **яагаад, ямар учраас**
  ямар шалтгаанаар. мөн яагаад.

• 먹다 (үйл үг) : 음식 등을 입을 통하여 배 속에 들여보내다.
  **идэх**
  хоол хүнс зэргийг амаар дамжуулан гэдсэндээ хийх.

• -지 못하다 : 앞의 말이 나타내는 행동을 할 능력이 없거나 주어의 의지대로 되지 않음을 나타내는 표
      현.
  **Тохирох үг хэллэг байхгүй байна**
  өмнөх үгийн илэрхийлж буй үйлдлийг хийх чадваргүй буюу тийнхүү хийх гэсэн эзэн
  биеийн санасны дагуу болохгүй байх явдлыг илэрхийлдэг үг хэллэг.

• -지요 : (두루높임으로) 말하는 사람이 듣는 사람에게 친근함을 나타내며 물을 때 쓰는 종결 어미.
  **Тохирох үг хэллэг байхгүй байна**
  (хүндэтгэлийн энгийн үг хэллэг) өгүүлэгч этгээд сонсогч этгээдээс найрсгаар хандан
  асуухад хэрэглэдэг төгсгөх нөхцөл.

---

> **직원 : <u>비싸+(아)서</u> 절대 못 먹+습니다.**
> **　　　비싸서**

---

• 비싸다 (тэмдэг нэр) : 물건값이나 어떤 일을 하는 데 드는 비용이 보통보다 높다.
  **үнэтэй**
  барааны үнэ буюу ямар нэгэн юмыг хийхэд төлдөг зардал ердийнхөөс их байх.

• -아서 : 이유나 근거를 나타내는 연결 어미.
  **Тохирох үг хэллэг байхгүй байна**
  учир шалтгаан буюу үндэслэлийг илэрхийлдэг холбох нөхцөл.

· 절대 (дайвар Үг) : 어떤 경우라도 반드시.
  **зайлшгҮй, туйлын, ҮнэмлэхҮй**
  ямар ч тохиолдол байсан заавал.

· 못 (дайвар Үг) : 동사가 나타내는 동작을 할 수 없게.
  **-гҮй байх**
  Үйл Үг илэрхийлж буй хөдөлгөөнийг хийж чадахгҮй байх.

· 먹다 (Үйл Үг) : 음식 등을 입을 통하여 배 속에 들여보내다.
  **идэх**
  хоол хҮнс зэргийг амаар дамжуулан гэдсэндээ хийх.

· -습니다 : (아주높임으로) 현재의 동작이나 상태, 사실을 정중하게 설명함을 나타내는 종결 어미.
  **Тохирох Үг хэллэг байхгҮй байна**
  (дээдлэн хҮндэтгэх Үг хэллэг) одоогийн Үйлдэл буюу байдлыг ёсорхог байдлаар тайлбарлах явдлыг илэрхийлдэг төгсгөх нөхцөл.

# ● 숫자 (TOO)

- 0 (영, 공) : тэг
- 1 (일, 하나) : нэг
- 2 (이, 둘) : хоёр
- 3 (삼, 셋) : гурав
- 4 (사, 넷) : дөрөв
- 5 (오, 다섯) : тав
- 6 (육, 여섯) : зургаа
- 7 (칠, 일곱) : долоо
- 8 (팔, 여덟) : найм
- 9 (구, 아홉) : ес
- 10 (십, 열) : арав
- 20 (이십, 스물) : хорь
- 30 (삼십, 서른) : гуч
- 40 (사십, 마흔) : дөч
- 50 (오십, 쉰) : тавь
- 60 (육십, 예순) : жар
- 70 (칠십, 일흔) : дал
- 80 (팔십, 여든) : ная
- 90 (구십, 아흔) : ер
- 100 (백) : зуу
- 1,000 (천) : мянга
- 10,000 (만) : арван мянга
- 100,000 (십만) : зуун мянга
- 1,000,000 (백만) : сая
- 10,000,000 (천만) : арван сая
- 100,000,000 (억) : зуун сая
- 1,000,000,000,000 (조) : триллион

# ● 시간 (хугацаа)

· **시** (нэр Үг) : 하루를 스물넷으로 나누었을 때 그 하나를 나타내는 시간의 단위.

**цаг**

нэг өдрийг хорин дөрвөн цагт хуваахад тҮҮний нэг цагийг илэрхийлдэг цагийн нэгж.

· **분** (нэр Үг) : 한 시간의 60분의 1을 나타내는 시간의 단위.

**минут, агшин**

нэг цагийн жар хуваасны нэгийг илэрхийлэх цагийн нэгж.

· **초** (нэр Үг) : 일 분의 60분의 1을 나타내는 시간의 단위.

**хором, секунд**

нэг минутын жар хуваасны нэгийг илэрхийлдэг цаг хугацааны нэгж.

· **새벽** (нэр Үг)

1) 해가 뜰 즈음.

**ҮҮр**

нар хөөрөхөөс өмнөх Үе

2) 아주 이른 오전 시간을 가리키는 말.

**ҮҮр цҮҮр**

маш эрт, нар гарахаас өмнө

· **아침** (нэр Үг) : 날이 밝아올 때부터 해가 떠올라 하루의 일이 시작될 때쯤까지의 시간.

**өглөө**

ҮҮр цайхаас эхлээд нар мандаж нэг өдрийн амьдрал эхлэх Үе хҮртлэх хугацаа.

· **점심** (нэр Үг) : 하루 중에 해가 가장 높이 떠 있는, 아침과 저녁의 중간이 되는 시간.

**Үд**

өдрийн нар хамгийн өндөрт хөөрдөг, өглөө оройн хоорондох цаг.

· **저녁** (нэр Үг) : 해가 지기 시작할 때부터 밤이 될 때까지의 동안.

**орой, Үдэш**

нар жаргаж эхлэх Үеэс шөнө болох хҮртлэх Үе.

· **낮** (нэр Үг)

1) 해가 뜰 때부터 질 때까지의 동안.

**өдөр**

нар мандахаас жаргах хҮртлэх хугацаа.

2) 오후 열두 시가 지나고 저녁이 되기 전까지의 동안.

**өдөр**

Үдээс хойш 12 цаг өнгөрч орой болохын өмнөх хугацаа.

- **밤** (нэр үг) : 해가 진 후부터 다음 날 해가 뜨기 전까지의 어두운 동안.

  **шөнө**

  нар жаргасны дараанаас эхлээд дараа өдрийн нар мандахын өмнөх хүртлэх харанхуй үе.

- **오전** (нэр үг)

  1) 아침부터 낮 열두 시까지의 동안.

     **үдээс өмнө**

     өглөөнөөс өдрийн арван хоёр цагийн хоорондох хугацаа.

  2) 밤 열두 시부터 낮 열두 시까지의 동안.

     **үд**

     шөнийн арван хоёр цагаас үдийн арван хоёр цагийн хоорондох хугацаа.

- **오후** (нэр үг)

  1) 정오부터 해가 질 때까지의 동안.

     **үдээш хойш**

     үд дундаас нар жаргах хүртлэх хугацаа.

  2) 정오부터 밤 열두 시까지의 시간.

     **үдээш хойш**

     үд дундаас эхлээд шөнийн 12 цаг хүртлэх цаг.

- **정오** (нэр үг) : 낮 열두 시.

  **үд**

  өдрийн арван хоёр цаг.

- **자정** (нэр үг) : 밤 열두 시.

  **шөнө дунд**

  шөнийн арван хоёр цаг.

- **그저께** (нэр үг) : 어제의 전날. 즉 오늘로부터 이틀 전.

  **уржигдар, хоёр хоногийн өмнө**

  өчигдрийн өмнөх өдөр. тухайлбал өнөөдрөөс хоёр хоногийн өмнө.

- **어제** (нэр үг) : 오늘의 하루 전날.

  **өчигдөр**

  өнөөдрийн өмнөх өдөр.

- **오늘** (нэр үг) : 지금 지나가고 있는 이날.

  **өнөөдөр**

  одоо өнгөрөн одож буй энэ өдөр.

- **내일** (нэр үг) : 오늘의 다음 날.

  **маргааш**

  өнөөдрийн дараах өдөр.

· **모레** (нэр Yг) : 내일의 다음 날.
**нөгөөдөр**
маргаашийн дараах өдөр.

· **하루** (нэр Yг) : 밤 열두 시부터 다음 날 밤 열두 시까지의 스물네 시간.
**хоног**
шөнийн арван хоёр цагаас дараа өдрийн шөнийн арван хоёр цаг хYртэлх 24 цаг.

· **이틀** (нэр Yг) : 두 날.
**Тохирох Yг хэллэг байхгYй байна**
хоёр хоног.

· **사흘** (нэр Yг) : 세 날.
**гурав хоног**
гурван өдөр, гурван хоног.

· **나흘** (нэр Yг) : 네 날.
**дөрвөн өдөр**
дөрвөн өдрийн хугацаа.

· **닷새** (нэр Yг) : 다섯 날.
**таван өдөр**
таван хоног.

· **엿새** (нэр Yг) : 여섯 날.
**зургаан өдөр**
зургаан өдөр.

· **이레** (нэр Yг) : 일곱 날.
**долоон өдөр, долоон хоног**
долоон өдөр.

· **여드레** (нэр Yг) : 여덟 날.
**найман өдөр**
найман хоног.

· **아흐레** (нэр Yг) : 아홉 날.
**Тохирох Yг хэллэг байхгYй байна**
есөн өдөр.

· **열흘** (нэр Yг) : 열 날.
**Тохирох Yг хэллэг байхгYй байна**
арван өдөр.

• **월요일** (нэр Үг) : 한 주가 시작되는 첫 날.

　даваа гараг

　нэг долоо хоног эхэлж буй эхний өдөр.


• **화요일** (нэр Үг) : 월요일을 기준으로 한 주의 둘째 날.

　мягмар гараг, хоёр дахь өдөр

　даваа гарагийг жишиг болгосон нэг долоо хоногийн хоёр дахь өдөр.


• **수요일** (нэр Үг) : 월요일을 기준으로 한 주의 셋째 날.

　лхагва гараг, гурав дахь өдөр

　даваа гарагийг жишиг болгосон нэг долоо хоногийн гурав дахь өдөр.


• **목요일** (нэр Үг) : 월요일을 기준으로 한 주의 넷째 날.

　пҮрэв гараг, дөрөв дэх өдөр

　даваа гарагийг жишиг болгосон нэг долоо хоногийн дөрөв дэх өдөр.


• **금요일** (нэр Үг) : 월요일을 기준으로 한 주의 다섯째 날.

　баасан гараг, тав дахь өдөр

　даваа гарагийг жишиг болгосон нэг долоо хоногийн тав дахь гараг.


• **토요일** (нэр Үг) : 월요일을 기준으로 한 주의 여섯째 날.

　бямба гараг, хагас сайн өдөр

　даваа гарагийг жишиг болгосон нэг долоо хоногийн зургаа дахь өдөр.


• **일요일** (нэр Үг) : 월요일을 기준으로 한 주의 마지막 날.

　ням гараг, бҮтэн сайн өдөр

　даваа гарагийг жишиг болгосон нэг долоо хоногийн сҮҮлийн өдөр.


• **일주일** (нэр Үг) : 월요일부터 일요일까지 칠 일. 또는 한 주일.

　долоо хоног

　даваа гарагаас ням гараг хҮртлэх долоон хоног. мөн нэг долоо хоног.


• **일월** (нэр Үг) : 일 년 열두 달 가운데 첫째 달.

　нэгдҮгээр сар, нэг сар, хуц сар

　нэг жилийн арван хоёр сарын нэг дэх сар.


• **이월** (нэр Үг) : 일 년 열두 달 가운데 둘째 달.

　хоёрдугаар сар, хоёр сар, их улаан сар

　нэг жилийн арван хоёр сарын хоёр дахь сар.


• **삼월** (нэр Үг) : 일 년 열두 달 가운데 셋째 달.

　гуравдугаар сар, гурван сар, бага улаан сар

　нэг жилийн арван хоёр сарын гурав дахь сар.

• 사월 (нэр Үг) : 일 년 열두 달 가운데 넷째 달.

  дөрөвдҮгээр сар, дөрвөн сар, ухаа хагдны сар

  нэг жилийн арван хоёр сарын дөрөв дэх сар.


• 오월 (нэр Үг) : 일 년 열두 달 가운데 다섯째 달.

  тавдугаар сар, таван сар, хөхөөн дууны сар

  нэг жилийн арван хоёр сарын тав дахь сар.


• 유월 (нэр Үг) : 일 년 열두 달 가운데 여섯째 달.

  зургадугаар сар

  нэг жилийн арван хоёр сарын зургаа дахь сар.


• 칠월 (нэр Үг) : 일 년 열두 달 가운데 일곱째 달.

  долдугаар сар, долоон сар, өвөөлж сар

  нэг жилийн арван хоёр сарын долоо дахь сар.


• 팔월 (нэр Үг) : 일 년 열두 달 가운데 여덟째 달.

  наймдугаар сар, найман сар

  нэг жилийн арван хоёр сарын найм дахь сар.


• 구월 (нэр Үг) : 일 년 열두 달 가운데 아홉째 달.

  есдҮгээр сар, есөн сар, улаараа сар

  нэг жилийн арван хоёр сарын ес дэх сар.


• 시월 (нэр Үг) : 일 년 열두 달 중 열 번째 달.

  аравдугаар сар, арван сар, хөтҮҮ сар

  нэг жилийн арван хоёр сарын арав дахь сар.


• 십일월 (нэр Үг) : 일 년 열두 달 가운데 열한째 달.

  арван нэгдҮгээр сар, арван нэгэн сар, гур сар

  нэг жилийн арван хоёр сарын арван нэг дэх сар.


• 십이월 (нэр Үг) : 일 년 열두 달 가운데 마지막 달.

  арван хоёрдугаар сар, арван хоёр сар, буга сар

  нэг жилийн арван хоёр сарын хамгийн сҮҮлийн сар.


• 봄 (нэр Үг) : 네 계절 중의 하나로 겨울과 여름 사이의 계절.

  хавар

  дөрвөн улирлын нэг бөгөөд өвөл болон зуны хоорондхи улирал.


• 여름 (нэр Үг) : 네 계절 중의 하나로 봄과 가을 사이의 더운 계절.

  зун

  дөрвөн улирлын нэг бөгөөд хавар болон намрын улирлын дундах халуун улирал.

- 가을 (нэр үг) : 네 계절 중의 하나로 여름과 겨울 사이의 계절.

  **намар**

  дөрвөн улирлын нэг бөгөөд зун ба өвлийн улирлын завсарт тохиох улирал.

- 겨울 (нэр үг) : 네 계절 중의 하나로 가을과 봄 사이의 추운 계절.

  **өвөл**

  жилийн дөрвөн улирөлын нэг бөгөөд намар ба хаврын дундах хҮйтэн улирал.

- 작년 (нэр үг) : 지금 지나가고 있는 해의 바로 전 해.

  **ноднин жил**

  одоо өнгөрч буй жилийн өмнөх жил.

- 올해 (нэр үг) : 지금 지나가고 있는 이 해.

  **энэ жил**

  одоо үргэлжилж буй энэ жил.

- 내년 (нэр үг) : 올해의 바로 다음 해.

  **ирэх жил, дараа жил**

  энэ жилийн дараа жил.

- 과거 (нэр үг) : 지나간 때.

  **өнгөрсөн Үе**

  өнгөрч одсон өдөр хоног.

- 현재 (нэр үг) : 지금 이때.

  **одоо цаг, энэ цаг Үе**

  яг одоо энэ цаг Үе.

- 미래 (нэр үг) : 앞으로 올 때.

  **ирээдҮй**

  цаашид тохиох өдөр.

< 참고(ашиглах) 문헌(ном зүй) >

고려대학교 한국어대사전, 고려대학교 민족문화연구원, 2009
우리말샘, 국립국어원, 2016
표준국어대사전, 국립국어원, 1999
한국어교육 문법 자료편, 한글파크, 2016
한국어 교육학 사전, 하우, 2014
한국어기초사전, 국립국어원, 2016
한국어 문법 총론 Ⅰ, 집문당, 2015

HANPUK

# 유머로 배우는 한국어 Монгол хэл(몽골어) орчуулга(번역)

**발 행** | 2024년 7월 15일
**저 자** | 주식회사 한글2119연구소
**펴낸이** | 한건희
**펴낸곳** | 주식회사 부크크
**출판사등록** | 2014.07.15.(제2014-16호)
**주 소** | 서울특별시 금천구 가산디지털1로 119 SK트윈타워 A동 305호
**전 화** | 1670-8316
**이메일** | info@bookk.co.kr

**ISBN** | 979-11-410-9532-1

www.bookk.co.kr